HEYNE<

Das Buch
Olivia Townsends reiche Cousine Marissa hat alles, was man sich nur wünschen kann – sie hat ihren Traumjob gefunden, der sie erfüllt, führt ein Leben voll Glanz und Glamour und ist überall beliebt. Zumindest bei allen, deren Freundschaft für Geld zu kaufen ist.

Doch eines Tages gerät Marissas heile Welt durch eine Verwechslung aus den Fugen, und sie landet schließlich in den Armen des heißesten, aber auch gefährlichsten Mannes, der ihr je begegnet ist. Er ist für Marissa ein Buch mit sieben Siegeln; gleichzeitig fühlt sie sich magisch von ihm angezogen und kann ihm einfach nicht widerstehen.

Mit ihm offenbart sich ihr eine ganz neue Welt: eine lustvolle und freie Welt, in der jedoch viele dunkle Geheimnisse lauern und nichts wirklich ist, wie es scheint. Nur eines weiß Marissa sicher: Der leidenschaftliche Rausch macht sie blind, und sie kann nicht entkommen – vielleicht nicht einmal überleben ...

Die Autorin
Die New York Times und USA Today-Bestsellerautorin Michelle Leighton wurde in Ohio geboren und lebt heute im Süden der USA. Sie verfügt bereits seit ihrer frühen Kindheit über eine lebhafte Fantasie und fand erst im Schreiben einen adäquaten Weg, ihren vielen Ideen Ausdruck zu verleihen. Mittlerweile wurden dreizehn Romane von ihr veröffentlicht. Derzeit arbeitet sie an weiteren Folgebänden, wobei ihr ständig aufregende Inhalte und einmalige Figuren für neue Buchprojekte in den Sinn kommen. *Bedingungslos* ist der Abschluss der ADDICTED TO YOU-Trilogie.

Lieferbare Titel
Atemlos
Schwerelos

M. LEIGHTON

ADDICTED TO YOU
BEDINGUNGSLOS

Roman

Aus dem Amerikanischen
von Kerstin Winter

WILHELM HEYNE VERLAG
MÜNCHEN

Die Originalausgabe BAD BOY Trilogy, Everthing For Us,
erschien bei The Berkley Publishing Group, New York

Verlagsgruppe Random House FSC® N001967
Das für dieses Buch verwendete FSC®-zertifizierte
Papier *Holmen Book Cream* liefert
Holmen Paper, Hallstavik, Schweden.

3. Auflage
Vollständige deutsche Erstausgabe 09/2014
Copyright © 2012 by M. Leighton
Copyright © 2014 der deutschsprachigen Ausgabe by
Wilhelm Heyne Verlag, München
in der Verlagsgruppe Random House GmbH
Redaktion: Anita Hirtreiter
Umschlaggestaltung: yellowfarm gmbh, S. Freischem
unter Verwendung des Original-Coverdesigns von
© Leslie Worrell, Foto: © Kiselev Andrey Valerevich/Shutterstock
Satz: KompetenzCenter, Mönchengladbach
Druck und Bindung: GGP Media GmbH, Pößneck
Printed in Germany
Alle Rechte vorbehalten
ISBN: 978-3-453-41447-1

www.heyne.de

Meinem Gott.
Ohne dich gäbe es weder Inspiration
noch Davenport-Jungs.

NASH

Der Traum ist immer derselbe. Am Anfang steht das Gefühl, dass ich etwas Schweres absetze. Dadurch weiß ich, was kommt. Ich schaue an mir herab und sehe, wie meine Hände die Proviantkiste loslassen, die ich getragen und auf den ausgebleichten Planken des Bootsstegs abgestellt habe.

Ich richte mich auf, nehme mein Handy aus der Tasche und drücke mit dem Daumen auf die Taste, die den Bildschirm aufleuchten lässt. Ich rufe die Kamera-App auf und halte das Telefon ganz nah vor mein Gesicht, bis ich das Mädchen mittig im Rahmen des beleuchteten Rechtecks sehen kann.

Es liegt auf dem Deck einer Jacht, nicht weit entfernt. Das Boot schwankt leicht. Es ist ein prächtiges Boot, aber es ist nicht das, was mich im Augenblick interessiert. Mich interessiert die Kleine. Sie ist jung, blond und sonnt sich oben ohne.

Die Haut glänzt vom Sonnenöl, die festen, runden Brüste schimmern im Licht. Sie passen wunderbar in eine Männerhand, locken mich und wollen liebkost werden, bis ihre Besitzerin stöhnt. Ein leichter Wind erhebt sich, und obwohl es warm ist, richten sich ihre Nippel auf. Sie sind prall und rosa, und mein Schwanz beginnt zu pochen.

O Mann, ich liebe den Jachthafen.

Jemand stößt mich an der Schulter an, und das Mädchen rutscht aus dem Rahmen des Suchers. Ich wende mich um und starre den alten Mann, der das Pier hinuntertrottet, wütend an. Nur mit Mühe verkneife ich mir eine scharfe Bemerkung. Cash hätte diese Probleme nicht. Cash verkneift sich niemals etwas. Doch ich bin nicht Cash.

Ich lasse den alten Mann ziehen und wende mich wieder der Jacht – der Kleinen mit dem großartigen Vorbau – zu. Aber bevor ich sie wieder im Sucher habe, erregt etwas anderes meine Aufmerksamkeit.

Am Ende des Wegs am Ufer steht ein Mann. Er lehnt lässig an der Rückwand eines kleinen Schuppens, in dem die Leute, die hier im Hafen anlegen, Grundnahrungsmittel und Gas kaufen können. Eigentlich benimmt sich der Mann ganz unauffällig, irgendetwas stimmt allerdings mit seiner Kleidung nicht. Er hat eine Stoffhose an, wie man sie zum Anzug trägt. Und er zieht etwas kleines Rechteckiges aus seiner Tasche. Es sieht eigentlich aus wie ein Handy. Ist es aber nicht. Durch die Vergrößerungsfunktion meiner Kamera erkenne ich, dass es sich um ein schwarzes Kästchen handelt. Ein schwarzes Kästchen mit einem roten Knopf.

Ich sehe noch, wie sich sein Daumen über diesen Knopf schiebt, dann trifft mich plötzlich etwas mit solch einer Wucht, dass es mich von den Füßen reißt und ich rückwärts ins Wasser hinter mir plumpse.

Dann nichts mehr.

Ich weiß nicht, wie viele Minuten, Stunden, Tage ich bewusstlos bin, als ich mit dem Gesicht nach oben im Wasser treibend erwache, weil mein Kopf immer wieder gegen einen mit Seepocken überzogenen Pfeiler stößt.

Mühsam zwinge ich meine schmerzenden Glieder in Bewegung und drehe mich auf den Bauch. Steif schwimme ich auf eine der Leitern zu, die in gewissen Abständen zum Steg hinaufreichen. Tropfend steige ich aus dem Wasser und sehe mich benommen um, um herauszufinden, was die Explosion erzeugt hat, durch die ich ins Wasser geschleudert wurde.

Als ich zum Steg blicke, an dem der Schoner meiner Familie gelegen hat, entdecke ich eine Ansammlung von Menschen. Mein Verstand braucht gute dreißig Sekunden, um zu interpretieren, was ich sehe: eine leere Anlegestelle, brennendes Holz auf dem Steg, zerborstenes Bootsmobiliar im Wasser. Qualm. Viel Qualm. Schockierte Stimmen. Und fernes Sirenengeheul, das näher kommt.

Und dann fahre ich wie immer aus dem Albtraum hoch. Ich bin schweißgebadet und atme schwer, wie immer, und mein Gesicht ist tränennass. Ich habe diesen Traum so lange nicht mehr geträumt, dass ich vergessen habe, wie verzweifelt, wie niedergeschmettert und wie ... wütend ich danach immer bin.

Nun weiß ich es wieder. Und zwar genauer, als mir lieb ist. Dieser Traum gießt nur Öl ins Feuer.

Ich setze mich im Bett auf und ringe um Luft. Ein Schmerz jagt mir durch die Seite und erinnert mich daran, was gestern geschehen ist. Alles stürzt wieder auf mich ein und schürt meinen Zorn.

Bis eine schmale, kühle Hand meine Schulter berührt. Ich drehe mich um und sehe Marissa, die sich hinter mir auf einen Ellenbogen stützt und mit verschlafenem Blick zu mir aufschaut. Ehe ich weiß, wie mir geschieht, werden all die Bitterkeit, all der Zorn und die aufgestaute Aggression in reine Lust kanalisiert. Das Bedürfnis, etwas ganz für mich zu beanspruchen und mich darin zu verlieren, überlagert plötzlich alles andere, und ich stürze mich ohne zu zögern darauf. Buchstäblich.

Ich drehe mich um, greife nach ihr und drücke ihren warmen Körper in die Matratze. Sie keucht auf, als meine Lippen sich auf ihre drücken. Ich schlucke den Laut, ihre Furcht, ihr zögerliches Begehren und nähre damit das Tier, das in mir steckt und hinaus will.

Meine Zunge dringt in ihren Mund. Sie schmeckt süß wie Honig. Ich dränge mein Knie zwischen ihre Beine, und sie öffnen sich, sodass ich mich zwischen sie schieben kann.

Erst als ich meine Hand unter den Saum ihres T-Shirts schiebe, spüre ich, dass sie sich versteift hat. Ich hebe den Kopf und sehe sie an. Ihre Augen sind geweitet. Vor Überraschung? Oder vor Angst?

2
Marissa

Nash lässt von mir ab, bevor ich mich in ihm verlieren kann. Gerade noch rechtzeitig. Alles andere wäre schlimm gewesen.

Oder?

Ich halte den Atem an, als er auf mich herunterschaut. Sogar im trüben Licht kann ich sehen, wie sein Blick sich klärt. Etwas hat ihn gerade in den Fängen gehabt. Und etwas in mir hat es gefallen, was ganz und gar untypisch für mich ist. Aber seit ich entführt wurde, ist ohnehin nichts mehr, wie es einmal war. Wieso sollte dieser Moment hier eine Ausnahme sein?

Nicht zum ersten Mal frage ich mich, ob mein Leben jemals wieder wie früher sein wird. Und ob ich das überhaupt will.

Ich bin ein bisschen enttäuscht, als Nash sich von mir hebt, sich neben mir wieder auf den Rücken fallen lässt und einen Arm über die Augen legt.

»Du solltest dich am besten von mir fernhalten.« Seine Stimme klingt tief und grollend in der Dunkelheit.

»Ich weiß«, sage ich ehrlich. Und so ist es tatsächlich. Er hat recht. Ich sollte mich unbedingt von ihm fernhalten. Aber ganz tief in meinem Inneren, wo etwas geweckt wurde, von dessen

Existenz ich bisher noch nichts wusste, weiß ich ebenso, dass ich es nicht tun werde. Nicht tun kann. Ich fühle mich so stark zu ihm hingezogen, als ginge es um Lebensnotwendiges wie Luft oder Wasser. Ich habe keine Ahnung wieso, und es kommt mir fast lächerlich vor, doch ich bin klug und vernünftig genug, um es mir selbst gegenüber einzugestehen und zu begreifen, dass ich mich damit auseinandersetzen muss. Die Frage ist nur – wie?

Nach ein paar Sekunden Stille nimmt Nash den Arm von seinem Gesicht, dreht den Kopf und starrt mich an. »Was zum Henker hast du dann noch hier zu suchen?«

Ich blicke in seine vor Zorn funkelnden Augen und kann mich einfach nicht dazu durchringen, aufzustehen und zu gehen. Trotz der Gefahr, die er, wie ich genau weiß, mit sich bringt. Ich kann nicht. Noch nicht jetzt, jedenfalls.

»Ich brauche dich«, sage ich schlicht. Und es stimmt. Er beschützt mich. Er gibt mir ein Gefühl der Sicherheit.

Nash macht den Mund auf, als wolle er etwas sagen, tut es aber dann doch nicht. Er schaut mich nur an, und seine eisigen Augen scheinen direkt in mich hineinzusehen. Sie sind denen von Cash – denen von Nash, den ich zu kennen glaubte – so ähnlich und doch vollkommen anders.

Wie alles, was mit Nash zusammenhängt, anders ist, als ich es kenne.

Nach einer langen Weile sagt er: »Dich auf mich einzulassen bedeutet nur Ärger.«

»Ich weiß.«

Wieder entsteht eine lange Pause.

»Und nachher wirst wahrscheinlich du diejenige sein, die darunter leidet.«

Ich schlucke. Mir ist klar, dass er recht hat, aber es ausgesprochen zu hören, ist etwas ganz anderes. »Ich weiß«, gebe ich zu.

»Auf jeden Fall kannst du nicht sagen, ich hätte dich nicht gewarnt.«

»Ich weiß«, wiederhole ich und frage mich unwillkürlich, ob ich außer meinem Verstand auch mein Vokabular verloren habe. Nachdem er mich noch eine Weile wortlos angestarrt hat, rollt er sich vorsichtig auf seine nicht verletzte Seite. »Rutsch rüber«, sagt er barsch.

Keine Ahnung, warum ich tue, was er von mir will. Insgeheim bin ich mir sicher, dass ich tatsächlich den Verstand verloren habe. Anders kann es wohl nicht sein.

Ich liege mit dem Rücken zu ihm auf der Seite und schiebe meine zusammengelegten Hände unter meine Wange. Mein Verstand wird überschüttet von Fragen, auf die ich keine Antworten habe, von Bildern, die aus der Finsternis kommen. Als mir mulmig wird und ich in Panik gerate, legt Nash plötzlich einen Arm über meine Taille, zieht mich zu sich und hält mich an seinem Körper fest. Er tut es grob, fast widerstrebend. Es fühlt sich weniger so an, als wolle er mir ein Gefühl von Geborgenheit geben, sondern als sei er es, der schließlich einknickt und sich den nötigen Trost verschafft. Vermutlich verweigert er sich normalerweise der Gefühle anderer. Er ist ein Einzelgänger, der auf einer einsamen Insel gestrandet ist und dort seinem Zorn und seiner Bitterkeit freien Lauf lässt. Er muss gerettet werden. Er weiß es nur noch nicht.

Doch was immer dahintersteckt, das Ergebnis bleibt gleich. Der Gedanke, dass er mich genauso brauchen könnte, wie ich glaube, ihn zu brauchen, verstärkt die Wirkung sogar noch: Sofort kommt mein Verstand zur Ruhe und die Panik lässt nach. Und das ist der Moment, in dem ich begreife, dass er mir tatsächlich Ärger machen wird. Und dass das kein Grund ist, mich von ihm fernzuhalten. Nichts wird das bewirken.

Keine Ahnung, warum.

Als ich das nächste Mal die Augen aufschlage, blitzt Sonnenlicht unter den Säumen meiner Vorhänge hervor. Ich lausche den Geräuschen um mich herum.

Nashs Atem ist tief und gleichmäßig, und ich spüre ihn an meinem Hals. Ein Schauder rinnt mir das Rückgrat herab, als ich mir seines harten Körpers an meinem Rücken bewusst werde.

Ich habe keine Ahnung, was in mich gefahren ist. Noch nie habe ich derart auf einen Mann reagiert, nicht einmal annähernd, und dabei war ich mit seinem Bruder zusammen!

Trotzdem war es nicht... so. Das hier ist mehr. Etwas Ungezähmtes. Etwas... anderes.

Ich höre das Klicken einer zufallenden Tür. Es klang wie Olivias Zimmer. Einer von beiden scheint auf zu sein.

Olivia.

Beim Gedanken an Olivia überkommt mich erneut das schlechte Gewissen. Wieso sie so gut zu mir ist und derart viel riskiert hat, um mich zu retten, nachdem ich sie so mies behandelt habe, kann ich nicht nachvollziehen. Am liebsten würde ich etwas tun, um mir so viel Großherzigkeit zu verdienen, obwohl ich fürchte, dass ich es ohnehin niemals schaffen kann.

Ich habe eine Idee, also rücke ich vorsichtig von Nash ab, schlüpfe aus dem Bett und tappe barfuß in die Küche. Erfreut sehe ich, dass Olivia den Kühlschrank gut bestückt hat, während ich fort war. Ich hole Eier aus dem Fach in der Innentür, dann mache ich die Tiefkühlklappe auf und nehme Hacksteaks und Rösti heraus. Ich lege alles auf die Küchentheke, hole eine Schüssel aus dem Schrank und stelle drei verschieden große Pfannen auf den Herd. Zufrieden krempele ich meine Ärmel hoch und mache mich daran, für uns alle ein Frühstück zuzubereiten.

Ein Räuspern hinter mir lässt mich zusammenfahren.

In der Erwartung, Olivia in der Tür stehen zu sehen, drehe ich mich um. Mein strahlendes Lächeln lässt bedeutend nach, als ich stattdessen Cash dort lehnen sehe.

»Was machst du denn da?«

»Frühstück«, sage ich und gebe mir größte Mühe, meine Stimme von Sarkasmus frei zu halten. »Wonach sieht's denn aus?«

»Du kannst doch nicht kochen«, sagt er ohne Umschweife.

»Tja, es ist nie zu spät, es zu lernen.« Ich wende mich ab und konzentriere mich darauf, die Eier in die Schüssel zu schlagen.

»Spar dir die Show, Marissa. Im Augenblick sind hier nur du und ich, und mir kannst du nichts vormachen. Nicht vergessen – ich kenne dich ziemlich gut.«

»Vielleicht hast du mich mal gut gekannt, sofern zwei Leute wie du und ich sich kennen können. Aber das war in der Vergangenheit. Inzwischen hat sich etwas verändert.«

»Oh, tatsächlich?« Er tut so, als sei das vollkommen unmöglich. Und das macht mich wütend.

Ich fahre zu ihm herum und richte meinen Quirl anschuldigend auf ihn. »Tu bloß nicht so, als seiest du besser als ich. Du hast jeden, den du kanntest – jeden, den du Freund oder Kollege genannt hast – belogen. Du hast mich benutzt, um dir eine Stelle in der Kanzlei meines Vaters zu verschaffen, du hast ohne Skrupel getan, was immer nötig war, um deine Ziele zu erreichen. Kehr jetzt ja nicht den Unbescholtenen raus. Vergiss nicht, dass auch ich dich ziemlich gut kenne.«

Dass er keinesfalls betroffen wirkt, macht mich nur noch

wütender. »Vielleicht. Aber das war nicht mein echtes Ich. Das hast du nie kennengelernt. Du hast nur das gesehen, was ich dich sehen lassen wollte. Die Person, die ich für alle Welt gespielt habe.«

»Denk doch, was du willst. Und wenn du meinst, du könntest das, was du getan hast, einfach so rechtfertigen – meinetwegen. Eigentlich ist es mir egal, ob du mich verurteilst. Ich bin nur Olivia etwas schuldig. Solange ich ihr beweisen kann, dass ich nicht nur ein Biest bin, ist es mir vollkommen schnuppe, was du von mir hältst.«

Und damit kehre ich ihm den Rücken zu. Ich ramme den Schneebesen in die Schüssel mit rohen Eiern und quirle, was das Zeug hält.

Was mich aber am wütendsten macht, ist die Tatsache, dass Cash recht hat. Ich habe keine zweite Chance verdient. Ich habe nicht verdient, dass man an mich glaubt oder mir vertraut. Jeder weiß, was für ein Mensch ich war. Ich habe überall einen schlechten Eindruck hinterlassen, und vermutlich habe ich allen für immer ein falsches Bild von mir vermittelt.

Aber ich kann es wenigstens versuchen. Ich gebe nicht einfach auf. Ich bin an einem Punkt angelangt, an dem mir nur noch wenige Meinungen wichtig sind, und auf die werde ich mich konzentrieren.

Ich höre das Tappen von Cashs nackten Füßen, als er die Küche verlässt. Dann bleibt er allerdings noch einmal stehen, und ich höre auf zu quirlen und warte ab.

»Was passiert ist, tut mir leid, Marissa«, sagt er leise. »Diese verdammte Geschichte betrifft nur meine Familie, und du hättest nicht reingezogen werden dürfen. Das hat niemand verdient. Nicht einmal jemand wie du.«

Ich antworte nicht, rege mich nicht, wende mich ihm nicht

noch einmal zu. Er wartet eine Weile auf eine Antwort, doch als nichts kommt, geht er schließlich. Ich versuche zu ignorieren, wie sehr mich seine offensichtliche Abneigung kränkt. Es ist eigentlich nicht wichtig, was er von mir hält, aber es trifft mich doch, dass andere eine derart schlechte Meinung von mir haben. War ich wirklich so ein Miststück?

Bevor ich mich weiteren selbstverachtenden Gedanken hingeben kann, höre ich eine andere Stimme hinter mir.

»Mach dir nichts draus, Marissa.« Diesmal ist es Olivia, die im Türrahmen steht, als ich mich umdrehe. Sie sieht zerzaust und verschlafen aus – und wie immer lieb und freundlich. Dennoch ist es mir peinlich, dass sie seine Bemerkung gehört hat. »Heute Morgen ist er wie ein Bär, der sich einen Dorn in die Tatze getreten hat. Ich weiß auch nicht, was er hat.« Sie lächelt, aber dass sie sein Verhalten zu entschuldigen versucht, macht es mir irgendwie noch unangenehmer. Hat sie mich immer schon verteidigt? Und habe ich es immer schon so wenig verdient?

Mein Magen zieht sich zu einem harten Klumpen zusammen. Ich kenne die Antwort auf die Frage sehr gut.

Ja.

»Du musst ihn nicht entschuldigen. Es fällt bestimmt nicht gerade leicht zu glauben, dass jemand quasi über Nacht eine Hundertachtzig-Grad-Wende hinlegt.«

Sie schlendert in die Küche und setzt sich auf einen der Barhocker an der Kücheninsel. »Das mag normalerweise stimmen, aber hier war etwas ... etwas Drastisches im Spiel. Marissa, du bist entführt worden. Ich meine, du wusstest nicht einmal, was gespielt wird, dass du überhaupt in Gefahr geraten könntest. Keiner von uns wusste das. Gekidnappt zu werden ... Also, wenn das nicht ausreicht, um jemanden zu verändern!«

Ich schenke ihr ein Lächeln, bevor ich mich wieder den Eiern widme. Ich quirle sie noch einmal kurz, dann gebe ich sie in die heiße Pfanne, in der ich Butter zerlassen habe. »Wahrscheinlich werde ich es wohl nur mit der Zeit beweisen können.«

Sie antwortet eine ganze Weile nicht, und dann steht sie plötzlich an meiner Seite und beugt sich über den Herd, bis ich ihrem Blick begegne. »Du musst niemandem irgendwas beweisen. Du hast einiges durchgemacht. Konzentrier dich lieber darauf, dein Leben wieder in Ordnung zu bringen.«

»Es ist nicht in Unordnung geraten.«

»Na ja, du bist verfrüht von einer Reise zurückgekehrt, warst ein paar Tage verschwunden und bist gestern nicht zur Arbeit erschienen. Ein paar Fragen wirst du bestimmt beantworten müssen.«

Ich zucke mit den Schultern. »Ja, vielleicht. Aber ich bin niemandem Antworten schuldig. Keiner von den Menschen in meinem Leben macht sich wirklich etwas aus mir.« Allein es auszusprechen fühlt sich an, als würde jemand ein glühendes Eisen auf mein Herz drücken. Denn es stimmt. »Im Übrigen geht jeder davon aus, dass ich noch gar nicht wieder in der Stadt bin, daher ...«

»Marissa, ich mache mir etwas aus dir, ich hoffe, du glaubst mir das. Und dein Vater tut das auch. Und deine Mutter. Du wirst Freunde haben, denen nicht egal ist, was dir zustößt. Es sieht vielleicht im Augenblick nicht so aus, aber –«

»Es ist lieb, dass du versuchst, mich aufzumuntern, Liv, aber du hast gesehen, mit welchen Leuten ich mich bisher umgeben habe. Du warst da bei der Kunstausstellung. Ich kenne und arbeite und verbringe ziemlich viel Zeit mit diesen Leuten. Sie sind schrecklich, Liv – schrecklich! Du hast sie ja kennengelernt.«

Sie setzt an, um etwas zu sagen, will ganz offensichtlich etwas sagen, doch es gibt nichts, was sie sagen könnte. Denn sie weiß, dass ich recht habe.

»Schau, Marissa, du bist in der einzigartigen Position, eine zweite Chance zu bekommen – du kannst noch einmal durchstarten, neue Entscheidungen treffen und ein besseres Leben führen. Jeder Mensch hat ... bescheuerte Bekannte, mit denen er sich auseinandersetzen muss, verstecken kann man sich vor ihnen nicht. Man muss einfach lernen, sie zu tolerieren.«

»Ich weiß, dass ich mich nicht verstecken kann. Jedenfalls nicht ewig. Aber ich denke, ich bin noch nicht wieder bereit, mich alldem zu stellen. Vielleicht in ein paar Tagen ...«

»Du willst heute also nicht zur Arbeit gehen?«

»Nein. Ich denke, ich rufe an und gebe Bescheid, dass ich mir Urlaub nehme. Wie ich schon sagte: Man hat mich noch gar nicht so früh zurückerwartet, und ich war ohnehin gerade keinem besonderen Projekt zugewiesen. Ich schnuppere überall mal rein, denn Daddy ›präpariert‹ mich gerade.« Ich male Anführungszeichen in die Luft und verdrehe die Augen.

»Aber ich dachte, das gefällt dir.«

Ich überlege einen Moment, während ich an der Pfanne rüttele. »Ja, das hat es auch. Aber ich bin mir nicht mehr sicher, was genau ich will.«

Das entspricht nicht ganz der Wahrheit. Es gibt da etwas ... etwas, das mich nicht mehr loslässt, seit ich betäubt, verschleppt und gegen meinen Willen festgehalten worden bin. Doch für dieses Etwas müsste ich mein Leben vollkommen umkrempeln, und ich kenne niemanden, der das gutheißen würde. Außer Liv. Und Nash wahrscheinlich. Fragt sich nur, ob ich den Mut dazu habe, und dessen bin ich mir ganz und gar nicht sicher. Aber habe ich eine Wahl? Mir kommt es nicht so vor.

3
NASH

Der Duft von gebratenem Fleisch weckt mich. Ich fühle mich wie ein ausgehungertes Raubtier.

Ich schlage die Augen auf und stelle fest, dass ich allein im Bett liege, was vermutlich gut so ist. Obwohl ich nichts gegen einen morgendlichen Quickie hätte, ist jetzt nicht der richtige Zeitpunkt dazu. Marissas gestrige Zärtlichkeit hat mir ein Gefühl von Geborgenheit gegeben, und das ist gefährlich für mich. Ich habe keinerlei Bedürfnis, mich fest auf eine Frau einzulassen, und deshalb ist es nur gut, dass sie nicht mehr in diesem Bett liegt.

Ich drehe mich auf den Rücken, und ein scharfer Schmerz in meiner Seite durchfährt mich. Es ist nicht so schlimm, wie es sein könnte, aber es ärgert mich, dass ich überhaupt etwas spüre. Eigentlich bin ich hart im Nehmen und habe darüber hinaus ein Medikament bekommen, daher ist selbst das bisschen Schmerz, das ich jetzt verspüre, eine Überraschung. Und eine sehr unwillkommene dazu.

Ich beschließe, die Wunde in meiner Seite zu ignorieren, setze mich auf und schwinge die Füße über die Bettkante. Mir ist etwas schwummrig, und ich bleibe sitzen, bis der Schwindel nachlässt.

Was zum Henker hat der Mistkerl an seinem Messer gehabt? Hat er es in gerade so viel Gift getaucht, dass ich richtig lange etwas davon habe, ohne dass es mich umbringt?

Ich stehe auf und wanke unsicher ins Bad, um zu pinkeln, bevor ich mich einem Haus voller Leute stelle, denen ich nicht traue. Ich muss körperlich so fit sein wie möglich, und es macht mich höllisch sauer, dass mir noch immer etwas wehtut und ich benommen bin. Benommenheit bedeutet Schwäche, und Schwäche jeglicher Art ist nicht akzeptabel. Unter keinen Umständen.

Nachdem ich mir mit kaltem Wasser das Gesicht gewaschen habe und mein Körper sich ans Stehen gewöhnt hat, fühle ich mich wieder etwas wie ich selbst. Ich betrachte mich im Spiegel. Ich habe keine Zeit, mich langsam zu erholen, also bin ich jetzt wieder fit, basta! Dennoch sorgt der dumpfe Schmerz in meiner Seite dafür, dass ich mies gelaunt meiner Nase in die Küche folge.

Am liebsten würde ich knurren, als ich Marissa am Herd stehen sehe, wo sie gerade Wurststückchen zum Abtropfen auf Haushaltspapier legt. Sie ist verdammt sexy, sogar wenn sie etwas so Alltägliches macht wie Kochen. Aber das ist es gar nicht, was mich so aufregt. Es ist die Tatsache, dass es mir gefällt, sie bei einer derart simplen Hausarbeit zu beobachten. Ich bin lange fort gewesen – fort von der Zivilisation, die ich einmal gekannt habe, fort von einem liebevollen Zuhause und dem Leben, wie ich es damals gehabt habe. Ich habe gelernt, nichts zu vermissen.

Bis jetzt.

Ich sperre mich gegen jedes Gefühl außer dem Wunsch, ihr das Höschen runterzureißen, sie auf die Küchentheke zu hieven und sie zum Frühstück zu vernaschen, bevor noch der

Toast aus dem Toaster springt. Ich mache mir noch einmal klar, dass Marissas offensichtliches Interesse an mir gut und schön ist, solange alles auf körperlicher Ebene bleibt. Von meiner Seite aus jedenfalls. Was von ihrer Seite aus passiert, kümmert mich nicht. Das kann ich mir nicht leisten.

Meine einzige Sorge muss es sein, mich nicht zu sehr auf sie einzulassen. In dem Augenblick, in dem ich etwas fühle, was ... tiefer geht, bin ich hier weg. Ich habe seit Jahren keine Frau mehr gebraucht – zumindest auf keiner anderen Ebene als einer sehr, sehr körperlichen –, und ich habe auch jetzt keine Absicht, einem weiblichen Wesen zu erlauben, in mir Gefühle zu wecken, die über die reine Lust hinausgehen.

Sie sieht über die Schulter und lacht über etwas, und erst jetzt sehe ich Olivia an der Kücheninsel sitzen. Als Marissa sich wieder zum Herd umwenden will, bleibt ihr Blick an mir hängen. Ihr Lächeln steigt auf der Strahlkraftskala ein paar Striche aufwärts, und sie grüßt mich. »Guten Morgen.«

Ich schenke ihr ein Brummen, marschiere zum Kühlschrank und ziehe die Tür auf. Ich starre betont lange hinein, dann mache ich die Tür wieder zu. Während ich jedes Gefühl in Zorn kanalisiere, wie ich es seit sieben Jahren tue, lehne ich mich mit der Hüfte gegen die Küchentheke und richte meine volle Aufmerksamkeit auf Marissa.

»Also – was soll das? Willst du dich einschleimen?«

Ihr Lächeln flackert, und sie senkt hastig den Blick und widmet sich wieder den Würstchen. Es ist so still in der Küche, dass das Brutzeln der letzten Stücke Wurst in der Pfanne ohrenbetäubend klingt.

»Nash, das war total unfair. Du –«

Marissa unterbricht Olivia. »Lass gut sein, Olivia.«

Nach einer langen Weile, in der Olivia sichtlich darum

kämpft, die wütende Bemerkung zurückzuhalten, die sie mir gerne an den Kopf werfen will, räuspert sie sich. »Na gut. Dann geh ich jetzt mal, zieh mich an und hole Cash. Ich komme gleich zurück und decke den Tisch, okay?«

Sie wartet nicht auf eine Antwort, sondern steht auf und marschiert hinaus. Sie hält sich steif wie ein Brett, und ich schätze, wenn sie aufblickte, würden ihre Augen Funken sprühen.

Heißblütiges kleines Ding.

Das mag ich. Bis zu einem gewissen Grad.

Heißblütigkeit kann aber auch irrational und wankelmütig bedeuten, was ich bei Frauen wenig anziehend finde. Vielleicht ist das eine der wenigen Eigenschaften, die ich von meinem ehemaligen Ich behalten habe. Ich schätze kluge Frauen, die wissen, was sie wollen, und einen kühlen Kopf bewahren. Außer im Bett. Da darf sie gerne heißblütig sein. Heißblütig und willig. Es gibt nichts Besseres als eine Frau, die für alles zu haben ist.

Das Klappern des Pfannenhebers lenkt meine Aufmerksamkeit wieder auf Marissa zurück. Ihre Lippen sind zu einem Strich zusammengepresst, und ich habe den Eindruck, dass sie mir etwas zu sagen hat.

Sie hat.

»Du weißt nicht, was für ein Mensch ich bisher war«, bemerkt sie ruhig. »Du weißt nicht, was man von mir erwartet hat, was mein Vater aus mir machen wollte.«

»Meinst du nicht, dass ich ein Auge auf meinen Bruder gehabt habe, wann immer ich in die Stadt gekommen bin? Ich weiß genau, was für ein Mensch du bisher warst.«

Sie blickt zu mir auf, und ich sehe eine ganze Reihe verschiedener Emotionen über ihr Gesicht huschen. Scham ist auch dabei.

»Dann weißt du auch, dass ich viel gutzumachen habe.«

»Und du glaubst, das klappt, wenn du anderen den Hintern küsst?«

»Nein, ich ... ich möchte wahrscheinlich einfach etwas Nettes tun. Vor allem für Olivia.«

»Und dann ist alles wieder okay? Nachdem du sie wie den letzten Dreck behandelt hast? Nachdem du jeden wie den letzten Dreck behandelt hast?«

Ihr Kopf fährt zu mir herum, und ich sehe Zorn in ihren hellen blauen Augen aufblitzen. »Natürlich nicht! Aber ihr immer wieder zu zeigen, dass ich mich ändern will, kann sicher nicht schaden.«

Ich nicke. Vermutlich hat sie recht. »Warum willst du dir die Mühe machen? Was interessiert dich, was sie denkt? Was interessiert dich, wer überhaupt was denkt?«

Sie sieht mir direkt in die Augen und hebt das Kinn ein Stück an. »Es ist einfach so.«

»Klar, schließlich hat dich das ja schon immer interessiert, nicht wahr? Ist das nicht deine Achillesferse? Wie man dich wahrnimmt? Hast du nicht immer schon vor allem den Schein gewahrt?«

Sie macht den Mund auf, als wolle sie widersprechen, dann klappt sie ihn wieder zu. Sie kann nicht. Denn ich habe recht.

In diesem Augenblick kehrt Olivia mit Cash zurück. Schneller als es mir passt.

»Wir werden ja sehen, wie lange deine guten Vorsätze anhalten, wenn du dich wieder in der wahren Welt bewegst«, flüstere ich ihr zu.

»Hm, das riecht großartig, Marissa«, sagt Olivia etwas zu fröhlich. »Ich habe einen Bärenhunger, und diese zwei Neandertaler bestimmt auch.« Marissa reißt sich sichtlich zusammen und erwidert Olivias aufgesetztes Strahlen. Wie mir scheint, bin ich hier in eine Versammlung von Schauspielern geraten. Bis mein Blick Cashs begegnet. Er wirkt besorgt. Und das sollte er auch. Solange Männer wie Duffy – solange Mörder und skrupellose Verbrecher da draußen frei herumlaufen, ist keiner von uns sicher. Je eher Cash das kapiert, umso schneller wird er mir zustimmen, dass wir uns um ein paar Dinge kümmern müssen.

Und zwar auf meine Art.

Stumm starren wir einander an, während die Frauen den Tisch decken. Als wir uns setzen und ich sehe, wie sich die anderen Servietten auf den Schoß legen, fühle ich mich stärker denn je als Außenseiter. Es ist lange her, dass ich mit Leuten, die nichts mit Hochseekriminalität zu tun haben, an einem Tisch gesessen habe. Ich habe nicht vergessen, wie man sich benimmt, es erinnert mich bloß daran, was mir in den vergangenen Jahren entgangen ist – nämlich das Leben, das Cash in meiner Abwesenheit geführt hat. Und auf diese Art von Erinnerung kann ich verzichten.

»Also, Nash – was hast du vor, nun, da du wieder unter den Lebenden weilst?«, fragt Olivia mich im Plauderton.

»Wie es aussieht, habe ich eine schicke Wohnung am Stadtrand. Ich habe überlegt, dort wieder einzuziehen.« Ich sage das im herausfordernden Tonfall. Mal sehen, ob Cash es wagt, mir zu widersprechen.

»Wirklich? Ich dachte, du würdest vielleicht noch ein bisschen hierbleiben. Wenigstens, bis diese Sache geklärt ist. Ich meine, Marissa könnte noch immer in Gefahr sein. Ich dachte ...«

»Du dachtest, weil sie dumm genug war, mit meinem Bruder zusammen zu sein, der sich als mich ausgegeben hat, müsste ich bleiben und die Scherben zusammenfegen?«

Mir ist klar, dass meine Bemerkung nicht besonders nett war, aber da sie den Tatsachen entspricht, wagt es niemand, sich mit mir zu streiten. Und ich könnte mir vorstellen, dass sie das am meisten ärgert. Ich lüge nicht. Ich spiele niemandem etwas vor. Ich ziehe auch keine Samthandschuhe an. Ich nenne die Dinge beim Namen. Nicht mein Problem, wenn jemand die Wahrheit nicht hören will. Allerdings sollten die drei sich daran gewöhnen. Ich habe viele Jahre mit der schrecklichen Realität gelebt. Ja, es war bescheiden. Ja, es war verdammt bescheiden. Aber wenigstens war ich immer vorbereitet. Die Wahrheit zu vertuschen hat noch niemandem genutzt. Niemals. Niemandem.

»Ich komme gut allein klar«, meldet sich Marissa zu Wort, bevor die Spannung unerträglich wird.

Ich betrachte ihr schönes Gesicht, ihre angespannten Züge, in denen sich das Unbehagen deutlich abzeichnet, und es tut mir plötzlich fast ein bisschen leid, kein Blatt vor den Mund zu nehmen, während sie versucht, es allen recht zu machen.

»Na ja, ich könnte wohl ein paar Tage bleiben. Man weiß ja nie. Wenn jemand kommt und was von dir will, habe ich vielleicht die Möglichkeit, ein paar Dinge zurechtzurücken, ohne mir von dem lieben Brüderchen hier die Erlaubnis einholen zu müssen.«

Ich werfe Cash ein rasches, selbstzufriedenes Lächeln zu. Ich weiß, dass es ihm genauso wenig passt, wenn ich die Sache in die Hand nehme, wie mir der Gedanke gefällt, diese Psychopathen am Leben zu lassen. Aber persönliche Präferenzen hin oder her – im Augenblick bin wohl ich derjenige, der Kompromisse macht. Die Kerle sind nicht tot, und ich bin immer noch hier und halte mich an Cashs Spielregeln. Ich weiß nicht genau, warum ich es tue. Vielleicht steckt in mir ja doch noch ein winziges

Stück von dem netten Burschen, der ich einmal war, und hält mich zurück. Aber das wird nicht immer so sein. Ein Weilchen mache ich das noch mit, doch Cash müsste nicht alle Tassen im Schrank haben, wenn er meint, dass ich auf meine Rache verzichte. Duffy und die Schweine, die ihn beauftragt haben, das Boot meiner Eltern in die Luft zu jagen, werden für alles bezahlen, was sie uns angetan haben. Es ist nur eine Frage der Zeit.

»Dann hoffen wir mal, dass das nicht geschieht, bevor wir mit Dad gesprochen haben. Wir brauchen mehr Informationen, und wir brauchen einen neuen Plan.«

»Ich habe eine Schnittwunde in meiner Seite, die mir verrät, dass diese Kerle keine Geduld haben und längst noch nicht fertig sind«, rufe ich ihm in Erinnerung und reibe mir unwillkürlich über die Naht. »Also sollten wir uns besser beeilen mit dem Plan.«

»Also sollten wir schnell zu Dad.«

»Sehe ich auch so. Worauf warten wir noch? Lass uns die Dinge ins Rollen bringen.«

»Ich habe heute Morgen noch einiges zu erledigen, aber gegen Mittag habe ich frei. Ich muss nur früh genug zurück sein, um Olivia von der Schule abzuholen.«

»Ich hab dir doch gesagt, dass ich –«, will Olivia einwenden, doch Cash schneidet ihr das Wort ab.

»Ich weiß, was du gesagt hast, aber da gibt es keine Diskussion. Nichts ist wichtiger als deine Sicherheit. Sei froh, dass ich nicht in deine Seminare mitkomme.«

Er beugt sich vor und drückt ihr ein Küsschen auf die Wange, und sie grinst. »Ich würde nichts mehr lernen, wenn du in meiner Klasse säßest.«

»Ach, das würde ich später wieder ausbügeln. Mir fallen schon ein paar Dinge ein, die ich dir beibringen könnte.«

Sie kichert, und er knabbert an ihrem Ohr. Wieder gibt es mir einen Stich, dass er in einer heilen Welt gelebt hat, während ich im Exil war. Mir ist unendlich viel entgangen.

Dennoch verbeiße ich mir jede sarkastische Bemerkung, räuspere mich und fahre fort, als würden die beiden sich nicht praktisch aufessen.

»Tja, dass ich nicht gerade einen vollen Terminplan habe, ist wohl klar.« Zufällig werfe ich Marissa einen Blick zu. Sie wirkt, als würde sie sich ziemlich unwohl fühlen, aber ich weiß nicht, ob es daran liegt, dass ihr Ex mit ihrer Cousine turtelt, oder an etwas anderem. »Es sei denn, Marissa, du musst heute etwas Dringendes erledigen. Dann komme ich mit und passe auf dich auf.«

»Das ist nicht nötig«, sagt sie würdevoll. Sie senkt den Blick auf ihre Hände. »Ich habe ehrlich gesagt keine Ahnung, was ich tun soll.«

»Was – keine Arbeit?«

»Außer meinem Vater denken alle, dass ich noch unterwegs bin, daher dachte ich, ich könnte mir ebenso gut ein paar Tage Urlaub nehmen.«

»Um was zu tun?«

Ich stehe nicht auf Leute, die ihre Zeit vertrödeln.

Sie zuckt die Achseln. »Vielleicht ein bisschen recherchieren.«

»Zu …?«, hake ich nach.

Marissa räuspert sich. Aus welchem Grund auch immer scheint meine Fragerei sie nervös zu machen. »Strafgesetzfragen.«

»Ah«, sage ich und lehne mich auf meinem Stuhl zurück. »Ich bin also nicht der Einzige, der sich rächen will.«

Sie sieht zu mir auf. »Das habe ich nicht gesagt.«

»War auch nicht nötig.«

»Genau wie Cash bin ich der Meinung, dass der legale Weg der richtige ist, um all unsere Ziele zu erreichen.«

»All unsere Ziele?«

Ihre Wangen werden rosig. »Ob es dir nun passt oder nicht – in dieser Sache stecken wir alle mit drin.«

»Ganz genau«, sagt Olivia mit Nachdruck. »Und deswegen müssen wir auch unbedingt zusammenhalten.«

»Man sollte es zwar kaum glauben«, meldet sich Cash zu Wort, »aber Nash ist tatsächlich immer schon der kluge Kopf unserer Familie gewesen. Er könnte dir bei deinen Nachforschungen bestimmt helfen. Allerdings müsstest du in der Kanzlei schon eine gute Erklärung anbringen.«

»Ich ... ich hatte eigentlich vor, in die Bibliothek zu gehen. Damit ... na ja, damit mich niemand sieht.«

Ja, Marissa will sich definitiv vor etwas verstecken. Oder vor jemandem. Aus irgendeinem Grund fasziniert mich das. Sie wirkt nicht wie jemand, der bei Schwierigkeiten wegläuft. Und die wenigen Male, die ich sie mit Cash beobachtet habe, kam sie mir immer sehr beherrscht vor, sodass es mich nun überrascht, sie so ratlos zu erleben. Andererseits hat man sie entführt. Und sitzen gelassen. Und das alles innerhalb weniger Tage.

Verdammt. Wenn das keine miese Woche für sie ist.

»Umso besser«, sagt Cash. »Jeder wird wahrscheinlich denken, dass Nash irgendein Gangster ist, der an einem Fall mitarbeitet. Verzeih mir, Kumpel, aber du siehst wirklich etwas gruselig aus.«

Er verzieht das Gesicht, und ich lache. »Zum Glück liegt mir nichts ferner, als es anderen recht zu machen oder meiner Umgebung etwas vorzuspielen. Ich weiß, wer und was ich bin, daher ...«

Mein ungeschönter Verweis auf das Leben voller Lügen, das Cash jahrelang geführt hat, ernüchtert ihn schlagartig. Ich weiß, dass ich unter die Gürtellinie gezielt und getroffen habe, doch mein Geduldsfaden reißt in letzter Zeit verdammt schnell. Eigentlich seit sieben Jahren schon.

Und nach den vergangenen Tagen habe ich anscheinend noch miesere Laune als üblich. Vielleicht muss ich einfach mal Dampf ablassen, Spannung loswerden.

Ich brauche Sex.

Mein Blick und meine Gedanken wandern direkt zu Marissa. Bevor das alles hier vorbei ist, werde ich sie kriegen. Und sie wird mich anflehen, es zu tun, ehe ich mit ihr fertig bin. Ich hoffe nur, dass sie es schafft, auf der körperlichen Ebene zu bleiben. Sie hat schon genug durchgemacht, Herzschmerz sollte nicht noch dazukommen. Andererseits ist das nicht mein Problem.

Cash hat recht. Du bist wirklich ein Arschloch, Mann.

Das Problem ist bloß, dass es mir völlig egal ist.

4

Marissa

Mindestens zum zehnten Mal kontrolliere ich mich im Spiegel, obwohl ich mich auch diesmal frage, warum es mich überhaupt kümmert, wie ich heute aussehe. Ich gehe schließlich bloß in die Bibliothek, keine große Sache also. Aber auch mindestens zum zehnten Mal zieht mir als Antwort nur ein Bild durch den Kopf.

Nash.

Er lässt mich nicht los. Ich weiß nicht, warum. Und ich weiß auch nicht, warum ich mich nicht vehement dagegen wehre. Es ist absolut untypisch für mich, dass ich mich auf etwas einlasse, das ich nicht kontrollieren kann. Und doch stürze ich mich kopfüber in diese ... diese Affäre, die noch nicht einmal eine ist.

Ich seufze, während ich mein langes Haar betrachte, das in einer platinblonden glänzenden Welle auf meiner Schulter liegt, meine blauen Augen, die ich mit rauchgrauem Lidschatten betont habe, meine vollen Lippen, auf denen dunkler Lipgloss glänzt. In meinen Augen sehe ich besser aus als seit Monaten. Vielleicht sogar seit Jahren. Wieso das so ist, ist mir ein Rätsel, aber was immer momentan mit mir los ist, fühlt sich seltsamerweise gut an. Es fühlt sich gut an, mich auf Nash zu konzentrieren, mich auf Dinge zu konzentrieren, die mir nicht vertraut sind. Und es fühlt sich gut an, mich vor meinem bisherigen Leben und den Menschen zu verstecken, die darin seit Jahren eine große Rolle spielen. Fast wünsche ich mir, alles Alte loszuwerden und Neues zu suchen. Und das ist vielleicht das Seltsamste von allem.

Für jemanden, der so pragmatisch ist wie ich, ist es vollkommen unsinnig, eine derart drastische Maßnahme zu ergreifen. Aber vielleicht ist es genau das, was mir so reizvoll erscheint: Es passt einfach nicht zu der Person, die ich bisher war, die ich bisher gekannt habe. Vielleicht ist das die neue Marissa. Und vielleicht will ich die alte Marissa einfach loswerden und ganz in die neue schlüpfen.

Das sind ziemlich viele Vielleichts, ich weiß, aber im Augenblick habe ich keine definitiven Antworten, und daher gebe ich mich gerne damit zufrieden. Denn es ist allemal besser als Ratlosigkeit und totales Nichtwissen.

Ich zupfe am Saum des sportlichen schwarzen Rocks, richte den Kragen der fast durchsichtigen roten Bluse, die ich dazu trage, schlüpfe in schwarze Pumps und mache mich auf den Weg ins Wohnzimmer.

»Ich wäre dann so weit«, sage ich, als ich an dem kleinen Tisch an der Tür stehen bleibe, auf dem meine Tasche steht.

»Wow«, sagt Nash hinter mir. Ich drehe mich um und sehe ihn vor der Couch stehen. Er hat die Arme vor der Brust gekreuzt, als warte er schon eine Weile ungeduldig auf mich. »So ziehst du dich für einen inoffiziellen Besuch in einer öffentlichen Bücherei an?«

Ich blicke an meinem Outfit herab, über das ich eine Ewigkeit gegrübelt habe. »Stimmt mit der Kleidung irgendwas nicht?«

Er bewegt sich langsam auf mich zu. Mir kommt das Bild

eines Löwen, der sich an sein Opfer anschleicht, in den Sinn, und ein Schauder jagt mir über den Rücken.

»Ich habe nicht gesagt, dass damit etwas nicht stimmt. Ich frage mich bloß, wie sich jemand in deiner Nähe konzentrieren soll.« Dicht vor mir bleibt er stehen. Er ist mir nah genug, dass ich seine Wärme spüren kann, aber noch weit genug weg, dass ich halbwegs normal atmen kann. Nur halbwegs, weil er mich mit seinen aufregenden schwarzen Augen von Kopf bis Fuß betrachtet, statt mir ins Gesicht zu schauen. »Durch die Bluse kann ich vage deine Nippel sehen – sehr aufreizend. Am liebsten würde ich sie dir aufreißen. Und der Rock schmiegt sich an deinen Hintern, wie ich es gerne tun würde. Ich möchte ihn packen, ihn kneten, reinbeißen. Und die Schuhe… damit sehen deine Beine endlos aus.« Seine Stimme wird zu einem Flüstern, als er endlich seinen Blick hebt und mir in die Augen sieht. »Am liebsten würde ich deine Beine um meine Hüften legen und dir zeigen, wie gut ich mich in dir anfühle.«

Jetzt atme ich stoßweiße und flach, und meine Finger umklammern den Riemen meiner Tasche so fest, dass die Knöchel weiß hervortreten. Mein Mund ist knochentrocken, und ich weiß nicht, ob ich mich auf ihn zubewegen oder lieber abwartend stehen bleiben soll.

Ohne es bewusst zu entscheiden, verharre ich absolut reglos, während in mir eine Schlacht tobt – der Engel auf der einen Schulter, der Teufel auf der anderen. Die Frage ist nur, welcher sagt was?

Du machst einen Fehler, wenn du ihm erlaubst, so mit dir zu reden. Nur eine Nutte lässt so was zu.

Unsinn. Indem du die Initiative ergreifst, zeigst du ihm, dass du eine Frau bist, die weiß, was sie will. Und die keine Angst hat, es sich zu holen.

Oder dass du eine Schlampe bist, die kein Problem damit hat, sich flachlegen zu lassen.

Na und? Warum denn nicht? Jeder hat Bedürfnisse. Warum holt ihr euch nicht beide, was ihr braucht, und spart euch das elende Gequatsche um die Etikette?

Etwas mehr Selbstachtung bitte.

Etwas mehr Feuer bitte.

Hin und her fliegen die Argumente meiner beiden Ansichten. Sie vereinnahmen mich, bis der Moment vorbei ist und ich keine Wahl mehr treffen kann.

»Du möchtest dich nur allzu gerne darauf einlassen, aber der Anstand verbietet es dir, richtig?« Er lässt mich nicht erst antworten. »Okay. Wie wäre es damit: Ich lasse dir eine Weile Zeit, um dich an den Gedanken zu gewöhnen, dass du genießen könntest, was ich mit dir machen will. Lass mich nur nicht allzu lange warten.« Und damit beugt Cash sich vor und greift um mich herum, um meinen Autoschlüssel vom Tisch hinter mir zu nehmen. Mir stockt der Atem, als seine Lippen nur Zentimeter vor meinen Halt machen. Aus dieser Nähe wirken seine Augen dunkler als die seines Bruders. Sie sind sogar so dunkel, dass ich nicht erkennen kann, wo die Pupille aufhört und die Iris anfängt. Sie sind schwarz. Und unergründlich. Bodenlos. Es wäre nur allzu leicht, mich in ihnen zu verlieren. Alles und jeden um mich herum zu vergessen. Die Verlockung ist immens.

»Dann los«, sagt er ruhig und bedeutsam, bevor er sich leicht zur Seite lehnt, um die Tür zu öffnen und für mich festzuhalten.

Als ich die ersten Schritte hinausgehe, muss ich feststellen, dass meine Knie weich wie Gummi sind.

Es überrascht mich mehr als nur ein bisschen, wie entspannt ich bin, als Nash meinen Wagen vor dem Gerichtshof einparkt, in dessen Gebäude sich die Fulton County Law Library befindet. Die Fahrt hierhin ist genauso anregend wie aufschlussreich gewesen. Nash hat einen scharfen Verstand. Einen sehr scharfen.

Ich war komischerweise der irrigen Annahme, dass Nash in intellektueller Hinsicht ... na ja, seinem Bruder unterlegen wäre, doch jetzt würde ich sagen, dass es genau umgekehrt ist. Was ziemlich viel sagt, da es allgemein hieß, Cash sei brillant. Deshalb hat mein Vater ihn damals unter dem Namen Nash ja auch eingestellt.

Während Nash untergetaucht war, hielt er sich praktisch über alles, was in der zivilisierten Welt geschah, auf dem Laufenden, wobei sein Schwerpunkt auf dem Süden und Atlanta im Besonderen lag. Logischerweise, da er Cash im Augen behalten wollte. Cash und mich.

Ich schaudere.

Der Gedanke daran, dass er mich aus der Ferne beobachtet hat, ohne dass ich auch nur eine Ahnung hatte, ist irgendwie gruselig und aufregend zugleich. Obwohl natürlich keine voyeuristische Neigung dahintersteckte, hat es dennoch etwas Grenzüberschreitendes. Aber ich muss zugeben, dass es mich gar nicht so sehr stört. Eigentlich sehne ich mich sogar danach, dass er mir zu nah kommt. Ich sehne mich nach allem, was er repräsentiert. Er ist wie eine Rebellion. Wie Freiheit. Vielleicht ein bisschen wie eine Rettung. Bis vor Kurzem wusste ich nur noch nicht, dass ich gerettet werden muss.

Wie ich es erwartet habe, steht auf dem Parkplatz vor dem Gerichtsgebäude kein Auto, das ich kenne. Unsere Kanzlei ist auf Gesellschaftsrecht spezialisiert, sodass nur selten Ausflüge zum örtlichen Gerichtshof erforderlich sind. Darüber hinaus verfügen wir in unserem eigenen Haus über eine umfangreiche Fachbibliothek, sodass sich keiner meiner Kollegen in die Gemeindebücherei bemühen müsste. Es sei denn, er will tun, was ich gerade tue ... allen aus dem Weg gehen.

Schweigend gehen Nash und ich zwischen den vollen Regalen und Bücherstapeln hindurch zu einem freien Tisch. Ich war bisher nur einige wenige Male hier, und zu diesen Gelegenheiten hatte ich nichts mit Strafrecht zu tun. Mein Fachwissen in diesem Bereich geht gegen null, aber um gerade das zu ändern, bin ich ja hergekommen.

Ich lege meine Sachen auf den Tisch und fange an, in meiner Erinnerung nach Präzedenzfällen und effektiven Methoden zu kramen, wie man einen Strafrechtsfall konstruiert. Die Rädchen drehen sich, aber leider führt es zu nichts. Ich bin einfach nicht besonders versiert in solchen Dingen.

»Ich schlage vor, dass wir uns zunächst auf organisiertes Verbrechen konzentrieren, da Cash in diesem Bereich schon vorgearbeitet hat«, sagt Nash. »Vielleicht können wir auf diese Art doch noch einen Fall zusammenstricken.«

O ja, man muss schon ein Narr sein, um Nash zu unterschätzen, nur weil er aussieht wie ein Gangster. Hinter seiner attraktiv ungepflegten Fassade steckt ein unglaublich scharfer Verstand. Eine sehr betörende Kombination, übrigens.

»Okay, warum nicht. Der Ansatz ist vermutlich so gut wie jeder andere.«

Er schenkt mir ein Lächeln. Das erste echte Lächeln, das ich bei ihm sehe. Plötzlich sieht er jungenhaft und nahezu harmlos aus – ein trügerischer Effekt, da ich weiß, dass er nichts von beiden ist.

»Irgendwo muss man ja anfangen. Das hier ist eigentlich gar nicht dein Fachgebiet, habe ich recht?«

Ich lache voller Unbehagen. Seine Direktheit bringt mich einmal mehr aus dem Gleichgewicht. »Nein, eigentlich nicht.«

»Dann lass uns die Sache vorantreiben.«

Seine Augen funkeln, als er meinem Blick begegnet, und ich habe das dumpfe Gefühl, dass er mit dieser Bemerkung weit mehr als nur die Recherche meint.

Darüber hinaus muss ich der Liste seiner verhängnisvollen Charaktereigenschaften das Attribut »charmant« hinzufügen.

5
NASH

Ich schleppe die erste Ladung Bücher an und setze sie auf unserem Tisch ab. Zwei davon enthalten direkte Bezüge zum Gambino-Fall. Marissa meint, dass die uns besonders nützlich sein können, da darin die erfolgreiche Verhandlung gegen einen Verbrecherklan unter dem RICO-Act – »Racketeer Influenced and Corrupt Organizations«, ein Bundesgesetz gegen organisierte Kriminalität – beschrieben wird.

Ich habe nichts dagegen, ein bisschen zu recherchieren, um mich abzulenken, doch es reicht nicht einmal annähernd an die Ablenkung heran, die Marissa für mich darstellen könnte. Es wird mir guttun, meine innere Anspannung auf sie zu fokussieren. Sie ist das Ventil, das ich brauche.

Natürlich könnte ich mich auf meine Art um alles kümmern, ob Cash nun damit einverstanden ist oder nicht. Aber obwohl ich ihm insgeheim nicht vergessen kann, dass er meine Identität übernommen hat, ist er mir noch immer wichtig. Ich meine, wir sind eineiige Zwillinge, Herrgott noch mal. Und ich weiß ja, dass er es nicht besser wusste: Dad hat ihm nicht gesagt, dass ich noch am Leben bin. Und natürlich hat es auch Dad nur gut gemeint. Er hat versucht, uns beide zu schützen, das ist mir klar. Wir alle haben unter denkbar schlechten Bedingungen getan, was immer wir konnten.

Nichtsdestoweniger fällt es mir enorm schwer, abzuwarten statt zu handeln. Daher passt mir Marissas Anwesenheit recht gut, denn sie gibt mir etwas zu tun. Außerdem stellt sie eine Herausforderung dar. Sie ist an einen bestimmten Typ Mann gewöhnt, der mit mir nichts gemein hat, weswegen sie sich auf fremdem Territorium befindet. Und ich bin Arschloch genug, um es auszunutzen, bevor sie es kapiert, die Beine in die Hand nimmt und wieder in das Leben flüchtet, das sie geführt hat, ehe die Davenports auf den Plan getreten sind.

Ich mache mich auf die Suche nach Marissa und finde sie zwischen den Regalen vier Reihen weiter im hinteren Teil der Bibliothek. Drei neue Bücher klemmen unter ihrem Arm, und sie ist nicht allein.

Ein makellos gekleideter, blonder Typ belagert sie. Er ist fast so groß wie ich, aber nicht so gut in Form. Er trägt einen dunkelblauen Anzug, maßgeschneidert, dessen bin ich mir sicher. Er lächelt sie an, sie lächelt ihn an.

Ich bleibe hinter ihnen stehen und räuspere mich.

Marissa dreht sich zu mir um. »Oh. Jensen, das ist, ähm … das ist …«

Der Kerl, Jensen offensichtlich, wendet sich zu mir um und schenkt auch mir ein Lächeln. Seine Augen sind erstaunlich blau, seine Haut angenehm gebräunt – nicht zu stark und nicht zu gleichmäßig, also keine Bräune, wie man sie sich auf der Sonnenbank holt, was meiner Ansicht nach sowieso nur was für Warmduscher ist. Nein, seine Hautfarbe lässt darauf schließen, dass er ein gutes Stück seiner Zeit im Freien verbringt.

Bestimmt spielt er Polo oder Golf oder macht irgendeinen anderen Schickimicki-Pseudosport.

Marissa stammelt noch immer, also trete ich einen Schritt vor und halte dem Mann die Hand hin. »Cash Davenport.« Es erscheint mir sinnvoll, mich als rebellischer Bruder auszugeben, da es in Marissas Kreis bereits einen Nash Davenport gibt.

Allerdings erstaunt es mich, dass ich nicht über den Namen stolpere. Eigentlich kommt er mir sogar ein bisschen zu leicht über die Lippen. Wahrscheinlich war es bei Cash ähnlich, als er sich das erste Mal als meine Person ausgab.

Marissa jedenfalls schaltet schnell. »Genau. Du erinnerst dich doch an Nash Davenport, richtig? Das ist sein Zwillingsbruder – Cash. Ihm gehört ein Club in der Stadt.«

Jensen hält mir seine Hand hin. »Jensen Strong. Ich arbeite im Büro der Staatsanwaltschaft. Ich habe deinen Bruder bei der einen oder anderen Veranstaltung getroffen. Und du hast einen Club?« Er nickt anerkennend. »Nett.«

»Es reicht zum Leben«, sage ich schlicht.

Wir verfallen in ein unangenehmes Schweigen, bis Jensen wieder das Wort ergreift. »Tja, also ... ich hau dann mal ab. Ich bin heute eigentlich am Gericht. Ein unerwarteter Zeuge hat mich auf eine Idee gebracht, also bin ich in der Pause rasch hergekommen, um etwas nachzuschlagen.« Er nickt mir zu, dann wendet er seine volle Aufmerksamkeit Marissa zu. »Hat mich gefreut, dich mal wiederzusehen. Sag Bescheid, wenn ich dir bei dem, was du gerade bearbeitest, helfen kann. Mit der Anklage kenne ich mich aus.« Er schenkt ihr ein charmantes Lächeln, das sie erwidert. »Vielleicht können wir ja mal zusammen essen gehen. Ein bisschen plaudern und so.«

Ich bin ein Kerl, daher weiß ich, dass es ihm in Wahrheit darum geht, ihr möglichst bald an die Wäsche zu gehen. Und Marissas Reaktion macht mir klar, dass sie gar nicht so abgeneigt ist.

»Schöne Idee«, erwidert sie, und ihr Lächeln wird sogar noch breiter. Sie ist einerseits geschmeichelt, aber auch ein bisschen interessiert, was mich wiederum sofort ankotzt. Doch sie kann sich nicht für ihn entscheiden, erst bin ich dran. Das hat nichts mit Eifersucht zu tun – überhaupt nicht. Es ist mir vollkommen egal, mit wem sie schläft oder wen sie attraktiv findet. Sie soll damit nur ein paar Tage warten. Bis ich wieder weg bin. Im Augenblick brauche ich sie, damit ich nicht vollkommen ausraste, während ich auf das Startkommando warte, dass ich endlich ein paar Arschlöcher von diesem Planeten entfernen kann.

Ich habe keinen Zweifel, dass ich Mittel und Wege habe, ihren Kopf und ihren Körper ausreichend zu beschäftigen, aber es macht die Szenerie komplizierter, wenn sich ein zweiter Mann einmischt. Ich muss mich im Moment bereits mit zu vielen anderen Faktoren auseinandersetzen, ich kann es überhaupt nicht gebrauchen, dass etwas mein Stressventil blockiert.

»Ich rufe dich im Büro an, okay?«

»Okay. Bis dann.«

Mit einem weiteren Nicken passiert er mich und verlässt den Gang. Ich warte, bis er außer Hörweite ist, bevor ich meine Bemerkung mache. »Sieh einer an. Schon stehen sie Schlange.«

»Was soll denn das heißen?«

»Es war kein Geheimnis, dass du und ›Nash‹ ein Paar wart, oder? Vermutlich weiß inzwischen auch jeder, dass er dich abserviert hat. So was verbreitet sich doch immer wie ein Lauffeuer. Eine Sekretärin findet es heraus, und mit einem Mal ist es Allgemeinwissen.«

»Und du meinst, jetzt kriechen alle aus den Löchern, um mich zu trösten?« Sie grinst selbstironisch. »Das glaube ich kaum. Ich denke, dass jeder, der von der Trennung weiß, auch mitbekommen hat, dass ich nicht gerade am Boden zerstört bin. Es bricht einem nicht das Herz, wenn etwas vorbei ist, das eigentlich nie wirklich etwas war.«

Ich mustere sie skeptisch. Hat sie wirklich eine derart männliche Sichtweise?

»Heißt das, mein Bruder kümmert dich im Grunde einen feuchten Dreck?«

Marissa hebt die Schultern. Sie wirkt verunsichert, doch mir scheint, die Unsicherheit bezieht sich eher auf ihre Antwort. »Es ist nicht so, dass es mir egal wäre, wenn ihm etwas passieren würde. Ich wünsche ihm nichts Böses. Ich schätze, meine Gefühle für ihn sind eher ... ambivalent. Mein Stolz war verletzt, als er Schluss gemacht hat, ja. Aber das lässt schnell nach. Unterm Strich haben Cash und ich uns gegenseitig genützt.«

Ich kann nicht anders, ich muss lachen. Was würde Cash wohl sagen, wenn er wüsste, dass sie die ganze Zeit, die er und sie zusammen waren, genauso mit ihm gespielt hat wie er mit ihr? Ich könnte mir vorstellen, dass das auch sein Ego anknacksen würde. Aber andererseits ist er derart verschossen in Olivia, dass es ihm möglicherweise vollkommen egal ist.

»Grundgütiger. Du bist ja nahezu die ideale Frau. Bei dir kriegt man nur das Gute, ohne sich mit den nervigen Seiten rumschlagen zu müssen.«

Sie lacht verlegen. »O-kay. Wahrscheinlich sollte ich dir für dieses Kompliment danken.«

»O ja, solltest du unbedingt. Und jetzt habe ich umso mehr Lust, auch all deine anderen Seiten zu erforschen.«

Ich trete noch näher an sie heran. Sie weicht nicht zurück, sondern steht ihre Frau, was mich ziemlich anmacht. Es gefällt mir, dass sie mir ihr Interesse zeigt. Es gefällt mir, dass sie sich nicht künstlich ziert, wie so viele Frauen es tun. Das ist langweilig und kindisch. Und letztendlich einfach nur Heuchelei. Die meisten Frauen wollen hofiert und überredet werden, als wäre alles andere eine Art Nötigung. Vielleicht beruhigt es ihr Gewissen. Gott bewahre, dass sie die Gelegenheit beim Schopf packen und einfach Spaß haben. Marissa scheint anders zu sein; ich denke, sie wird sich hingeben und genießen, und ich schätze, dass sie sich nicht einmal Ausreden ausdenken muss, warum sie es so haben will.

»Ach, die sind nicht anders als bei jeder anderen Frau auch«, sagt sie atemlos, obwohl sie versucht, lässig zu klingen.

»Ich würde darauf wetten, dass du ganz außergewöhnliche Seiten besitzt. Und ich warne dich jetzt schon vor, dass ich noch einmal mit dir in diese Bücherei kommen und es herausfinden werde. Genau hier. Ich werde dich ans Regal dort in der Ecke drängen und dich anfassen. Und sehr viel mehr machen. Hier in der Stille. Und du wirst keinen Laut von dir geben können. Kein Wimmern, kein Stöhnen. Du wirst dir auf die Lippe beißen müssen, um nichts herauszulassen. Und weißt du was?« Ich hebe meine Hand und streiche ihr mit dem Zeigefinger über ihre volle, bebende Unterlippe.

»Was?«, flüstert sie. Ihre Pupillen sind geweitet, erregt.

»Du wirst jede Sekunde genießen.«

Mit einem Grinsen nehme ich ihr die Bücher aus dem Arm, drehe mich um und gehe zu unserem Tisch zurück.

6
Marissa

Ich sehe zu, wie Cash den Wagen startet und sich in den Verkehr einfädelt. Nash sitzt auf dem Beifahrersitz und begegnet durch das Fenster meinem Blick. Er lächelt nicht, zwinkert nicht, flirtet nicht. Er starrt mich nur so eindringlich an, dass mein Atem plötzlich schneller geht. Und als Olivia mich anspricht, kommt es mir vor, als würde sie mich aus einem heißen, klebrigen Bann lösen.

»Und? Wie hat es mit der Recherche geklappt?«

Ich drehe mich zu ihr um. Sie hat die Schuhe ausgezogen und uns beiden eine Cola eingeschenkt, sobald sie aus der Schule gekommen ist. Nun hat sie es sich mit angezogenen Beinen auf der Couch bequem gemacht und mustert mich mit einem kleinen Lächeln auf den Lippen.

»Ziemlich gut, eigentlich«, antworte ich, gehe zur Couch und lasse mich am anderen Ende nieder.

Und so war es auch. Trotz der wachsenden sexuellen Spannung zwischen uns war Nash wirklich eine große Hilfe. Er hat eine rasche Auffassungsgabe und versteht die Zusammenhänge so schnell, dass ich mich frage, ob er nicht ein paar eigene Jurastudien betrieben hat, während er ... war, wo immer er war.

»Was habt ihr herausgefunden?«

»Vielleicht kriegen wir auch ohne die Originalgeschäftsbücher noch einen Fall auf der Grundlage des RICO-Act zusammen. Wir wären nicht darauf angewiesen, dass Duffy uns die Bücher zurückholt, und wenn wir ihn stattdessen zu einer Aussage bewegen können, sind unsere Erfolgschancen gar nicht mal so schlecht. Allerdings würde ich in jedem Fall jemanden bitten, der mehr Ahnung von solchen Sachen hat als ich, alles noch einmal zu überprüfen, bevor wir uns in die Karten schauen lassen.«

»Und wüsstest du jemanden, dem du eine derart große Sache anvertrauen könntest?«

Ich lächle, als ich daran denke, wie praktisch es war, heute ausgerechnet auf Jensen zu treffen. Vielleicht ist er die Person, die wir brauchen. »Ja, ich denke, ich wüsste jemanden.«

»Uh-oh. Dieses Lächeln sieht spannend aus. Erzählst du es mir?«

Ich mache eine abwehrende Geste. »Nein, es ist nicht das, was du denkst. Ich habe heute in der Bibliothek nur zufällig einen Bekannten getroffen, der für den Bezirksstaatsanwalt arbeitet. Er hat mich sozusagen um ein Date gebeten. Ziemlich passendes Zusammentreffen, findest du nicht?«

»Ja, das stimmt.« Olivia schweigt ein paar Sekunden, dann räuspert sie sich. »Und, ähm, hat Nash den Burschen auch kennengelernt?«

»Klar.«

»Und?«

»Und was? Ich wollte ihn vorstellen, habe aber plötzlich nur noch gestammelt, also hat er die Sache selbst in die Hand genommen. Und sich als Cash vorgestellt. Es ging nicht anders, da er ja nicht wusste, ob Jensen Cash als Nash kennt. Gut reagiert, finde ich.«

»Und für ihn wäre es in Ordnung, wenn du diesen Jensen mit der Sache betraust?«

Ich zucke die Achseln. »Keine Ahnung. Ich bin gerade erst auf die Idee gekommen. Aber wieso sollte es nicht so sein?«

Jetzt ist Olivia diejenige, die die Achseln zuckt. »Ich habe nur den Eindruck, dass er sich ... für dich interessieren könnte. Ich weiß nicht, wie er auf Konkurrenz reagiert.«

Ein kleiner Schauder der Erregung jagt mir über den Rücken. Olivia hat es also auch gemerkt. Ich weiß, dass da etwas ist, aber irgendwie gefällt es mir, dass er es nicht gänzlich vor den anderen verbergen kann, denn ich weiß genau, dass er es versucht. Vielleicht ist seine Selbstbeherrschung doch nicht kugelsicher. Wohl jedes Mädchen träumt davon, die einzige echte Schwäche eines Mannes zu sein, aber ich habe arge Zweifel, dass es bei einem Kerl wie Nash überhaupt gelingen kann. Männer wie er lassen keine Schwächen zu, denn sie haben schon so viel Schmerz in ihrem Leben erlebt.

»Ich glaube kaum, dass Nash jemanden als Konkurrenz betrachtet.«

Olivia lacht. »Da hast du wahrscheinlich recht. Trotz seiner ... na ja, ruppigen Art wirkt er ziemlich selbstbewusst.«

»Ja, richtig. Und, ja, er ist auch ziemlich ... ruppig.«

Und ich bin verrückt genug, das extrem aufregend zu finden.

»Cash hat in den vergangenen Jahren einiges einstecken müssen, aber ich kann gut verstehen, wieso Nash so verbittert und so grob geworden ist. Immerhin hat er nicht nur seine Familie verloren, sondern den Mord an seiner Mutter auch noch miterlebt. Anschließend musste er buchstäblich sofort vom Erdboden verschwinden. Und das praktisch noch als Kind.«

»Ich finde das seltsam.«

»Was?«

»Dass ihr Vater Nash einfach so wegschickt und es zulässt, dass Cash sich als seinen Bruder ausgibt. Welchen Sinn soll das gehabt haben? Es kommt mir so herzlos vor.«

»Na ja, als Nash untertauchen musste, hat noch niemand daran gedacht, dass Cash beide Jungen spielen würde. Ihr Vater wollte Nash schützen, indem er ihn wegschickte. Ihn und die Beweise. Nash war ja nicht nur Augenzeuge, sondern hatte ein wertvolles Puzzleteil auf seinem Handy gespeichert. Ich könnte mir vorstellen, dass der Vater einfach nur versucht hat, auf Nummer sicher zu gehen, bis er wusste, was zu tun war. Doch dann musste er ins Gefängnis. Und Cash begann, sich als beide Brüder auszugeben, damit sein Vater nicht wegen zwei Todesfällen – Mutter und Nash – zur Rechenschaft gezogen wurde. Danach konnten Cash und sein Vater praktisch nicht mehr richtig miteinander reden, da die Gespräche während der Besuchszeiten überwacht werden.«

»Glaubst du, dass Cash je in echter Gefahr war?«

Olivia hebt die Schultern. »Ich weiß nicht, aber es hat sich so angehört, als hätten diese ... Leute nicht gewusst, dass Nash das Verbrechen gesehen und sogar gefilmt hat, also würde ich sagen, nein. Hätten sie es herausgefunden, wäre es bestimmt heikel geworden. Eigentlich wird mir erst jetzt richtig klar, wie die Situation so verfahren werden konnte. So viel war geschehen, so viele Fragen blieben offen. Ich nehme an, ihr Vater hat einfach nur das getan, was er für das Beste hielt, um seine Söhne zu beschützen, doch die Konsequenzen baden nun alle aus. Ich finde es schwer, mir vorzustellen, was ich in einer solchen Situation täte. Cash erfährt, dass Mutter und Bruder umgekommen sind, wofür sein Vater ins Gefängnis wandert. Nash ist Zeuge der Ermordung seiner Mutter und wird fast in die Luft gejagt. Er wird weggeschickt und von einem Tag auf den anderen aus seiner Familie und seiner vertrauten Umgebung herausgerissen. Und der Vater verliert seine Frau, wird beschuldigt, sie getötet zu haben, und muss einen seiner Söhne fortschicken, um für dessen Sicherheit zu sorgen. Was er damals zumindest dachte. Es ist wie in einer Verwechslungskomödie – nur gibt es darin nichts zu lachen.«

Ich seufze. Nash scheint eine komplexe Persönlichkeit zu sein. Je mehr ich über ihn und seine Vergangenheit erfahre, umso mehr Fragen ergeben sich. »Jedenfalls scheint Nash legitime Gründe für seinen Ärger zu haben. Sein Vater hätte ihn doch längst wieder nach Hause holen können. Zumindest nachdem ihm klar gewesen sein muss, dass keine Gefahr mehr bestand.«

»Ich glaube, er hat versucht, so viele Asse im Ärmel zu behalten wie möglich, bis diese schreckliche Geschichte endlich vorbei ist.«

Ich spüre, wie ich allmählich Kopfschmerzen bekomme, während ich versuche, die neuen Informationen zu verarbeiten und zu sortieren. »Vielleicht kann die Tatsache, dass er wieder zurück ist und seine Familie um sich hat, ihn wieder etwas besänftigen.«

»Vielleicht«, stimmt Olivia mir zu, aber ich denke, sie glaubt daran genau so sehr wie ich – nämlich gar nicht. Nash ist, wie er ist, und ich kann mir nicht vorstellen, dass er sich groß ändert.

7
NASH

Ich unternehme nichts gegen das Schweigen im Auto, bis ich den Eindruck bekomme, dass Cash sich unbehaglich zu fühlen beginnt. In diesem Moment mache ich meinen Zug. Ich will ihn unvorbereitet erwischen, ihn aus der Bahn werfen. Er soll reagieren, ohne zu denken. Ich will eine ehrliche Antwort. Und die werde ich kriegen, und wenn ich sie aus ihm rausprügeln muss.

»Mit wem hast du heute Morgen telefoniert?«

Immerhin ist er schlau genug, mir nichts vorzumachen. Er versucht es nicht einmal.

»Mit Duffy.«

»Hattest du vor, mir davon zu erzählen? Oder wolltest du dieses hübsche Detail für dich behalten?«

Nur es auszusprechen lässt mich schon wieder die Wände hochgehen, und ich rufe mir das Gespräch in Erinnerung.

»Hast du das gemacht?«, fragte Cash, womit er sich höchstwahrscheinlich darauf bezog, dass mich jemand auf seinem Motorrad gerammt hat. Aber das war es nicht, was mich so in Rage gebracht hat, sondern vielmehr die Tatsache, dass er ganz automatisch begann, Pläne zu schmieden und die Sache selbst in die Hand zu nehmen. Ohne wenigstens mit mir darüber zu reden.

Was sollen wir denn jetzt noch machen? Ich muss Vorkehrungen treffen, um die Leute zu schützen, die ich liebe.

»Da gibt es nichts zu erzählen. Ich wollte wissen, ob er etwas mit dem Angriff auf dich zu tun hatte. Er hat das bestritten.«

Er ist noch immer nicht ganz aufrichtig zu mir. »Und?«

»Nichts und. Das ist alles. Ich glaube ihm.«

»Tatsächlich?«, sage ich trocken und verschränke die Arme vor der Brust, um ihn nicht an der Kehle zu packen und zu würgen. Ist er mir immer schon derart auf die Nerven gegangen? Falls ja, ist es ein Wunder, dass ich ihn nicht früher schon ermordet habe. »Du glaubst dem Kerl, der unsere Mutter umgebracht hat? Einfach so?«

»Nein, nicht ›einfach so‹. In meinen Augen ergibt es aber mehr Sinn, dass er daran nicht beteiligt war. Anscheinend ist er Dad gegenüber loyal. Warum sonst sollte er überhaupt auf die Anzeige reagieren? Und wenn Dad ihm nicht vertraut, wieso ihn ins Spiel bringen? Duffy müsste schon ein Vollidiot sein, um die ganzen Vorsichtsmaßnahmen zu treffen, auf die Anzeige hin zu uns zu kommen und alles Mögliche zu gestehen, nur um sich letztendlich gegen uns zu wenden. Als Dumpfbacke schätze ich ihn nicht ein.«

Zugegeben, das Argument ist nicht von der Hand zu weisen. Das wäre wirklich eine strohdumme Aktion. Dennoch macht mir das Duffy keinesfalls sympathischer. »Auch wenn er nichts damit zu tun hat, ist er ein schleimiger Mistkerl, den diese Welt nicht braucht.«

Cash seufzt. »Sieh mal, es ist nicht so, dass ich in diesem Fall nicht deiner Meinung wäre. Ich meine, er hat Mom getötet und hätte Olivia entführt und ermordet. Er ist ein Schwein, da stimme ich dir zu. Aber wenn er uns auf irgendeine Art helfen kann, unser Problem zu lösen, dann habe ich nichts dagegen, ihn in Frieden zu lassen, bis alles erledigt ist.«

Ich werfe ihm einen Blick zu. Mir ist klar, dass man mir mein Erstaunen ansehen kann. »Du mieser Hurensohn. Du benutzt ihn, damit er uns hilft, und bringst ihn dann um.«

»Ich werde niemanden umbringen«, ist alles, was er dazu sagt. Was vermutlich bedeutet, dass er jemand anderen dafür vorgesehen hat. Wahrscheinlich dieser Freak von Freund – dieser Gavin. Der Kerl erinnert mich an diverse Schmugglertypen, die ich in den letzten Jahren getroffen habe. Keine Männer, mit denen man sich anlegt. Manche von ihnen bereiten sogar mir leichtes Unbehagen, was ziemlich vielsagend ist. Da draußen gibt es wirklich ein paar gruselige Gestalten!

Es beeindruckt und freut mich zugegebenermaßen auch, wieder ein bisschen von dem alten Cash zu sehen. Endlich. In gewisser Hinsicht haben wir beide die Rollen getauscht, und irgendwie tröstet es mich ein wenig, den draufgängerischen Bruder wiederzufinden, den ich damals kannte. Cash war leichtsinnig, verwegen, hitzköpfig. Ich könnte mir vorstellen, dass er direkt nach der Explosion auf dem Boot wie ein wildes Tier war.

»Wie war es nach Moms Tod?«

Mit dem abrupten Themawechsel ist es mir erneut gelungen, Cash aus dem Gleichgewicht zu bringen. Und ich habe ihn außerdem wütend gemacht.

»Was denkst du wohl, wie es war, verdammt? Scheußlich natürlich.«

»Das ist mir klar«, sage ich aufgesetzt geduldig. »Ich wollte wissen, wie es für dich ganz persönlich war. Du warst damals immer ein bisschen wie ein brodelnder Vulkan. Du hast es bestimmt nicht locker weggesteckt. Bist du bei dem nächsten Kerl, der dich in irgendeiner Kneipe schief angesehen hat, ausgerastet?«

Ich sehe, wie sich seine Kiefermuskeln anspannen, während er zurückdenkt. »Erstaunlicherweise nicht. Der ganze Trubel um Dad hatte etwas Surreales. Ich hatte einen Elternteil verloren und musste nun zusehen, wie der andere eingesperrt wurde. Außerdem hatte ich die Bücher bei mir. In den ersten Wochen kam es mir vor, als würde ich zu Hause Brennstäbe lagern. Hinzu kam dein vermeintlicher Tod. Ich nehme an, dass es für mich gar nicht schlecht war, mich als dich auszugeben. Dadurch war ich wenigstens beschäftigt, mich in die Rolle einzuleben, bis der Prozess vorbei war und Dad im Gefängnis saß. Danach wusste ich, was ich zu tun hatte. Ich konzentrierte mich darauf, die Schule hinter mich zu bringen und zu recherchieren. Ich habe recherchiert wie ein Irrer. Jeder Wunsch nach einer anständigen Schlägerei war plötzlich einfach ... ausgelöscht.« Er verstummt, und auch ich sage nichts. Ich versuche mir vorzustellen, was er durchgemacht und wie es sich angefühlt hat, praktisch alles zu verlieren.

»Weißt du, Nash, es hat mir nie Spaß gemacht, so zu tun, als sei ich du. So zu tun, als sei ich der Bruder, mit dem ich mich nie messen und an den ich nie heranreichen konnte. Der Bruder, den ich vermisste wie ... wie man den eigenen Arm vermisst, wenn er amputiert wurde. Bei alldem, was ich erreicht habe, hat es mir nie Frieden oder auch Vergnügen verschafft, du zu sein. Nicht ein einziges Mal.«

»Wundert mich nicht. Du warst damals ja immer der Coole, der sich den Spaß holt, wann immer er will. Mich zu spielen muss dir vorgekommen sein, als säßest du im Knast.«

»Das hab ich nicht gesagt«, fährt er mich an. »Und so habe

ich es auch nicht gemeint. Hör zu, Mann, ich will dir damit nur sagen, dass es keinesfalls die spitzenmäßige Party war, für die du mein Leben zu halten scheinst.«

»Daran zweifele ich auch nicht.«

Cashs Kopf fährt zu mir herum, als erwarte er, Sarkasmus oder Bitterkeit in meiner Miene zu entdecken. Als er sieht, dass ich es ernst meine, zeichnet sich erst Verwirrung auf seiner Miene ab, dann eine Art Ernüchterung. Ich habe ihm den Wind aus den Segeln genommen.

Nach ein paar Minuten des Schweigens, in denen wir beide Zeit haben, nachzudenken, uns zu beruhigen und zu sammeln, stellt er mir dieselbe Frage. Ich schätze, dass er mich schon viel eher fragen wollte, es aber in Anbetracht meiner Aggressivität lieber gelassen hat. Recht so – vermutlich hätte er damit tatsächlich nur neuen Streit entfacht.

»Und was ist mit dir? Wie war es für dich nach dem Vorfall?«

»Wahrscheinlich gar nicht so sehr anders als für dich. Als ich wieder zu mir kam, trieb ich unter dem Landungssteg, sodass mich keiner sehen konnte. Als ich mich endlich aus dem Wasser zog, war die Kavallerie gerade erst unterwegs. Ich hatte keinen Schimmer, was passiert war, also rief ich zuerst Dad an. Ich brauchte ein paar Minuten, um mein Handy zu finden; es war mir aus der Hand gefallen, als die Druckwelle der Explosion mich ins Wasser geschleudert hatte. Zum Glück. Wäre es im Wasser versunken, hätten wir jetzt nichts. Ohne die Bücher ist das Video alles, was wir einsetzen können, um Dad aus dem Knast zu holen.«

Cash nickt. »Kann man wohl sagen.«

»Na ja, jedenfalls ging ich in Deckung und rief Dad an. Ich war der Glückliche, der ihm eröffnen durfte, dass man seine Frau umgebracht hat.« Hier schaffe ich es einfach nicht, die

Bitterkeit aus meiner Stimme herauszuhalten. »Das Gute daran war jedoch, dass er auf diese Art noch ein wenig Zeit hatte nachzudenken. Und sich vorzubereiten, schätze ich. Ich erzählte ihm von dem Filmchen, das ich aufgenommen hatte. Und das war der Moment, in dem er entschied, dass ich untertauchen musste. Es sei zu gefährlich für mich, sagte er. Es gäbe zu viele Unbekannte. Ich sei der einzige Zeuge, ich hätte die Tat sogar noch dokumentiert – na ja, du kannst es dir denken. Schließlich verriet er mir, wo ich finden würde, was immer ich zur Flucht brauchte, wies mich an, Geld und einen Pass zu holen, und befahl mir zu verschwinden.«

»Und wie bist du dann auf einem Schmugglerschiff gelandet?«

»Ich habe dir doch schon gesagt, dass er mich zu seinem Kontakt geschickt hat. Wie wär's, wenn du mich ausreden ließest?«

Cash nickt. Ja, ich weiß, dass ich viel zu aufbrausend bin, aber manchmal kann ich einfach nicht anders. Nach so langer Zeit ist es nicht leicht, wieder auf andere Rücksicht zu nehmen. Und ich weiß auch nicht, ob ich es tatsächlich will. Sich um andere zu kümmern und Gedanken zu machen, lenkt ab und macht einem nur Ärger, und diese Erkenntnis hat es mir möglich gemacht, bis heute zu überleben. Das Einzige, was mich seit Jahren interessiert, ist der Tag, an dem ich mich endlich rächen kann.

»Tut mir leid. Sprich weiter«, sagt Cash nun.

Ich seufze. »Neben Geld und Ausweisen fand ich ein Handy, auf dem ein paar Nummern gespeichert waren. Und ein paar Nachrichten. Eine war an Mom gerichtet – wahrscheinlich war das sein Plan B gewesen, falls ihm etwas zustoßen sollte. Er sagte darin schlicht, dass er sie liebte, dass es ihm sehr leidtue und dass sie tun solle, worüber sie geredet hätten. Aber es gab noch eine andere Nachricht. An uns, für den Fall, dass beiden Eltern etwas passiert war. Darin stand nur, wir sollten Dmitry anrufen, er wüsste schon, was zu tun sei. Also gehorchte ich. Und Dmitry wies mich an, sofort nach Savannah zu fahren. Dort solle ich mich in einem Hotel einmieten und es bis zum folgenden Samstag nicht mehr verlassen. Ich bekam die Adresse einer Pinte in der Nähe der Landungsbrücke, wo ich ihn treffen sollte. Er würde mich schon erkennen, meinte er, und das tat er dann auch. Anscheinend sehe ich Dad ziemlich ähnlich.«

»Ist er derjenige, mit dem du ... gearbeitet hast?«

Ich verziehe das Gesicht über seinen Versuch, die Tatsache, dass ich Waffenschmuggler war, diplomatisch auszudrücken. Man kann es nur als Ironie bezeichnen, dass der Brave und Regelkonforme von uns beiden, der Sohn, der es wahrscheinlich in der Geschäftswelt weit gebracht hätte, zum Verbrecher geworden ist. Selbst nach all den Jahren hinterlässt das bei mir einen unangenehmen Nachgeschmack.

»Nein. Er war nur derjenige, der alles arrangiert hat. Mir wurde rasch klar, dass er uns ursprünglich aus dem Land hätte schaffen sollen, falls Dad etwas zugestoßen wäre, aber nur Mom gewusst hatte, was anschließend zu tun war. Ob es irgendwo ein Haus oder eine Wohnung für uns gab, ob irgendwo Geld lagerte. Alles, was ich besaß, waren ein paar Dollar und die Klamotten, die ich am Leib trug. Und er tat für mich das Einzige, was er tun konnte, nehme ich an. Er beschaffte mir einen Job.«

Ich weiß, dass Cash mich gerne fragen würde, was es mit diesem Job auf sich hatte, aber seine soziale Kompetenz hat sich in den vergangenen Jahren derart verbessert, dass er die Klappe hält. Und das ist gut so. Ich will nämlich nicht darüber reden. Weder mit ihm noch mit sonst wem. Ich bin nicht besonders stolz auf das Leben, das ich in den letzten sieben Jahren geführt habe.

»Du hast getan, was getan werden musste, Kumpel. Niemand gibt dir die Schuld. Du warst ja noch ein Kind.«

Mein Lachen ist bitter. »Wer hätte gedacht, dass ausgerechnet du zu rechtfertigen versuchst, dass dein großer Bruder den Familienfluch erfüllt?«

»Du bist bloß vier Minuten älter als ich, also spar dir die Große-Bruder-Nummer. Und was soll das heißen – der Familienfluch?«

»Wir haben Verbrecherblut in den Adern. Früher dachte ich immer, dass man eine Wahl hat, aber das glaube ich jetzt nicht mehr. Ich denke, wir sind dazu bestimmt. Als Familie.«

»Ich bin kein Krimineller. Und ich habe auch nicht vor, einer zu werden.«

»Oh, tatsächlich nicht?«, frage ich beißend. »Und das, was Gavin und du abgezogen habt, um Olivia zu retten, war ganz und gar legal, richtig?« Ich sehe, wie seine Finger sich um das Lenkrad krampfen. »Ich versteh schon. Ist dir einfach nur entfallen, ist es nicht so?«

Er sagt nichts, weil es dazu nichts zu sagen gibt. Ich habe recht, und das weiß er.

Erst viele Meilen später ergreift Cash wieder das Wort. »Lass uns diese Sache einfach hinter uns bringen, damit wir wieder nach vorne schauen und vernünftig weiterleben können. Du und ich. Wir alle.«

»Falls das überhaupt möglich ist«, erwidere ich düster. Aber tief in meinem Inneren und entgegen aller Wahrscheinlichkeit habe ich ein klein wenig Hoffnung, dass so etwas Absurdes wie Cashs Vision tatsächlich eintreten könnte.

8
Marissa

Ich sammele gerade meine Sachen zusammen, um sie in die Reinigung zu bringen, als es an der Tür klingelt. Obwohl es heller Tag und Olivia ebenfalls in der Wohnung ist, zieht sich mein Magen nervös zusammen.

Auf dem Weg zur Tür schimpfe ich mit mir, schaue aber dennoch erst durch den Spion. Wieder reagiert mein Magen, aber diesmal aus einem anderen Grund.

Draußen steht David Townsend, mein Vater, und wirkt genauso ungeduldig wie immer. Mit seinen dunklen Haaren und den grünen Augen sieht er seinem Bruder und Olivia ziemlich ähnlich, aber seine Haltung verleiht ihm eine Eleganz – und Arroganz –, die sich in jeder geschmeidigen Bewegung ausdrückt.

Obwohl wir blutsverwandt sind, gibt es kaum einen Menschen, der mir Furcht einflößender vorkommt. Er ist der Grund, warum ich mich in der Geschäftswelt, in der Justiz und an den Gerichtshöfen Atlantas behaupten kann. Wer unter David Townsend Erfahrungen sammelt, entwickelt automatisch ein Raubtiergebiss. Mit bösen, langen Reißzähnen.

Ich hole tief Luft, schiebe den Riegel zurück, setze ein

Lächeln auf und öffne die Tür. »Daddy, was machst du denn hier?«

Ohne ein Wort marschiert er in seinem tausend Dollar teuren Anzug an mir vorbei, und ich erhasche einen Hauch seines fast ebenso teuren Aftershaves.

Er betritt das Wohnzimmer, bevor er sich zu mir umdreht. Seine Brauen sind streng zusammengezogen, seine Lippen bilden einen Strich. »Was genau tust du eigentlich gerade hier, junge Lady?«

»Ich weiß nicht, was du meinst«, erwidere ich ruhig und schließe die Tür. Ich habe schon vor langer Zeit gelernt, jede Emotion hinter einem gelassenen Äußeren zu verbergen. In meiner Welt ist das die ultimative Waffe. Na ja, sagen wir, in der Welt, die ich für meine gehalten habe, die sich nun aber eher wie die seine anfühlt.

»Zuerst haust du ab und kehrst verfrüht nach Hause zurück, sodass ich keine andere Wahl habe, als dir zu folgen.«

»Du hättest die Reise nicht abbrechen müssen, Daddy.«

»Und wie hätte das ausgesehen? Meine Tochter scheint plötzlich die dringende Notwendigkeit zu sehen, in die Staaten zurückzufliegen, und ich arbeite weiter, als sei nichts gewesen?«

Es war klar, dass es nur um den schönen Schein geht. Darum geht es doch immer. So ist mein Leben, das meiner Familie und meine ganze Welt bisher gewesen.

»Tut mir leid, dass ich dir Unannehmlichkeiten bereitet habe.«

»Nein, tut es dir nicht. Du hast mal wieder nur an dich gedacht. Und dann tauchst du bei mir zu Hause mit einem ... einem Gangster im Schlepptau auf. Was hast du dir dabei gedacht?«

Als Nash mich nach Hause gebracht hatte, hatte ich meinem Vater nicht erzählt, was geschehen war. Ich hätte etwas Privates erledigen müssen, sagte ich nur, und tatsächlich beließ er es dabei. Allerdings hielt er mir zunächst eine Standpauke darüber, dass ein Privatleben gefälligst über alle Zweifel erhaben sein müsse, wenn man es nicht sorgfältig vor der Öffentlichkeit verbergen könne. Ich habe keine Ahnung, was er mir unterstellt, aber anscheinend befürchtet er, ich könne etwas Anstößiges getan haben.

»Tut mir leid, Dad. Ich denke das nächste Mal gründlicher nach.«

Das habe ich mein ganzes bisheriges Leben getan – mich auf Daddy einstellen, es Daddy rechtmachen, Daddy nachgeben. Es ist mir in Fleisch und Blut übergegangen. Er ist ein Mann, der es einfordert, ohne es wirklich verlangen zu müssen. Doch heute, zum ersten Mal, seit ich mich erinnern kann, verschlucke ich mich ein wenig an den Worten.

»Du bist eine Townsend, Marissa. Fehler solcher Art dürfen nicht passieren. Ein Patzer kann deiner Karriere und deinem Ruf dauerhaft schaden. Du weißt, wie man damit umzugehen hat. Ich habe es dir schließlich beigebracht.« Ich nicke gehorsam und senke meinen Blick, damit er meine Wandlung nicht sieht, damit er den Kampf darin nicht sieht. »Nun, was deine verfrühte Rückkehr angeht, ist die Katze aus dem Sack. Heute Abend findet eine Benefizveranstaltung statt, zu der du hingehst. Es wäre gut, wenn du Nash mitbringst. Auf diese Art können wir wenigstens die Gerüchte eindämmen, die bereits kursieren.«

»Nash und ich haben uns getrennt, Daddy.«

»Glaubst du, das weiß ich nicht?«

Es hat mich bisher nie gestört, dass er mich stets so genau im

Auge behält. Und im Grunde genommen stört es mich jetzt auch nicht. Aber es bereitet mir Unbehagen.

Etwas Merkwürdiges geht mir durch den Sinn – die Frage, ob er möglicherweise sogar weiß, dass ich über dreißig Stunden wie vom Erdboden verschluckt gewesen war. Aber ich habe keine Zeit, diesen verstörenden Gedanken und was sich daraus ergibt, weiterzuverfolgen, da er weiterredet.

»Tu, was nötig ist, um eure Querelen zu bereinigen. Er ist ein aufstrebender Jurist, wie du sehr gut weißt, und mit jemand weniger Qualifiziertem würde ich meine Zeit auch nicht verschwenden. Die Verbindung mit ihm ist gut für dich, für die Familie und die Kanzlei.«

»Obwohl sein Vater wegen Mordes im Gefängnis sitzt?«

»Das macht ihn für die Wählerschaft nur greifbarer. Menschlicher. Er ist ein Junge von der Straße, der sich aus bescheidenen Verhältnissen hochgearbeitet hat. Ein Mann des Volkes.«

Das macht ihn für die Wählerschaft nur greifbarer?

»Und warum ist das so wichtig? Es ist ja nicht so, als sollte er in –«

Ich breche ab, als mir mit einem Mal klar wird, welche Rolle mein Vater für mich vorgesehen hat. Ich dachte immer, es ginge darum, dass er mich fördert und ausbildet, damit ich eines Tages Teilhaber der Anwaltsfirma werden kann, aber das war es gar nicht. Das war es nie. Worauf er mich vorbereitet, ist die Rolle der Frau eines mächtigen Mannes. Eines sehr mächtigen Mannes. Einer, der in der Politik mitmischt.

Er hat vor, Nash in der Politik unterzubringen.

»O Gott! Wieso habe ich das bisher nie kapiert?«

Er presst die Lippen zusammen und bestätigt damit meinen Verdacht. Er macht sich nicht einmal die Mühe, etwas abzustreiten, und er weiß ganz genau, wovon ich rede. »Ich wusste, dass du es irgendwann verstehen würdest. Alles kann sich ganz wunderbar zusammenfügen.« Er kommt einen Schritt auf mich zu, und seine Augen verengen sich zu Schlitzen. »Vorausgesetzt, du verdirbst es nicht.«

Mir fällt die Kinnlade herunter. Ich kann es nicht ändern. Hat er mich schon immer als simple Schachfigur gesehen, und ich habe es nur nicht bemerkt? Habe ich mich wirklich so brav und kritiklos in meine Existenz gefügt, dass ich nicht einmal bemerkt habe, wie pervers, narzisstisch und oberflächlich dieses Leben ist?

Ja, anscheinend.

»Mach den Mund zu. Und tu nicht so, als wäre dir das Konzept fremd. Bisher hast du jedenfalls ganz und gar nichts dagegen gehabt, den Weg, den ich dir geebnet habe, zu gehen.« Er tritt näher, legt mir die Hände an die Oberarme, beugt sich ein wenig vor und sieht mir betroffen in die Augen. Das ist seine Version von Zärtlichkeit. Das kenne ich. Mir ist bisher nur nicht so recht klar gewesen, wie kalt, berechnend und einstudiert die Geste ist. »Ich will doch nur das Beste für dich, Liebling.«

Ich klappe den Mund zu, aber nur, um die Worte, die mir schon im Hals stecken und hinausdrängen, für mich zu behalten. Ich nicke mechanisch und setze ein Lächeln auf. Ich muss den Schein wahren, bis ich Zeit zum Denken habe. Zum Planen. Um mir zu überlegen, wie ich leben, meinen Lebensunterhalt verdienen, wie ich noch einmal neu anfangen kann, ohne mich auf das zu verlassen, was für mich bisher selbstverständlich gewesen ist. Ohne auf die Menschen zu zählen, denen ich glaubte, vertrauen zu können.

Und das in einer Stadt, die meinem Vater sozusagen gehört.

Die Aussicht erscheint mir wenig vielversprechend.

9
NASH

Das Gefängnis mit den vielen Sicherheitschecks, den gepanzerten Türen, den dicken Gitterstäben, den Uniformen und den bulligen Gewaltverbrechern, die hinter jeder Ecke lauern, macht einem auf die harte Tour klar, wohin die falschen Entscheidungen führen können. Plötzlich empfinde ich tatsächlich etwas Mitgefühl für Cash, der vor sieben Jahren praktisch noch als Kind zum ersten Mal herkommen musste, um seinen Vater zu besuchen. Das muss ein schlimmer Schlag für ihn gewesen sein.

»Sie müssen sich hier eintragen«, sagt der Wachmann. Das ist jetzt schon das zweite Mal, das wir das machen müssen, und ich frage mich, was für ein inkompetentes Arschloch wohl die Listen führt, wenn man sich am gleichen Tag und im gleichen Gefängnis zweimal eintragen muss, um denselben Gefangenen zu sehen.

Meine Güte, Leute, so schwer kann es doch nicht sein.

Ich bin knurrig, ich gebe es zu. Weder mein Wiedersehen mit Cash noch die Entdeckung des Mannes, der meine Mutter getötet hat, noch die ersten Tage, die ich – bis dato Totgeglaubter – sozusagen wieder unter den Lebenden weile, ist so, wie ich es mir vorgestellt habe. Da drängt sich mir glatt die Frage auf, ob der Rest meines Lebens ähnlich enttäuschend sein wird. Vielleicht nimmt dieser Tag vorweg, wie es weitergeht – beschissen nämlich.

Das werde ich zu verhindern wissen. Ich weigere mich, einfach hinzunehmen, dass eine Kette von Ereignissen, die ich nicht beeinflussen konnte und die von fremden Menschen in Gang gesetzt wurde, mein Leben ruiniert.

Wie immer werde ich das Problem anpacken, es lösen und dann verdammt noch mal weitermachen.

Mein Kopf schmerzt durch die finstere Miene, die ich aufgesetzt habe – ebenfalls etwas, das mich seit sieben Jahren begleitet. Der Schmerz ist mir sehr vertraut.

Weil wir zu zweit sind, führt man uns in einen kleinen Raum. Er erinnert mich an einen Verhörraum aus einer dieser dämlichen Krimiserien, in denen die Verbrecher meistens zusammengeschlagen werden. Fehlt nur noch die schwingende grelle Glühbirne über dem Tisch.

Ich setze mich auf einen der kalten Plastikstühle, lehne mich zurück und verschränke die Arme vor der Brust. Ich bin ungeduldig. Rastlos. Reizbar. Ich mühe mich noch, die Aggressionen, die in mir toben, zu dämpfen, als sich die Tür erneut öffnet und mein Vater in Hand- und Fußfesseln hereingeführt wird.

Meine Kopfschmerzen und all die negativen Gedanken lösen sich auf, als sein Blick meinem begegnet. Wie Wellen, die sich an der Küste brechen, prallen tausend Gefühle aufeinander und hüllen mich in einen Nebel aus Emotionen. Im Bruchteil einer Sekunde mache ich gleichzeitig Dutzende von Stadien meines Lebens durch. Ich bin der verängstigte Junge, der vor sieben Jahren untertauchen musste. Ich bin der zuversichtliche, entschlossene Teenager, der ich war, ehe meine Mutter getötet wurde. Ich bin das zornige Kind, das sich mit seinem Vater messen muss. Das Kleinkind, das in Geborgenheit aufwächst. Und ich bin der Mann, der aus dem Exil zu den Überresten seiner Familie zurückgekehrt ist.

Ich sehe Tränen in seinen Augen, und bevor die Wache mich daran hindern kann, bin ich auf den Beinen, durchquere mit Riesenschritten den Raum und schlinge die Arme um meinen Vater. Er hebt die gefesselten Hände und berührt mich an der Schulter. Wenn er könnte, würde er mich auch umarmen.

Die wenigen Sekunden, die ich mit meinem Vater vereint bin, sind den groben Eingriff des Wachmanns wert, der sich auf uns stürzt, während zwei weitere durch die Tür stürmen, uns auseinanderzerren und mich wieder auf den Stuhl drücken, von dem ich aufgesprungen bin. Nicht einen Moment geben mein Vater und ich den Augenkontakt auf.

Sobald die Wachleute einigermaßen überzeugt sind, dass ich von nun an brav bin und mich den Regeln beuge, lassen sie Mr. Unfähig, Wachmann Nummer eins, wieder mit uns allein. Ich sollte ein schlechtes Gewissen haben, dass ich den Burschen so vorgeführt habe, aber so ist es nicht. Er kann mich mal. Ich habe meinen Vater seit sieben Jahren nicht gesehen.

Als sich die Stille über den Raum legt, spricht Dad. »Seit sieben Jahren bete ich darum, dass ich meine beiden Söhne wiedersehen kann. Gesund und munter.« Seine Stimme bricht, und mein Magen krampft sich. Er braucht einen Moment, um sich zu sammeln, bevor er fortfährt. »Wie ist es dir ergangen, mein Junge?«

Ich könnte ihm unzählige Vorwürfe machen, doch in diesem Moment will mir keiner über die Lippen. »Es geht mir gut.

Ich bin am Leben. Zurück. Und will diese Geschichte endgültig beenden.«

Er nickt, und sein Blick huscht über mein Gesicht, als wolle er sich jeden Zug einprägen. Ja, Cash und ich sind Zwillinge, aber Mom und er wussten immer, wie man uns auseinanderhielt. Und nun könnte sich mein Aussehen wohl nicht stärker von dem unterscheiden, wie es einst gewesen ist.

»Es kommt mir vor, als hättest du mit deinem Bruder die Rollen getauscht«, sagt er.

Wieder spüre ich die Verbitterung wie Salz in einer Wunde, die niemals richtig heilen kann. »Tja, wahrscheinlich haben wir das tatsächlich. Er ist genau so, wie ich nach deinem Wunsch hätte werden sollen. Und ich habe alles wahrgemacht, was du für ihn gefürchtet hast.«

Sein Lächeln ist traurig. »Nein. Ich könnte nicht stolzer auf euch sein. Ihr habt eine Stärke gezeigt, die ich mir nur wünschen kann. Ihr beide seid ganz genau wie eure Mutter.«

Mein Herz zieht sich schmerzhaft in meiner Brust zusammen. »Ein größeres Kompliment könntest du uns wahrscheinlich nicht machen.«

Viele Erinnerungen kommen mir in den Sinn. Bilder meiner Mutter, wie sie auf meiner Bettkante sitzt; ihre lächelnden dunklen Augen, als sie mir das Haar aus der Stirn streicht; ihr Lachen, als Cash und ich unsere kindlichen Ärmchen anspannen, um sie mit unserem Bizeps zu beeindrucken; ihr Kopfschütteln, als sie das Chaos in der Küche sieht, das ich veranstaltet habe; ihre Tränen über ein Täfelchen, das ich ihr beim Werken gemacht habe; ihre anfeuernden Rufe, wenn ich ein Spiel gehabt habe; ihr Lob, weil ich nüchtern geblieben bin, damit ich meine Freunde nach Hause fahren konnte.

Sie war diejenige, die unsere Familie zusammenhielt. Mit

ihrem Tod fiel alles auseinander. Wir gingen getrennte Wege. Entwickelten uns zu Menschen, die sie missbilligen, taten Dinge, für die sie sich schämen würde.

Erbitterung und Wut, vertraut wie alte Freunde, überkommen mich erneut. Der Wunsch, mich zu wehren und denjenigen zu schaden, die uns geschadet haben, steigt in mir auf und droht mich zu ersticken. Wie seit sieben Jahren immer wieder. Doch der Gedanke daran, was sie dazu sagen würde, wie sie mich tadeln würde, weil ich mich auf deren Niveau hinab begebe, steht meinen Rachegelüsten gegenüber, zehrt an mir und beraubt mich meiner Triebfeder, die mich bis hierher gebracht und am Leben gehalten hat.

Mit einem inneren Kopfschütteln verdränge ich diese Überlegungen. Deswegen kann ich mich später noch quälen. Jetzt bin ich bei meinem Vater, und es gibt Fragen, die ich stellen muss, Hunderte von Fragen.

Aber er kommt mir zuvor.

»Ich werde mir niemals verzeihen, was ich euch angetan habe, euch – unserer Familie. Damit muss ich bis zu meinem Tod leben. Damit und mit einem Dutzend anderer Dinge, die ich bereue. Ich war jung und dumm. Ihr beide seid alles andere als dumm, und ihr werdet keinen solchen Unsinn machen wie ich, das weiß ich genau. Ich traue euch zu, die richtigen Entscheidungen zu treffen. Das habe ich schon immer.«

Er macht eine Pause, bevor er fortfährt. Seine Miene wirkt gepeinigt, und ich nehme an, dass die Reue über die Taten seiner Jugend ihn seit vielen, vielen Jahren zerfleischt.

»Ich kann nur hoffen, dass ihr mir eines Tages vergeben könnt. Letztendlich habe ich geglaubt, dass ich das Richtige tue. Für euch. Für unsere Familie. Cash«, wendet er sich nun an meinen Bruder, der die ganze Zeit über schweigend neben mir sitzt, »ich weiß, wie unfair du es findest, dass ich dir nie die Wahrheit über deinen Bruder erzählt habe, aber du warst damals so ein Hitzkopf. Ich hatte Angst, dass du durchdrehen würdest. Dich in ihn hinein zu fühlen, dich zusammenzureißen und deinen Zorn verrauchen zu lassen, schien mir eine gute Methode, deinem Leben eine neue Richtung zu geben. Ich wollte dich niemals kränken. Bitte glaub mir das.«

Cash sagt nichts. Seine Miene ist emotionslos, unlesbar. Sogar für mich, seinen Zwillingsbruder.

Und dann wendet sich Dad an mich. »Und, Nash, ich wusste, dass du es schaffen würdest. Ich kenne niemanden, der so entschlossen, so zielstrebig ist wie du. Und du warst immer ein guter Junge. Ich wusste, du würdest tun, was ich von dir verlangte.« Er senkt den Blick, als könne er nicht mehr ertragen, mir in die Augen zu sehen. Ich sehe seine Kehle arbeiten, als er schluckt, dann schaut er wieder auf. »Mir war nicht klar, dass du so viel von deinem Bruder in dir hast. Und das war mein Fehler. Ich hätte ahnen müssen, wie viel Zorn in dir steckt und dass du niemals würdest vergessen können. Indem ich dich fortschickte, habe ich dich zu jemandem gemacht, den du nicht ausstehen kannst. Aber glaub niemals auch nur eine Sekunde lang, dass ich nicht stolz auf dich wäre. Du hast überlebt. Ganz allein, ohne Hilfe, bist du wieder auf die Beine gekommen. Nur wenige Leute schaffen das als Erwachsene, aber du warst fast noch ein Kind. Ich habe mich mehr auf dich verlassen, als man als Elternteil das Recht dazu hat. Ich hoffe sehr, dass du eines Tages weißt, was das bedeutet. Was es für mich und deinen Bruder bedeutet hat, was es deiner Mutter bedeutet hätte. Und dir als Mann bedeuten sollte. Und ich hoffe außerdem, dass du deinen zukünftigen Weg von diesen Jahren trennen kannst. Vergib dir selbst. Versuch, in das Leben zurückzufinden, aus dem du aussteigen musstest. Das alles zu verlieren wäre die größte Tragödie von allen. Wenn deine Mutter noch lebte, würde es sie umbringen, wenn sie sehen müsste, dass du aufgibst.«

Traurig blickt er von mir zu Cash und zurück.

»Ihr zwei seid seit eurer Geburt wie zwei Hälften ein und derselben Person gewesen. Wie Tag und Nacht, Nord und Süd, oben und unten. Ich habe immer gehofft, dass jeder sich ein bisschen seinem Bruder annähert. Mehr hätte es nie bedurft – immer nur einen Hauch des anderen Charakters. Dennoch war ich auch damals schon stolz auf euch beide. Und dies hier habe ich mir niemals für euch gewünscht. Ich hätte alles gegeben, um euch den Schmerz, die Trauer, das Bedauern ersparen zu können. Ich wollte immer nur das Beste für euch. Und ich tat, was ich konnte und was immer in meiner Macht stand. Vielleicht sieht es nicht danach aus, aber für mich standet ihr immer an erster Stelle in meinem Leben. Nur habe ich einige schlechte Entscheidungen getroffen.«

»Wir versuchen gerade, wenigstens ein paar Dinge wieder ins Lot zu bringen, Dad. Wir haben –«

Dad unterbricht Cash mit einem Kopfschütteln. »Lass gut sein, Junge. Ich bezahle für meine Sünden. Vielleicht nicht für die, für die man mich eingesperrt hat, aber ich zahle nichtsdestoweniger. Ich habe ein Leben gelebt. Ihr zwei habt noch viel vor euch. Lasst die Vergangenheit nicht die Zukunft bestimmen. Zieht weiter. Sucht euch einen Job, der euch gefällt, eine Frau, die es wert ist, ein Dasein, das zu leben sich lohnt. Macht nicht noch mehr Fehler, die euch letztlich nur die Luft zum Atmen nehmen. Tut das einzig Richtige. Vergesst die Sache und kümmert euch um euer eigenes Leben.«

»Ach, und dann? Sollen wir einfach vergessen, dass unser

Vater zu Unrecht eingesperrt wurde? Dass er für einen Mord sitzt, den er nicht begangen hat?«, kontere ich.

»Ich erwarte nicht, dass ihr vergesst. Ich bitte euch nur, die Sache auf sich beruhen zu lassen. Das würde sich eure Mutter wünschen, Gott sei ihrer Seele gnädig. Es würde ihr das Herz brechen, wenn sie sähe, dass ihr zwei das Hier und Jetzt aufgebt und eure Zukunft für meine Fehler riskiert. Laden wir dadurch nicht nur noch mehr Opfer auf ihrem Grab ab?«

Schuld. Ähnlich wie die Opfer in seiner hübschen Metapher wird immer mehr davon auf meine Schultern gepackt.

Cash ist noch immer still, was mein eigenes Schweigen weniger verwerflich macht. Ich weiß einfach nicht, was ich sagen soll. Mir ist klar, dass Dad sich für unsere jetzige Existenz verantwortlich fühlt, und das ist er in vieler Hinsicht auch. Nun glaubt er, eingreifen zu müssen, und das verstehe ich ja, aber damit nimmt er mir trotzdem das Einzige, an das ich mich sieben Jahre lang geklammert habe. Mein Zorn und mein Rachedurst sind mir in der Vergangenheit wie die Luft zum Atmen gewesen. Nur deshalb habe ich nie aufgegeben, wenn ich mich in derart verfahrenen Situationen befand, dass ich nachts kaum noch ein Auge zutun konnte. Ich habe Dinge getan – scheußliche Dinge –, die mich von innen her auffressen würden, wenn ich nicht den Zorn in mir hätte. Er ist wie eine undurchdringliche Rüstung, die mich vor meinem Gewissen, vor der grausamen Realität schützt. Wenn ich nun auf Dad höre, wenn ich alles aufgebe, was mich sieben harte, erbarmungslose, quälende Jahre lang angetrieben hat – was bleibt mir dann noch?

Ein Wort erklingt in meinem Kopf wie das geisterhafte Echo der Leere, die plötzlich alles erfasst.

Nichts. *Nichts, nichts, nichts.*

Das ohrenbetäubende Tuten eines Alarms bringt uns alle

dazu, instinktiv die Hände auf die Ohren zu pressen. Uns alle, bis auf den Wachmann, der sofort in Bewegung gerät. Vielleicht ist er ja doch nicht so unfähig.

Grob zerrt er Dad von seinem Stuhl und auf die Tür zu, die er öffnet. Draußen steht ein anderer Wachmann, der ihn in Empfang nimmt und mit ihm um die nächste Ecke verschwindet, während ein dritter Wachmann in unseren Raum kommt und uns befiehlt, uns sofort in Richtung Ausgang zu bewegen.
Sofort!

»Was zum Henker ist denn los?«, will ich wissen, während wir durch die Gänge eskortiert werden.

»Sir, jeder Alarm in dieser Einrichtung dient der Sicherheit der Insassen und der Besucher. Bitte gehen Sie weiter.«

Die Wachen bringen uns auf demselben Weg zurück, den wir vor weniger als einer halben Stunde gekommen sind. Keiner sagt uns, was geschieht, keiner gibt uns eine Erklärung.

Während wir durch die Abteilungen geschleust werden und anderen Besuchern begegnen, die genau wie wir zu den Ausgängen geführt werden, dröhnt die nervtötende Sirene unablässig. Im grellen Blitzen der Warnlichter schieben sich Wachleute in schwarzer Schutzkleidung an uns vorbei, und laute Rufe und gebrüllte Befehle durchdringen den Lärm. Wir hören Satzfetzen, die sich um Zellenblöcke, automatische Sperrungen, Waffen drehen. Ein Wort jedoch sticht hervor, und dass ich es mehr als einmal höre, sagt mir, was tatsächlich geschieht.

Aufstand. Die Gefangenen rebellieren. Und natürlich gibt es für solche Fälle einen Verhaltenskatalog, nach dem sich gerichtet wird. Daher müssen Cash und ich hier raus. So schnell wie möglich.

Als wir und etwa zwei Dutzend anderer entweder verschreckter oder verärgerter Besucher den Haupteingang erreichen, passieren wir die letzte Schleuse. Hinter uns fallen die Türen zu und werden verriegelt.

Der Wachmann, der neben dem Tor hinter Glas sitzt, ist noch immer da. Und er wirkt genauso müde und unbeeindruckt wie eben, als wir gekommen sind.

»Was zum Teufel ist da drinnen los?«, frage ich wieder, ohne mir mehr Informationen zu versprechen, als ich von den Wachleuten im Inneren erhalten habe.

Und so zuckt er auch nur die knochigen Schultern. »Irgendein Aufruhr. Hat angeblich im Block D angefangen. Diese miesen Bastarde machen uns seit fast einem Jahr immer wieder Ärger.« Er kichert, als hätte er etwas Lustiges gesagt. Viele Zähne hat er nicht mehr im Mund. Ich betrachte seine dürre, zerbrechliche Gestalt und die halbirren Augen und komme zu dem Schluss, dass dieser Posten vermutlich der einzige ist, den ein alter Sack wie er noch innehaben kann, denn das Rentenalter hat er längst erreicht. Wahrscheinlich ist er über Umwege mit dem Direktor verwandt.

Ich nickte dem Kerl zu. Als ich mich zu Cash umwende, höre ich ihn noch sagen: »Besuchen Sie uns bald wieder.« Und dann folgt ein letztes Kichern.

Kopfschüttelnd gehe ich an meinem Bruder vorbei durch die Glastüren hinaus in die Freiheit. Ich sehe mich nicht um, ob Cash mir folgt. Ich brauche Luft. Ich muss hier weg.

Draußen trete ich in die Sonne und hole ein paarmal tief Atem. Sogar hier im Freien und angesichts des weitläufigen Geländes vor dem Gefängnis und der breiten einladenden Straße fühle ich mich wie in einer Falle. Gefangen. Vom Leben.

Die Worte meines Vaters hallen in meinem Kopf wider. Er will, dass wir unsere Pläne aufgeben – er will, dass ich aufgebe.

Ich soll vergessen, wer meine Familie, mein Leben und meine Zukunft vernichtet hat. Und er bittet mich darum im Namen meiner ermordeten Mutter.

Ich fahre mir mit den Fingern durchs Haar. Dabei ziehe ich einzelne Strähnen aus dem Haargummi, das es zu einem Pferdeschwanz zusammenhält, aber es kümmert mich nicht. Im Augenblick könnte ich mir die Haare ausraufen. Ich könnte schreien, irgendwas zerschmettern, mich selbst verstümmeln.

Er will, dass ich aufgebe!

Ich komme immer wieder darauf zurück. Und ich weiß, dass er recht hat – dass Mom es sich auch so wünschen würde. Und Dad zu erleben, wie er hier im Knast verschimmelt, hat mir darüber hinaus sehr deutlich gemacht, was wohl noch schlimmer wäre, als mit dem jetzigen Status quo zu leben – nämlich den Rest meiner Tage selbst im Gefängnis zu verbringen.

Wo also stehe ich jetzt?

Unwillkürlich wandere ich auf dem kurzen Stück Gehweg auf und ab. Balle meine Hand zu Fäusten, strecke die Finger wieder, ohne mich um die Leute um mich herum zu kümmern. Es ist mir egal, was sie denken. Mir ist seit sieben Jahren egal, was andere Leute denken, und ich werde nicht ausgerechnet jetzt damit anfangen, mir darüber den Kopf zu zerbrechen.

Allein der Gedanke daran, dass alles, wofür ich vorausgeplant, wofür ich gelebt habe, auf einmal null und nichtig sein soll, weckt in mir ein umfassendes Gefühl der Machtlosigkeit. Ich bin wütend, verzweifelt, hilflos ... und einsam. Ich fühle mich gefangen und alleingelassen.

Ich beiße die Zähne so fest zusammen, dass mir die Kiefer wehtun, und als Cash plötzlich meinen Arm packt, fahre ich beinahe mit ausgeholter Faust zu ihm herum.

»Bist du jetzt so weit, oder willst du den ganzen Tag lang hier rumstehen und dich wie ein Psychopath aufführen?«

Am liebsten würde ich ihm meine Faust ins Gesicht schmettern und fühlen, wie die Knochen brechen, so sehr nervt mich sein selbstgefälliges Grinsen. Ich will ihm wehtun – warum, weiß ich nicht. Ich weiß nur, dass ich jeden hier am liebsten umhauen würde.

Und doch fühle ich mich gleichzeitig wie erschlagen. Man hat mir den Lebenszweck entzogen. Und meine Sorge darüber überlagert sogar den Wunsch, mich abzureagieren. Jedenfalls im Augenblick.

»Wir lassen uns nicht verbieten, die Sache weiterzuverfolgen.«

Es zählt eigentlich nicht, was Cash tut. Ich gehe so oder so meinen eigenen Weg. Aber vielleicht möchte ich von ihm hören, dass er Vaters Rat ebenfalls ignorieren will, damit ich kein ganz so schlechtes Gewissen haben muss, wenn ich mich an meinen Zorn und meinen Rachedurst klammere.

»Verdammt, ganz sicher nicht! Ich schätze, ihn plagen einfach Schuldgefühle, da er jetzt sieht, wie dein Leben sich entwickelt hat. Als Märtyrer würde er sich besser fühlen. Aber er wird es schon verkraften. Wir ziehen das Ding jedenfalls durch. Wir müssen Moms Mörder zur Rechenschaft ziehen.«

»Gut«, sage ich. Meine Erleichterung ist größer, als ich mir eingestehen will. »Ich bin froh, dass du dich nicht drücken willst.«

»Hör zu, Nash, auch wenn wir beide kontinuierlich aneinandergeraten und unterschiedliche Methoden haben, haben wir dennoch ein und dasselbe Ziel. Ich will genauso sehr wie du ein paar Köpfe abreißen. Aber ich tu's nicht. Denn das würde alles nur noch schlimmer machen. Ja, es wäre kurzfristig sehr befriedigend, doch danach würde ich entweder den Rest meines Lebens auf der Flucht sein, in ein Land auswandern müssen, das nicht ausliefert, oder ins Gefängnis gehen. Vielleicht würde ich den Versuch auch nicht überleben. Daher möchte ich meine Rache lieber auf die schlaue Art bekommen. Auf die Art, die auch du einmal gewählt hättest.«

Er hebt das Kinn herausfordernd, und ich fühle mich in die Ecke gedrängt. »Tja, aber ich bin nicht mehr der Typ, der ich früher war.«

»Doch. Bist du. Ich sehe es. Du musst nur dein reizbares Gehabe abschütteln. Tu es, oder du machst dir dein Leben kaputt.«

»Mein Leben ist schon kaputt.«

»Nein, ist es nicht. Du hast es dir gerade zurückgeholt. Was du jetzt damit tust, ist deine Sache. Und wenn du es verdirbst, dann kannst du nur dir selbst die Schuld daran geben.«

Wieder beiße ich die Zähne so fest zusammen, dass mir die Kiefer wehtun. Diesmal hauptsächlich, weil ich weiß, dass er recht hat. Ja, das kann ich mir selbst eingestehen, aber nur tief in meinem Inneren. Unter all dem Zorn.

Und da ist verdammt viel Zorn.

10
Marissa

»Ich bin sicher, dass Cash es macht, wenn es für dich wichtig ist. Es ist ja nicht so, dass er dich nicht ausstehen kann, Marissa.« Olivia versucht mich zu überreden, Cash zu bitten, mit mir zu der Wohltätigkeitsveranstaltung zu gehen.

Der Blick, den ich Olivia zuwerfe, ist Skepsis pur. »Es ist lieb von dir, das zu sagen, aber wir beide wissen sehr gut, was er für mich empfindet.«

»Er hasst dich nicht, Marissa.«

»Okay, vielleicht ist Hass ein zu starkes Wort. Sagen wir einfach, er tut sich schwer damit, mich zu tolerieren. Passt dir der Ausdruck besser?«

Olivia legt den Kopf schief. »Es ist nicht die Frage, was mir passt oder nicht passt. Ich denke wirklich nicht, dass er etwas gegen dich hat. Ihr zwei hattet eine etwas ... spröde Beziehung. Du warst ein anderer Mensch, und in gewisser Hinsicht war er das auch. Ihr müsst jetzt einen Weg finden, das Ganze zu vergessen und einen Neuanfang zu machen. Als Freunde. Und zumindest als gute Bekannte.«

Ich blicke in die grünen Augen meiner Cousine. Sie will so unbedingt, dass wir uns verstehen. Nur wieso?

»Ich weiß ja, dass ich das Thema vielleicht gar nicht anschneiden sollte, aber ich frage mich die ganze Zeit, ob es dich stört.«

»Ob mich was stört?«

Ich zögere. Das ist meine letzte Chance, das Thema zu wechseln, bevor ich vielleicht wirklich etwas anspreche, durch das sich ihre Haltung mir gegenüber ändern könnte. Doch ich muss in vieler Hinsicht reinen Tisch machen. Die Zeiten, in denen ich egoistisch sein konnte, sind endgültig vorbei. Wenn ich wirklich die neue Marissa sein will, muss ich die blauen Flecken und Kratzer in Kauf nehmen, die der Weg, der aus meiner Vergangenheit herausführt, mit sich bringt. *Es ist Zeit, erwachsen zu werden und für das, was man tut, geradezustehen.*

»Dass Cash und ich ... zusammen waren.«

Olivia zuckt die Achseln. Ich glaube nicht, dass es ihr tatsächlich vollkommen gleich ist, aber sie scheint auch keinen Groll gegen einen von uns zu haben, was für mich die Hauptsache ist.

»Das ist nichts, über das ich länger nachdenken möchte, aber es frisst mich auch nicht auf, wenn du das meinst. Ich weiß, dass Cash mich liebt. Und ihr hattet beide Gründe, die Beziehung fortzuführen. Wenn ihr euch geliebt hättet, dann würde die Sache sicher anders liegen. Aber das habt ihr nicht. Ihr wart ja eher eine Zweckgemeinschaft und habt jeweils euren Nutzen daraus gezogen. Damit kann ich leben. Weil es vorbei ist.«

Ihr habt euren Nutzen daraus gezogen. Wie niederträchtig das klingt. Und wie wahr es leider ist. Wir haben uns gegenseitig ausgenutzt. Und das gibt mir das Gefühl, eine Hure zu sein. Was ich, wenn man es so sieht, ja auch gewesen bin. Ich habe mit jemandem geschlafen, der mir ziemlich wenig bedeutet hat. Sex war Mittel zum Zweck. Es ist zwar kein Geld zwischen uns geflossen, aber dass ich mit ihm zusammen war, erbrachte mir einen Gewinn anderer Art. Ich wollte meinem Vater genügen. Und das ist krank. Absolut krank.

Mein Lächeln ist zittrig. Ich versuche es zu stabilisieren. »Das freut mich. Ich will nicht, dass so was zwischen uns steht und dich permanent stört. Ich wollte mich nur vergewissern, dass du weißt, wie die Dinge standen. Es ist wirklich vorbei.«

Ihr Lächeln ist aufrichtig. »Ich glaub's dir. Und es ehrt dich, dass dir die Sache Sorgen gemacht hat.«

Jetzt bin ich diejenige, die die Achseln zuckt. Ihr Lob ist mir peinlich. Ich komme mir immer noch vor, als hätte ich ihre großzügige Vergebung nicht verdient. Und ich möchte ihr beweisen, dass ihr Vertrauen in mich nicht vergeudet ist.

»Jetzt weißt du also, was ich damit meine, wenn ich sage, dass es okay für mich ist, falls Cash mit dir zu dieser Veranstaltung geht.«

Ich schüttele den Kopf, entschlossener denn je, nichts zu unternehmen, was ihr vielleicht doch nicht behagt. Sie hat durch mich schon genug Ärger gehabt.

»Nein, lass gut sein. Ich kann allein hingehen.«

»Wohin?«

Als ich Nashs Stimme höre, bekomme ich umgehend eine Gänsehaut. Das Komische ist, dass ich sofort weiß, um wen es sich handelt, ohne mich auch nur umdrehen zu müssen. Obwohl beide Brüder gleich klingen, höre ich den Unterschied heraus. Nashs Stimme ist härter, heiserer. Eigentlich nicht deutlich, aber so, dass ich es intuitiv wahrnehme. Und ich reagiere ohne Verzögerung.

Ich wende mich um. Er steht im Türrahmen meiner Wohnung. Seine Miene ist finster wie immer. Doch ich erkenne etwas unter der Oberfläche aus Unruhe und Bitterkeit. Ich hoffe, dass ich es mir nicht nur einbilde – dass es wirklich da ist – und dass in ihm etwas steckt, das es wert ist, gerettet zu werden.

Ich verdrehe die Augen und versuche mit einer herablassenden Geste den Anlass herunterzuspielen. »Ach, bloß eine Benefizveranstaltung, auf die ich meines Vaters Meinung nach unbedingt gehen sollte.«

»Mit Nash«, setzt Olivia hinzu. »Den Nash, den die Leute dort kennen.«

»Aber mein Vater wird es schon verkraften. Er muss erst noch in seinen Kopf kriegen, dass dieser Nash nicht länger ... unter uns weilt. Oder mit mir zusammen ist.«

Ich senke den Blick, als Cash hinter seinem Bruder auftaucht, sich an ihm vorbeischiebt und auf Olivia zugeht. Eingehend mustere ich meine Fingernägel, während ich aus den Augenwinkeln beobachte, wie er sich zu ihr herabbeugt und sie küsst. Er hat das Bild von uns beiden längst aus seinem Kopf gelöscht. Als ich wieder aufsehe, kollidiert mein Blick mit Nashs.

»Na, wenn du so begierig bist, es deinem Vater zu zeigen, dann nimm mich mit. Falls du dich traust, versteht sich.« Die Provokation ist unmissverständlich. Er glaubt nicht, dass ich es tue. Dass ich es tun kann. Aber wieso auch? Ich habe ja selbst Zweifel. Bin ich wirklich stark genug, um mich gegen alles aufzulehnen, was ich bisher gekannt und stillschweigend hingenommen habe? Bin ich stark genug, die Existenz aufzugeben, in der ich zu Hause gewesen bin? Leuten eine Nase zu drehen, die zu den mächtigsten Spielern in Georgias Justiz gehören?

In diesem Moment ist es mir weit weniger wichtig, diesen Leuten etwas zu beweisen, als es Nash zu beweisen. Der höhnische Blick, seine Miene, die besagt, ich hätte es einfach nicht drauf ...

»Das klingt nach einer großartigen Idee«, sage ich impulsiv, während meine Eingeweide bereits nervös reagieren. Indem ich mich nicht mit dem erwarteten Davenport blicken lasse, kann ich drei Dinge erreichen: Ich kann Olivia beweisen, dass ich mein Wohl nicht über ihres stelle (auch wenn sie sagt, dass es ihr nichts ausmacht). Zweitens zeige ich meinem Vater (und praktisch jedem anderen), dass seine Wünsche und Ziele für mich nicht mehr oberste Priorität haben. Und drittens kann ich mir selbst beweisen, dass ich stark bin. Stärker als vorher jedenfalls. Stark genug, um gegen den Strom zu schwimmen.

»Und bestimmt hat der alte Nash für den echten Nash etwas Angemessenes zum Anziehen, nicht wahr?«, fragt er. Er sieht mich an, obwohl seine Frage an Cash gerichtet ist.

»Ja, aber als Nash kannst du nicht gehen«, antwortet sein Bruder. »Wir müssen die Show noch ein bisschen länger durchziehen, bis wir diesen ganzen Mist bereinigt und ein paar Leute hinter Gitter gebracht haben.«

»Und was stellst du dir vor? Dass ich als Cash gehe? Mich als tollkühner, lässiger Was-kostet-die-Welt-Besitzer eines Nachtclubs ausgebe? Der sich einen Abend am Arm seiner Luxus-Barbie-Puppe unter die bessere Gesellschaft mischt?«

Obwohl ich weiß, dass er nur deshalb Gift und Galle spuckt, weil er der Meinung ist, genau dieses Leben habe sein Bruder ihm gestohlen, tun seine Worte weh. Hält er mich wirklich für so gekünstelt? Für ein Luxusweibchen? Für eine minderbemittelte Plastikblondine?

»Glaub ja nicht, dass du dadurch einen Freifahrtschein hast, dich als Prolet aufzuführen. Du wirst dich trotzdem hinreichend benehmen müssen. Für Aufruhr zu sorgen dient nicht gerade unseren Zwecken.«

»Ich bin nicht blöd, lieber Bruder. Stell dir vor – ich bin sogar stubenrein! Ich bau schon keine Sch… keinen Mist!«, verbessert er sich im letzten Moment. Dass er versucht, weniger Kraftausdrücke zu benutzen, ist mir bereits ein paarmal aufgefallen. Eigentlich kann ich mir nicht so recht vorstellen, warum er das tut – wen stört es schon? –, aber es kommt mir wie eine altmodische Geste der Höflichkeit gegenüber den Frauen im Raum vor. Schon seltsam, Rücksicht und Respekt bei einer Person zu erleben, die sich zu jeder anderen Gelegenheit alles andere als rücksichts- oder respektvoll benimmt. Und ohne dass ich es will, schöpfe ich neue Hoffnung. Zweifellos bewege ich mich auf gefährlichem Terrain, doch ich kann nicht mehr zurück. »Also mach dir bloß nicht in die Hose. Vergiss nicht, dass ich früher der Vernünftige war. Nur weil du mir –«

»Ja, ja, ich weiß«, unterbricht Cash ihn gereizt. »Ich habe auch nicht gesagt, dass du Mist baust. Ich wollte dich nur noch einmal daran erinnern, das war alles.«

Die Spannung zwischen den Brüdern macht mich nervös. Manchmal hat man den Eindruck, als würden sie sich jeden Moment an die Gurgel gehen. Und dagegen könnte ich überhaupt nichts unternehmen. Die beiden sind riesig und stark. Es hat schon einen Grund, warum Cash in seinem Club nie einen Rausschmeißer braucht, wenn er arbeitet. Bisher ist ihm noch niemand begegnet, mit dem er nicht fertigwerden könnte. Das hat er mir selbst einmal erzählt. Als Nash natürlich, aber dennoch ...

Jedenfalls bin ich erleichtert und seltsam erfreut, dass Nash sich eine weitere Bemerkung auf Cashs Reaktion verbeißt.

»Also? Um wie viel Uhr trudeln wir dort ein?«, fragt Nash und wendet seine Aufmerksamkeit wieder mir zu.

»Ich muss mich noch genau erkundigen, aber ich war bereits vergangenes Jahr auf dieser Veranstaltung, und damals hat man es wie eine Versteigerung aufgezogen. Es war eigentlich eine lustige Sache. Zum Beispiel musste man auf die Hors d'œuvres bieten, dann auf Plätze an einem Tisch voller Berühmtheiten und so weiter. Jedenfalls ging es um halb acht los, und dieses Mal wird es bestimmt ähnlich sein.«

Nash holt sein Telefon aus der Tasche und schaut auf das Display, wahrscheinlich will er wissen, wie spät es ist. Er nickt und blickt zu mir auf. »Das passt gut. Bis dahin habe ich noch ein paar Dinge zu erledigen. Ich hole dich um sieben ab?«

»Okay. Wenn du mir deine Nummer gibst, schicke ich dir eine SMS, falls ich herausfinde, dass es doch zu einer anderen Zeit beginnt.«

Er tippt eine Nummer in sein Handy, und ich höre ein paar Sekunden später meines summen. Er sieht mich nicht an, als ich nach meinem Telefon greife, sondern wendet sich an Cash.

»Kann ich mir noch einmal deinen Wagen leihen?«

»Kannst du uns beim Club absetzen?«

»Klar.«

»Und du? Meinst du, du kommst zurecht?«, fragt Olivia mich.

»Sicher. Ich schaue durch meinen Schrank, was ich heute Abend anziehe, und gönne mir dann vielleicht einen entspannten Wellness-Nachmittag. Um Kräfte zu sammeln, bevor ich mich mit Daddy und Konsorten auseinandersetzen muss.«

Olivia mustert mich skeptisch. »Wenn du meinst, dass es okay ist …«

»Absolut. Geht ihr zwei nur. Und habt einen schönen Tag.«

»Ich komme zum Übernachten wieder.«

»Olivia«, beginnt Cash warnend.

Sie wirft ihm einen vernichtenden Blick zu, und er seufzt und wendet sich kopfschüttelnd ab.

»Wir kommen beide zurück. Ich will nicht, dass du allein hier bist, bis die ganze Sache vorbei ist.«

»Ich hab doch gesagt, dass ich bleiben kann«, grollt Nash, der bereits an der Tür steht. »Hört ihr mir eigentlich nicht zu?«

»Da hast du's«, sagt Cash zu Olivia.

Olivia sieht mich skeptisch an. »Das muss Marissa entscheiden.«

Ein Prickeln arbeitet sich durch meinen Unterleib, als ich daran denke, wie Cash heute Morgen erwacht ist. Allerdings wird er vermutlich in Olivias Bett schlafen, wenn die beiden nicht hier übernachten.

Vermutlich ...

»Eine gute Idee. Das klappt schon. Bestimmt wagt es niemand, durch die Tür zu kommen, solange er im Haus ist.«

Ich sage das als Scherz, aber es ist wahrscheinlich zu neunzig Prozent richtig. Man muss schon ein extrem harter Typ sein, um sich nicht durch Nash beirren zu lassen. Allerdings sind es ja gerade die extrem harten Kerle, die uns Sorgen bereiten.

»Womit sie verdammt recht hat«, brummt Nash von der Tür aus.

Ich grinse Olivia an, die die Augen verdreht. »Da hast du's«, imitiere ich Cash.

»Na ja, jedenfalls werde ich nachher noch nach dir sehen. Ich arbeite heute nicht im Club, habe aber noch ein paar Hausaufgaben zu erledigen, daher ...«

»Bitte hör auf, dir um mich Sorgen zu machen«, sage ich und meine es so. Je netter und mitfühlender sie sich mir gegenüber benimmt, umso schlimmer wird mein schlechtes Gewissen, weil ich mich bislang so mies benommen habe. »Ihr habt genug eigene Probleme. Und sollt euer Glück genießen. Mir passiert schon nichts, wirklich nicht.«

Sie lächelt widerstrebend, aber sie lächelt. Und ich fühle

mich ein bisschen besser, weil ich das bewirkt habe. Es tut gut, ein angenehmer, rücksichtsvoller Mensch zu sein statt das keifende Biest, das ich bisher gewesen bin ... ein Mädchen, mit dem eigentlich keiner etwas zu tun haben wollte – sofern er nicht seinen Nutzen davon hatte.

»Genau, wir müssen ja noch unser Glück genießen«, sagt Cash anzüglich und zieht Olivia auf die Füße und in seine Arme. Er reibt seine Nase an ihrem Hals, und sie kichert und schlingt ihm die Arme um den Nacken.

»Okay, okay.«

»Schön. Dann sind wir uns ja einig. Gehen wir.« Cash nimmt Olivia an die Hand und zieht sie auf die Tür zu. Als sie an mir vorbeikommt, legt sie mir impulsiv einen Arm um die Schultern und drückt mich herzlich.

»Ich bin froh, dass du wieder hier bist«, flüstert sie mir ins Ohr. Mit einem Kloß im Hals drücke ich sie zurück.

Plötzlich kommt mir in den Sinn, dass ich das nur meiner Entführung verdanke. Wäre ich nicht zur falschen Zeit am falschen Ort gewesen, hätte ich vermutlich ewig auf Menschen wie meine Cousine herabgesehen, ohne sie je wirklich kennenzulernen. Und das wäre vielleicht die größte aller Tragödien gewesen.

»Ich bin auch froh«, erwidere ich leise, während ich dem Trio hinterherblicke. Das Letzte, was ich sehe, sind Nashs fast schwarze Augen, als sein Blick meinem begegnet, kurz bevor er die Tür hinter sich zuzieht.

Und die Hitze, die seine Augen ausstrahlen, spüre ich noch lange danach.

NASH

Bisher bin ich immer davon ausgegangen, dass es eine endgültige Sache sein würde, wenn ich irgendwann aus meinem Versteck kriechen und endlich wieder zu leben beginnen würde. Ich war überzeugt, dass ich das Dasein, das ich sieben Jahre lang geführt habe, dann endlich und für immer und ewig ad acta legen könnte.

Ich habe mich geirrt.

Allerdings hätte ich mir auch nie vorstellen können, dass Dad uns bitten würde, den Kampf aufzugeben. Dass er freiwillig im Knast schmoren und den Mörder unserer Mutter am Leben lassen würde. Andererseits hat er ja von vornherein gewusst, wer sie umgebracht hat.

Bei dem Gedanken an Duffy zieht sich mein Magen zusammen. Meine Finger zucken, wenn ich daran denke, wie ich ihm meine Hände um den Hals lege und ihm in die Augen sehe, während ich sein jämmerliches Dasein beende.

Aber Duffy ist nur einer von vielen, und nur ein Handlanger. Obwohl tatsächlich er derjenige war, der Mom mit der Bombe getötet hat – ob es nun ein tragisches Versehen war oder nicht –, stecken weit mehr hinter der Tat und all dem Elend, das danach kam. Mein Rachedurst ist erst dann gelöscht, wenn alle tot oder im Gefängnis sind. Vielleicht weiß Dad das. Vielleicht will er deshalb, dass wir aufgeben. Vielleicht ist es eine Lebensaufgabe, den Geschehnissen von damals auf den Grund zu gehen. Oder in diesem Fall: an die Spitze der Organisation zu gelangen.

Wie auch immer – es spielt keine Rolle. Denn ich werde nicht aufgeben. Niemals. Ich kann es nicht. Das Ziel gehört zu mir und meinem Leben, und davon abzulassen würde mich, wie ich war und wie ich jetzt bin, einschneidend verändern. Also mache ich weiter. Was immer es kosten, wie lange es auch dauern mag. Ich kämpfe.

Nachdem ich Cash und Olivia zum Dual gebracht habe, fahre ich quer durch die Stadt zum Hauptbahnhof. Als ich hergekommen bin, habe ich mir dort ein Schließfach genommen. Da ich keine nennenswerten Wurzeln habe, ist es nicht ganz einfach, wichtige Dinge sicher zu verstauen. Selbst sesshafte Leute wählen manchmal Orte wie diese, um Wertsachen vor fremdem Zugriff zu bewahren. Wie Dad zum Beispiel. Es war nämlich eben dieser Bahnhof, in dem er damals die Tasche mit Geld, Pässen und anderen Dingen, die man zur Flucht braucht, gelagert hatte. Mein Lächeln ist reuig und ein wenig boshaft, als mir in den Sinn kommt, wie gut es ist, dass nur einer von uns Jungs direkt in Dads Fußstapfen getreten ist. Nur hatte ich früher stets angenommen, dass nicht ich, sondern eher Cash eine gewisse kriminelle Energie entwickeln würde. Das hat wohl jeder angenommen. Und in gewisser Hinsicht ist Nash tatsächlich bei jener Explosion auf dem Boot gestorben. Der Junge, der er war, und der Mann, zu dem er herangewachsen wäre, sind tot. Beide. Die Frage ist nun: Wer bin ich? Wer ist wiederauferstanden, um ihren Platz einzunehmen?

Ich dränge diese beunruhigenden Gedanken beiseite, als ich einen Parkplatz vor dem Bahnhof finde. Nachdem ich mich wie beiläufig umgeschaut habe, eine Angewohnheit, die ich wohl nie wieder ablegen werde, betrete ich das Gebäude und gehe zu der Reihe Schließfächer zur Linken. Ich habe mir eine Nummer ausgesucht, die ich mir leicht merken kann. Vier dreizehn. Moms Geburtstag. Der dreizehnte April.

Wann immer ich an ihren Geburtstag denke, denke ich auch an den Tag, an dem sie starb. Als wäre dieser Tag nicht nahezu immer präsent in meinem Kopf. Aber manchmal ist er ... intensiver zu spüren. Das Schuldgefühl, überlebt zu haben, obwohl ich hätte sterben sollen, der Jammerlappen gewesen zu sein, der auf dem Steg ein Mädchen ohne Bikinioberteil filmte, statt ihr auf dem Boot zu helfen, frisst mich auf. Sie hätte nicht allein sein dürfen. Sie hätte nicht allein sterben dürfen. Doch ich war nicht dort, war nicht bei ihr, ich wurde verschont. Und was ist aus mir geworden? Die Welt wäre ein besserer Ort, wenn sie statt meiner überlebt hätte und ich an jenem Tag in Stücke gesprengt worden wäre.

So ist es aber nicht passiert. Die Schuldigen – auf die eine oder andere Art – zur Rechenschaft zu ziehen, ist daher das wenigste, was ich tun kann.

Ich ziehe einen kleinen Schlüssel mit orangefarbener Kappe aus meinem Stiefel. Nichts zeichnet den Schlüssel aus. Falls er jemandem in die Finger geraten sollte, wird er nicht wissen, woher er kommt oder – falls durch einen Zufall doch – zu welchem Schließfach er passt.

Leichtgängig geht er ins Schloss, und ich öffne die Tür. Im Fach befindet sich eine schwarze Tasche mit grundlegenden Dingen für einen Notfall, unter anderem einige Telefone. Eines davon ist sehr wichtig. Wie das eine, das Dad uns damals hinterlegt hatte, sind auf diesem Handy Nummern gespeichert, die zu bestimmten Gelegenheiten sehr hilfreich sein können. Ich hatte gehofft, niemals davon Gebrauch machen zu müssen, doch ich habe sie mir aus einem bestimmten Grund bewahrt. Weil die Dinge sich selten so entwickeln, wie man es sich vorstellt. Verdammt.

In der Tasche befindet sich außerdem eine weitere Kopie des Videos, das ich damals am Anleger gemacht hatte. Plus anderes Beweismaterial, das für manch einen Grund genug wäre, mich zu töten. Material über Waffen und Schmuggler und Routen, über die ich nichts wissen dürfte. Aber ich weiß davon. Was hier versteckt ist, kann mich mein Leben mindestens ein Dutzend Mal kosten. Oder es mir retten. Je nachdem, in wessen Besitz das Handy gerät und welche Person weiß, was sich alles darauf befindet. Im Augenblick bin das nur ich. Und genauso soll es auch bleiben, wenn es nach mir geht. Vertraue niemandem – mein Motto, das mich seit Jahren am Leben hält.

Ich schalte das Telefon ein und gehe durch die Liste der Kontakte, bis ich Dmitrys Nummer finde. Ich schicke sie an ein zweites Telefon, an ein Billighandy, das ebenfalls im Spind liegt. Eins von mehreren sogar. Jemand in meiner Branche und mit einer Familiengeschichte wie meiner kann von solchen Mobiltelefonen niemals genug haben. Die Handys, die ich kaufe, sind prepaid, ohne GPS, mit begrenzter Reichweite und können wenig. Ich benutze sie, werfe sie weg und hinterlasse keine Spuren, die man zu mir zurückverfolgen könnte.

Nachdem ich noch einmal flüchtig meine Habe überprüft habe, schließe ich das Schließfach wieder zu und stecke den Schlüssel in den Stiefel. Ich setze mich mit dem Billighandy auf eine leere Bank und drücke auf »Wählen«.

Es klingelt ein paarmal, bevor eine vertraute barsche Stimme mit starkem Akzent drei Wörter sagt:

»Hinterlassen Sie Nachricht.« Ein Piepen.

»Hier ist Nikolai«, sage ich. Das ist der Name, den Dmitry mir gab, als wir uns zum ersten Mal begegneten. Es musste ein Name sein, der nichts mit Greg Davenports Sohn Nash zu tun hatte, denn ich musste ein anderer werden. »Ich ... muss mit dir reden. Lieber persönlich. Es wäre großartig, wenn du dorthin kommen kannst, wo wir uns zum ersten Mal getroffen haben. In zwei Tagen zur gleichen Zeit. Danke.«

Ich lege auf. Ich weiß, dass er verstanden hat, und ich weiß, dass er in zwei Tagen dort sein wird, wenn er es irgend einrichten kann. Das Boot wird frühestens in zwei Wochen auslaufen, also sollte er es eigentlich schaffen.

Ich drücke ein paar Tasten, um die Spuren der SMS und des Anrufs zu tilgen, stehe auf und gehe auf den Ausgang zu, wobei ich das Handy beiläufig in einen Mülleimer entsorge.

Während ich zu Cashs Wagen zurückkehre, denke ich unwillkürlich an die Gespräche, die ich in den vergangenen sieben Jahren mit Dmitry geführt habe. Er hat mir Unmengen von Geschichten von Dad und ihm erzählt. Nichts besonders Pikantes, sondern nur von Streichen, von Unfug, den die beiden angestellt haben. Sie sind ungefähr zur gleichen Zeit ins Geschäft eingestiegen.

Gemeinsam arbeiteten sie sich hoch, bis sich ihre Wege trennten – mein Vater spezialisierte sich auf Geldwäsche, Dmitry auf Schmuggel. Sie blieben jedoch stets Freunde, weswegen mein Vater Dmitry auch als Notausstiegshilfe einsetzen konnte. Selbstverständlich hätte mein Vater uns normalerweise niemals der Obhut eines Schmugglers überlassen, wenn

Dmitry nicht die eine Person wäre, der er bedingungslos vertraute.

Und nun werde auch ich Dmitry trauen. Ich will ihn um Hilfe bitten. Ich bitte ihn um einen großen Gefallen, und vielleicht wird er ihn mir nicht tun, aber fragen muss ich dennoch. Möglicherweise ist er einer von drei oder vier Stützpfeilern, auf denen unser einzige Chance ruht, die ganze Sache zu bereinigen. Letztendlich wird sich das erst im Laufe der Zeit herausstellen, doch irgendwo muss ich anfangen. Ich muss etwas tun. Ich brauche einen Plan, und ich brauche auch einen Plan B. Ich kann mein Ziel einfach nicht vergessen. Und obwohl Cash meinte, dass auch er keine Absicht hat, davon abzulassen, glaube ich nicht, dass ihm die Sache genauso wichtig ist wie mir. Ich traue eben niemandem genug. Nicht einmal meiner Familie. Ich bin schon zu lange allein, als dass ich Vertrauen zu jemandem fassen könnte. Vielleicht eines Tages wieder. Aber ich habe meine Zweifel.

Ich habe Gewissensbisse. Hier stehe ich und zögere, jemandem zu vertrauen, obwohl ich selbst wahrscheinlich von den meisten Menschen als alles andere als vertrauenswürdig eingestuft werden würde. Ich bin so besessen von meinem Ziel, dass wenig mich aufhalten kann, und Dinge, die einfach nur »richtig« sein sollen, schon gar nicht. In dem Dasein, das ich zu führen gezwungen war, überlebt nur der Stärkere, und am besten erledigt man seinen Job mit der Einstellung, dass keine Gefangenen gemacht werden. Es ist nicht leicht, solche Angewohnheiten abzuschütteln und sich in der zivilisierten Welt von jetzt auf gleich wieder normal zu bewegen.

Dann kommt mir ein Paar blauer Augen in den Sinn. Wieder habe ich Gewissensbisse. Was würde sie wohl von mir denken, wenn sie alles wüsste – alles, was ich getan habe?

Vor allem, was ich mit ihr getan habe?

Ich schließe die Autotür auf, setze mich hinters Steuer und verdränge alle tiefgründigen Gedanken. Über manche Dinge darf man nicht zu lange grübeln, und dieses Thema gehört dazu.

Ich starte Cashs BMW, parke aus und setze mich in Richtung Wohnung in Bewegung. Ich muss zwei Pläne ausarbeiten, und zwar bis ins letzte Detail. Ich kann mir keine Überraschungen leisten. Einer davon muss funktionieren.

Nach ein paar Stunden am Computer bin ich froh über jede Pause, selbst wenn ich für diese Pause einen Smoking anziehen und einem Haufen reicher Arschlöcher begegnen muss. Diese Leute interessieren mich einen Dreck, aber ich freue mich auf Marissa. Und ich werde nicht einmal so tun, als ob meine Motive nicht hundertprozentig selbstsüchtig sind.

Ich brauche einen schönen Frauenkörper, um meine Sorgen zu vergessen. Auch wenn es nur für kurze Zeit ist. Und obwohl ich mit Sicherheit andere willige Partnerinnen finden kann, ist sie diejenige, die ich im Augenblick haben will. Und das aus vielen Gründen, zu denen auch die Tatsache gehört, dass sie ein verwöhntes, reiches Püppchen ist.

Ich weiß, dass ich jetzt hinfahren und sie sofort ins Bett kriegen könnte, aber ich genieße das kleine Spiel, das wir zwei spielen, um uns diesem Ziel zu nähern. Es ist ebenfalls eine Form der Ablenkung, und die ist mir nur recht. Für dieses Spielchen schmeiße ich mich gerne auch mal vorübergehend in Schale, solange sie nicht damit anfängt, mehr von mir zu erwarten. Ich habe sie ja bereits gewarnt. Hoffen wir, dass sie nicht so dumm ist und die Warnung ignoriert.

Ich zupfe an dem engen Kragen des weißen gestärkten Hemds. Ich habe bisher exakt einmal in meinem Leben einen

Smoking getragen. Und zwar zu meinem Abschlussball der elften Klasse. Ich kann mich gar nicht erinnern, ob er mich damals auch schon derart eingeschränkt hat. Doch als ich meine Schultern in dem maßgeschneiderten Jackett bewege, begreife ich, dass es nicht der Anzug ist, der mir die Luft abschnürt, sondern das Leben.

Ich passe mich nicht annähernd so leicht an, wie ich es mir immer vorgestellt habe. Ich dachte, ich kehre einfach zurück, als sei nie was gewesen, als sei keine Zeit vergangen, als sei ich genau der Kerl, der damals untergetaucht ist. Aber ich habe mich geirrt. Gründlich.

Das, meine Damen und Herren, nennt man Verdrängung. Ist sie nicht wahrlich ein gemeines Biest?

Ich komme etwas zu früh bei Marissa an. Ich versuche den Türknauf zu drehen, doch es ist abgeschlossen.

Na ja, wenigstens denkt sie ein bisschen mit.

Ich könnte Cashs Schlüssel nehmen, aber ich tu's nicht. Stattdessen klingele ich.

Es dauert ein paar Minuten, bis sie mir aufmacht. Klar – wer so aussieht wie sie, muss dafür wahrscheinlich verdammt lange vor dem Spiegel stehen. Doch als die Tür entriegelt und aufgezogen wird, muss ich gestehen, dass es die Warterei wert war.

Wow. Sie ist umwerfend.

Marissa steckt in einem engen schwarzen Kleid, das ihr offenbar auf den großen, schlanken Leib geschneidert worden ist. Von dem einzelnen Schulterträger bis knapp unters Knie, wo der Stoff locker bis zum Boden fällt, schmiegt er sich wie eine zweite Haut an ihre Figur. Jede ihrer sanften Rundungen wird hervorgehoben, und die Riemchensandalen, die sie trägt, lassen ihre Beine endlos wirken.

Ihr blondes Haar sieht aus wie ein platinfarbener Wasserfall, der sich in einer großen Welle über ihre nackte Schulter ergießt, und ihre Haut schimmert wie flüssiges Gold. Aber es sind ihre verdammten Augen, die mich nicht mehr loslassen. Sie sind so blau, so lebendig, und sie wirken unschuldig und verführerisch zugleich. Und neugierig und eindringlich. Ich frage mich, was sie denkt und was sie sich vorstellt. Und ob sie sich erinnert ...

Wieder habe ich Gewissensbisse. Sie kann eigentlich nicht wissen, was ich getan habe. Aber fragen tue ich mich dennoch.

»Du siehst großartig aus«, sage ich in einem Moment der Aufrichtigkeit.

Auf ihren Lippen erscheint ein Lächeln, das sie noch mehr strahlen lässt. »Danke. Und du auch. Wie immer.«

Ich gebe zu, dass ich mich ein bisschen herausgeputzt habe. Nicht viel. Ich hätte mir zwar auch die Haare schneiden und mich rasieren können, aber das habe ich nicht. Und will es auch nicht. Ich sehe nicht ein, mein Äußeres so drastisch zu verändern, nur um vorgeben zu können, dass ich Cash bin (während er vorgibt, ich zu sein). So wichtig ist niemand für mich. Sie auch nicht. Dennoch habe ich mir die Haare glatt hinter die Ohren gekämmt, meinen Kinnbart gestutzt und die Kanten ausrasiert. Wahrscheinlich sehe ich immer noch so aus wie jemand, der auf einer noblen Wohltätigkeitsveranstaltung nichts zu suchen hat, doch das ist mir egal. Diese Leute können mich mal. Ich komme trotzdem.

Aber vielleicht sind meine Motive doch nicht ganz so egoistisch. Indem ich mit Marissa gehe, helfe ich ihr, sich selbst und anderen zu beweisen, wie stark sie ist. Oder eben nicht. Jemanden wie mich auf eine derartige Veranstaltung mitzunehmen, wird sich auf die eine oder andere Art auf ihren weiteren Weg auswirken. Wie genau, wird sich noch zeigen.

Ich weigere mich, über weitere Gründe nachzudenken, die bei meiner Zusage für diese Veranstaltung eine Rolle gespielt haben mögen. Ich kann es mir nicht leisten, irgendwas für eine Frau zu empfinden, basta.

Das jedenfalls rede ich mir ein.

12
Marissa

Wie Zwillinge sich so ähneln und gleichzeitig doch so verschieden aussehen können, liegt jenseits meiner Vorstellungskraft. Vielleicht ist es nur sein Charakter, der ihn so anders wirken lässt, doch in meinen Augen hat Nash nichts von seinem Bruder, rein gar nichts. Ich fand immer, dass Cash (als ich ihn noch für Nash hielt) gut aussah, aber er kann ihm nicht das Wasser reichen. Nash ist atemberaubend. Ich habe noch nie einen Mann getroffen, den ich so sexy finde, und obwohl ihm der Smoking hervorragend steht, sieht man sofort, dass er in eine schwarze Lederjacke und auf ein schweres Motorrad gehört. So ist sein Charakter, so ist er durch und durch.

Gefährlich.

»Ich hole eben meine Tasche, dann können wir los«, sage ich und wende mich hastig um. Meine Finger zittern, als ich Lippenstift, Schlüssel, Puder und meine Bankkarte in eine schwarze Pailletten-Clutch werfe und sie zuschnappen lasse.

Vor dem Spiegel bleibe ich stehen und hole tief Luft. Wieso fühlt es sich so an, als würde ich direkt in ein Inferno marschieren? Als sei ich eine Motte, die sich von einer vernichtenden Flamme angezogen fühlt?

Ich mache mir keine Illusionen, was ihn angeht. Ich kann nicht so tun, als hätte ich es nicht begriffen. Nash ist wie Feuer: vernichtend, roh, brutal. Aber trotz der Gefahr kann und will ich mich nicht von ihm fernhalten. Es ist sinnlos, also stürze ich mich stattdessen kopfüber hinein. Zum ersten Mal in meinem Leben springe ich ins kalte Wasser.

Ich schließe einen Moment lang die Augen, um mich zu sammeln, ehe ich zu Nash zurückkehre.

Der Parkbursche macht den Eindruck, als fürchte er sich davor, das Trinkgeld aus Nashs Hand zu nehmen. Sein Blick huscht nervös zu mir, dann zu Nash, dann zur Seite, bis er zögernd nach dem gefalteten Schein greift. Er stopft ihn sich in die Tasche, nickt scheu, steigt in den Wagen und fährt langsam zum Parkplatz. Ich muss mir das Lachen verbeißen. Ich bin ganz sicher, dass er auf diesen Wagen besonders gut aufpasst.

Nash kommt zu mir auf den Gehweg und bietet mir seinen Arm, was mir zeigt, dass er recht gut weiß, wie man sich in Gegenwart von den Leuten, denen er gleich gegenübertreten wird, zu benehmen hat.

»Sollen wir?«

Er zieht spöttisch die Brauen hoch. Ich lächle, neige den Kopf und schiebe meine Hand unter seinen Ellenbogen.

Mein Magen brennt nervös. Zum Teil liegt es an der Nähe zu Nash, das ist mir allerdings nicht neu. Sobald er in Sichtweite ist, scheinen sich all meine Sinne nur noch auf ihn zu richten. Aber es liegt außerdem an etwas, das nichts mit Nash direkt oder mit seiner Wirkung auf mich zu tun hat.

Ich schäme mich, es zuzugeben, doch ich bin besorgt. Besorgt, dass er etwas tut oder sagt, womit er sich lächerlich macht. Oder mich. Oder, schlimmer noch, meinen Vater.

Streng rufe ich mir in Erinnerung, dass mein neues Ich das nicht kümmern dürfte. Olivia würde derart oberflächliche Gedanken gar nicht zulassen, und ich sollte das auch nicht tun.

Aber alte Gewohnheiten legt man nur schwer ab. Und ich habe meine bis vor ein paar Stunden beibehalten. Dennoch will ich nicht, dass die Frau, die ich war, wiederaufersteht. Sie ist gestorben, und so soll es bleiben, unbedingt.

Ich setze ein zuversichtliches Lächeln auf, werfe Nash neben mir noch einen Blick zu und gehe an seinem Arm zum Empfangspult, um uns anzumelden.

Die erste Person, die uns entdeckt, als wir den Saal betreten, ist Millicent Strobe, vermutlich die geistloseste, dümmste »Freundin«, die ich je gehabt habe. Offensichtlich ist sie gerade dabei, ein nichtssagendes Gespräch zu beenden und sich zum nächsten zu begeben, doch gerade als sie bei einem neuen Pärchen stehen bleibt, entdeckt sie uns, lässt die beiden einfach stehen und steuert, man ahnt es, unverzüglich uns an.

»Ja, wer kommt denn da hereingeschneit?«, trällert sie zuckersüß. Ihr Lächeln ist zu breit, der Blick zu neugierig. Sie beugt sich vor, um links und rechts von meinen Wangen die Luft zu küssen. »Das Kätzchen und ihr neues Kauspielzeug.« Sie lacht perlend und legt ihre rot lackierten Finger auf Nashs Hand. »Das war nur ein Scherz.«

Von wegen. Das hat sie durchaus ernst gemeint. Sie mustert Nash unverhohlen von Kopf bis Fuß, und in ihrem Blick liegt Verachtung.

»Wer ist das? Nashs Bruder, der Berufskriminelle?« Wieder das aufgesetzt perlende Lachen, und mir steigt das Blut in die Wangen. Wieso habe ich mir eigentlich Sorgen gemacht, dass Nash sich danebenbenehmen könnte? Ich hätte mich vielmehr davor fürchten sollen, dass die Leute, die ich kenne, mich blamieren.

»So ist es«, sagt Nash ruhig neben mir. Zunächst glaube ich, ich hätte ihn missverstanden, aber als ich zu ihm aufblicke, sehe ich seine stoische Miene. Er provoziert sie mit Absicht.

»Jetzt macht er Scherze, Leese«, werfe ich hastig ein und lache nervös. Ich spreche sie mit dem Kosenamen an, den ihre engsten Freunde benutzen. »Das ist, ähm, Cash, Nashs Bruder.«

Mein Herz hämmert wie ein Vorschlaghammer gegen meine Rippen. Wir haben nicht darüber gesprochen, was wir den Leuten erzählen wollen. Ich bin zwar davon ausgegangen, dass wir ihn weiterhin als Cash vorstellen, aber ... nicht so.

»Ach ja. Nash. Ich erinnere mich. Die Frage ist – tust du das auch? Oder warum kommst du zu solch einem Anlass nicht in seiner Begleitung?« Unausgesprochen bleibt, was sie wirklich denkt: *Und bringst stattdessen diesen Kerl hier mit?*

Mein Vater hat nie einen Hehl aus seiner Vorliebe für Nash und seinem Wunsch gemacht, ihn als Teil des Townsend-Imperiums zu sehen. In gewisser Hinsicht leben wir ein ziemlich öffentliches Leben, was bedeutet, dass die meisten Leute nun auch wissen werden, dass wir uns getrennt haben. Dennoch wird wahrscheinlich keiner unserer Bekannten davon ausgehen, ich könnte mich gegen die Wünsche meines Vaters auflehnen. Man wird erwarten, dass ich um jeden Preis mit Nash am Arm hier aufkreuzen werde. Denn niemand ignoriert den Willen eines Mannes mit solch einem Einfluss.

Niemand.

Ich merke, wie Nash zu einer Erwiderung ansetzt. Ohne Millicent aus den Augen zu lassen, schlucke ich, setze wieder ein Lächeln auf und bohre meine Finger in Nashs Arm, um ihn stumm anzuflehen, nicht zu sagen, was er zu sagen gedenkt. Er schnauft verärgert, schweigt aber tatsächlich. Allerdings ist mir plötzlich, als würde ihm eisige Luft entströmen und mich einhüllen; er mag es nicht, wenn man ihm über den Mund fährt.

»Ich habe hiervon erst in letzter Minute erfahren, und Nash war bereits verplant.« Ich beuge mich verschwörerisch vor. »Eigentlich sollte ich ja auch noch gar nicht wieder im Land sein«, füge ich leise hinzu.

»Und warum bist du es?«

»Es gab, ähm ... ein paar private Dinge, um die ich mich kümmern musste.«

»Private Dinge?« Ich kenne diesen Blick. Es ist der Blick eines Hais, der Blut im Wasser wittert.

Du dumme Kuh, warum hast du dir nicht überlegt, wie du damit umgehen willst, bevor wir hergekommen sind?, schimpfe ich mit mir selbst. Nun ist es zu spät.

»Ja. Erinnerst du dich nicht? So was hatten wir, bevor man von uns erwartet hat, unser Leben im Scheinwerferlicht zu führen.«

»Wann war das noch? Als wir zwei Jahre alt waren?«

»Ganz genau.« Ich lache, obwohl ich mich von Sekunde zu Sekunde unwohler fühle.

Millicent ist – ähnlich wie ich – in einer privilegierten Familie aufgewachsen, die gewisse ... Erwartungen hat. Sie weiß genau, wovon ich rede. Das Problem ist nur, dass sie nicht erkennt, wie mies dieses Leben ist. Und das hauptsächlich, weil ihr noch niemand gezeigt hat, was für schreckliche Menschen es aus uns gemacht hat. Mir schon. Und damit habe ich auch keine Ausrede mehr, mich so zu benehmen wie sie.

»Als Töchter der einflussreichsten Väter und Mütter dieses Staates tragen wir auch einiges an Verantwortung«, fährt sie fort. »Das schließt ein, dass ein gewisser Schein gewahrt wird. Oder hast du das auch vergessen?«

Habe ich jemanden wie sie wirklich jemals eine Freundin genannt?

Es entsetzt mich regelrecht, dass die Dinge sogar noch schlimmer waren, als ich es vermutet habe.

»Ich jedenfalls würde meiner Familie niemals Schande machen«, fügt sie beißend hinzu.

Ich bin mir nicht sicher, ob sie meint, es sei entwürdigend für meine Familie, dass ich mit jemandem wie Nash hier aufkreuze, oder ob ich im Augenblick auf solche Kommentare einfach nur überempfindlich reagiere. Interpretiere ich mehr in ihren Tonfall hinein, als wirklich da ist?

Aber dann meldet sich plötzlich eine Stimme in meinem Kopf und fragt, ob ich nicht vielleicht tatsächlich respektlos meiner Familie gegenüber bin, wenn ich einfach so mit »Cash« auftauche. Ja, mein Vater wollte, dass ich Nash mitbringe, doch mir war von vornherein klar, dass es ihm lieber gewesen wäre, ich käme allein als in Begleitung eines Mannes, dessen ... fragwürdige Herkunft ihm vielleicht wirklich Schande bereitet.

Es ist jämmerlich, dass man so etwas in Erwägung ziehen muss, es ist allerdings Teil der Welt, in der wir leben. Oder?

Das Schuldgefühl lässt mein Herz wild hämmern, aber Schuld wem gegenüber? Nash? Daddy? Dass ich tatsächlich darüber nachdenken muss, was richtig ist?

Dann setzt jedoch etwas anderes ein. Etwas, das neu für mich ist. Und erschreckend. Aber letztendlich gut. Und richtig.

Ich schenke Millicent mein liebstes Lächeln. »Ach, weißt du, ich denke, Leuten Schande zu machen, die nicht einmal den Mindestanstand haben, sich höflich zu benehmen, ist nichts, was mir meinen Schönheitsschlaf raubt.« Ihre Kinnlade fällt herunter. Bevor sie sich genügend erholt hat, um zu antworten, beuge ich mich vor und flüstere: »Pass auf, dass du nicht von deinem Podest fällst. Bei dieser Höhe kann man sich glatt alle Knochen brechen.«

Ich richte mich wieder auf, bedenke sie mit einem letzten zuckersüßen Lächeln und wende ihr dann abrupt den Rücken zu.

Mein Triumph über mein früheres Ich währt nur sehr kurz, als mein Blick dem meines Vaters begegnet. Er steht am anderen Ende des Saals und beobachtet mich mit unverkennbarem Zorn.

Impulsiv hebe ich mein Kinn. Es ist eine Aussage, die Dad bestimmt ganz genau versteht.

Langsam schüttelt er den Kopf. Die Geste ist genauso aussagestark wie meine. Und ich spüre sie wie die Erschütterung eines Erdbebens bis in die Tiefe meiner Seele.

Ein paar entsetzliche Sekunden befürchte ich, unter dem Druck der Person, die ich war, den Erwartungen und dem, was ich heute Abend getan habe, zusammenzubrechen. Aber bevor es geschieht, rettet Nash mich vor mir selbst.

Ich spüre seine Finger an meinem Ellenbogen.

»Wie wär's mit einem Drink, um die Bitterkeit runterzuspülen?«, fragt er.

Es kostet mich sehr viel Mühe, meinen erleichterten Seufzer zurückzuhalten. Als ich dankbar zu ihm aufsehe, glaube ich einen schwachen Schimmer Respekt in seinen Augen zu erkennen. Oder bilde ich mir das nur ein? Weil ich es so gerne sehen möchte? Ich weiß es nicht, aber es tut mir gut. Es tut mir gut, den Respekt – und sei er noch so winzig – einer Person zu spüren, die bisher so wenig von mir gehalten hat. Die weiß, was für ein Mensch ich bisher gewesen bin.

Mit der Betonung auf bisher.

Vielleicht rettet er mich deswegen. Denn was er mir anbietet, ist ein Fluchtweg – nichts weniger. Obwohl er nicht gerade wie der edle Ritter auf dem weißen Pferd wirkt, ist er mir schon zweimal zur Hilfe geeilt.

Das erste Mal natürlich ganz real, als Cash und er mich aus den Händen der Entführer befreiten. Ich erinnere mich noch, wie ich seine Stimme hörte, die sich so stark von Cashs unterscheidet. Barsch, aber irgendwie tröstend. Vertraut, aber unerwartet. Ich fühlte mich den ganzen Weg bis nach Hause sicher und geborgen, obwohl er kaum ein Wort sprach. Und nun, hier in der Höhle des Löwen, rettet er mich wieder.

Aber warum? Warum jetzt?

Sofort schießt mir eine Antwort durch den Kopf.

Vielleicht findet er jetzt, dass ich es wert bin.

Da ich nicht weiß, was ich damit anstellen soll, setze ich ein strahlendes Lächeln auf. »Danke. Sehr gerne.«

Als er mich am Arm durch die Menge führt, wage ich einen Blick zurück und sehe, wie Millicent zu ihrem Verlobten, Richardson – Rick – Pyle stolziert, den sie bei dem anderen Paar hat stehen lassen, als sie uns entdeckte. Ich bin sicher, dass sie ihm, sobald sie kann, alles brühwarm erzählen wird. Und dann wird es nicht mehr lange dauern, bis jeder in meinem Bekanntenkreis eine verzerrte Version unseres kleinen Gesprächs kennt. Und wer mag darin wohl der böse Bube sein? Nashs Stimme durchdringt das Chaos in meinem Kopf. »Nicht ganz das Zuckerschlecken, das du dir vorgestellt hast, nicht wahr?«, fragt er leise. Ich sehe wieder zu ihm auf. Er blickt geradeaus, aber ich kann mir seinen spöttischen Gesichtsausdruck vorstellen. Und betroffen begreife ich, dass Nash trotz dem, was soeben passiert ist, noch immer nicht daran glaubt, dass ich stark genug bin, um mich zu ändern. Dass ich mich geändert habe.

Die Erkenntnis ist ein vernichtender Schlag für mein ohnehin fragiles Selbstvertrauen. Aber ich sage nichts, da ich mich in gewisser Hinsicht dasselbe frage. Kann ich mich wirklich ändern? Sollte es derart mühsam sein? Oder bin ich genauso unumstößlich verdorben wie die meisten der Gäste in diesem Saal?

Wir bleiben vor einer elegant dekorierten Bar stehen. Ohne mich zu fragen, was ich gerne trinke, bestellt Nash mir einen Wodka Martini – dirty – und für sich ein Heineken. Ich warte, bis der Barmixer damit beschäftigt ist, mir den Drink zu machen, bevor ich etwas sage.

»Bin ich so durchschaubar, oder bist du so gut?«

Nash zuckt die Achseln. »Du kamst mir wie ein Martini-Mädchen vor.« Er sieht mich aus den Augenwinkeln an. Sein Blick ist anzüglich. »Und wenn du nicht gerade den Leuten den Hintern küsst, würde ich sagen, dass du so schmutzig sein kannst wie der Drink in der Dirty-Version.«

Ich vergesse den ersten Teil der Bemerkung und konzentriere mich auf den zweiten. Ich spüre, wie ich rot werde, mir wird heiß, und ich fühle mich plötzlich verschwitzt und feucht. Nur mit Mühe kann ich gegen das Bedürfnis ankämpfen, mir Luft zuzufächeln.

Und da ich nicht weiß, wie ich auf die zweideutige Bemerkung antworten soll, tue ich es einfach nicht. »Du kommst mir allerdings nicht wie ein Bier-Typ vor. Ich hätte dir etwas Härteres unterstellt.«

Die Worte sind heraus, ehe mir klar wird, dass der letzte Satz genauso anzüglich war.

O mein Gott!

»Ich kann durchaus härter werden«, sagt er mit tiefer, weicher Stimme. »Aber heute Abend hier Bier zu trinken hat den Vorteil, dass es die Gäste in ihrem miesen Eindruck von mir bestätigt.«

»Also willst du, dass sie wenig von dir halten?«

»Nein. Von mir aus können sie denken, was immer sie wollen. Ich weiß, dass ich nicht weniger wert bin, nur weil mein Äußeres nicht ihrer Norm entspricht. Ich habe mir ein Bier bestellt, weil ich es erstens zufällig gerne trinke und es mir zweitens einen Kick verschafft, dass diese eingebildeten Arschlöcher sich daran stören, wenn jemand wie ich mit langen Haaren und Tattoos auf ihrer Schickimicki-Party rumrennt.«

Seine Mundwinkel verziehen sich zufrieden, und ich wünschte, ich könnte ebenso arrogant sein und mich darüber hinwegsetzen, was andere von uns denken. Doch im Augenblick geht es noch nicht. Im Augenblick muss ich mir jeden einzelnen Schritt in diese Richtung hart erkämpfen. Und es sind verflixt kleine Schritte.

Vielleicht gelange ich eines Tages dorthin. Vielleicht.

Schon wieder ein Vielleicht. In letzter Zeit scheint mein Leben davon bestimmt zu sein. Und dieser Mangel an Sicherheit nimmt mir plötzlich genauso die Luft zum Atmen wie die Hand meines Entführers, die sich vor ein paar Tagen auf meinen Mund presste, bis ich das Bewusstsein verlor.

Ich gerate in Panik, und kalter Schweiß tritt mir auf die Stirn. Ich brauche Luft. Ich muss hier raus.

Ins Freie.

Hektisch sehe ich mich nach einem Ausgang um. Hinter Nash entdecke ich am anderen Ende des Saals die Türen zum Balkon. Die Weite der tiefschwarzen Nacht erscheint mir plötzlich himmlisch.

»Ich glaube, ich brauche ein bisschen frische Luft«, sage ich und setze mich bereits in Bewegung, ohne auf Nashs Antwort zu warten.

Zum Glück ist niemand auf dem Balkon, als ich hinaustrete. Ich gehe ohne Umschweife bis zum Geländer und lehne mich mit der Hüfte dagegen. Locker umfasse ich das Schmiedeeisen und genieße die erfrischende Kühle.

Energisch rufe ich mir in Erinnerung, dass ich in Sicherheit bin, dass ich auf einer öffentlichen Veranstaltung bin, dass mir hier niemand etwas tun kann und der schlimmste Moment meines Lebens vorbei ist.

Ich bin in Sicherheit. In Sicherheit.

»Alles okay?«

Nashs Stimme ist ein kaum hörbares Mitschwingen im Mondlicht.

»Wird schon wieder.«

»Etwas ist passiert. Sag mir, was.«

Subtilität ist ganz offensichtlich nicht seins: Er spricht das Offensichtliche an und verlangt eine Antwort. Aber so ist er eben, und ob er auch anders sein kann, weiß ich nicht. Nash ist verhärteter, verbitterter und feindseliger als jeder andere, den ich kenne. Und ein gebranntes Kind.

Tja, doch das bin ich wohl auch.

Ich wende mich um, lehne mich mit dem Rücken ans Geländer und will ihm gerade eine halbwegs glaubhafte Antwort geben, aber dann wollen die Worte nicht mehr kommen. Er steht vor mir, trinkt einen Schluck Bier und starrt mich mit seinen schwarzen Augen an. Irgendwas an dieser Szene – der Balkon, die laue Luft, das Bier, Nash – ist mir unheimlich vertraut. Es kommt mir vor wie ein Déjà-vu.

Wärme durchdringt mich und raubt mir den Atem. Ich

habe keine Ahnung, woher sie kommt oder warum ich sie empfinde, aber ich bin plötzlich derart erregt, dass ich feucht werde.

»Was ist los?«, fragt er und zieht die Augenbrauen zusammen.

»Ich weiß nicht. Irgendwas mit diesem Balkon und ... dir und dem Bier ... ich weiß nicht. Als ob ich das schon mal erlebt habe. Merkwürdig.« Ich versuche, es locker klingen zu lassen, fühle mich allerdings absolut nicht so.

Reiß ihm bloß nicht die Klamotten vom Leib! Tu's nicht.

Meine Hand am Cocktailglas ist schweißnass, die andere umklammert das schmiedeeiserne Geländer hinter mir, als er noch einen Schritt auf mich zukommt.

Er bleibt nur weniger Zentimeter vor mir stehen. Blickt mich einen Moment lang nachdenklich an, dann hebt er die Bierflasche an meinen Mund und rollt den kühlen Flaschenhals über meine Unterlippe. »Ja. Merkwürdig.«

Quälende, endlose Minuten lang bleiben wir so stehen. Ich kann nur daran denken, wie sehr ich mir wünsche, er würde mich küssen, mich anfassen, mich in die Arme ziehen und dafür sorgen, dass ich alles und jeden um mich herum vergesse.

Aber er tut es nicht. Ohne ein weiteres Wort weicht er zurück, wendet sich zur Seite und nimmt einen tiefen Zug aus seiner Flasche.

Als hätte er gar nichts empfunden.

NASH

»Wieso hast du eigentlich nie Fragen gestellt, was Cash und mich angeht? Wieso warst du nicht einmal überrascht oder wenigstens verwirrt, als ich dich nach der Entführung zum Haus deines Vaters gefahren habe? Du kannst mir nicht erzählen, dass du dich nicht gefragt hast, wer ich bin.« Ich blicke in die Nacht hinaus, sorgsam darauf bedacht, nicht sie anzusehen.

Hoffentlich macht Marissa mein abrupter Themenwechsel nicht misstrauisch. Ich wollte nicht, dass sie noch länger über den Balkon nachdenkt. Sie nähert sich. Sie nähert sich einer Erinnerung, die sie nicht wieder aufleben lassen soll. Weil ich sie vergessen will. Obwohl ich es nicht kann.

Entschlossen dränge ich sie aus meinem Verstand. Es war ein Fehler, ihr hinaus auf den Balkon zu folgen, das sehe ich jetzt.

Ob es mir gefällt oder nicht, ich bin dennoch neugierig, was sie wohl noch weiß. Ob das der Grund ist, warum ich sie so oft dabei ertappe, dass sie mich anstarrt? Was wird sie wohl von mir denken, wenn sie jemals eins und eins zusammenzählt?

»Ich gebe zu, dass es ein Schock war, dich zu sehen, aber weniger verwirrend, da ich bereits wusste, was gespielt wurde.«

Ich wende ganz leicht meinen Kopf, sodass ich sie gerade eben im Blickfeld habe. »Ach, und das soll ich dir glauben? Dass du es dir einfach selbst erklärt hast?«

Sie zieht die Brauen zusammen. »Oh nein, überhaupt nicht. Ich habe es erfahren, während diese Typen mich gefangen gehalten haben. Ich habe sie reden hören.«

»Ah«, sage ich. Das ergibt schon sehr viel mehr Sinn. Marissa ist durchaus klug genug, um selbst zu begreifen, aber ich bin sicher, dass Cash die Zeit, die er sich Leuten, die ihn kannten, als Nash präsentierte, stark begrenzt hat. Ein solches Risiko wäre er nicht eingegangen. Daher muss es für Marissa schwer gewesen sein, die Wahrheit zu erkennen, zumal sie keinen Grund für den Verdacht hatte, dass er beide Brüder spielte. Doch je länger ich über ihre Antwort nachdenke, umso merkwürdiger kommt sie mir vor. Denn niemand hätte von Cashs Doppelleben wissen dürfen, bevor wir Marissa dort rausgeholt hatten. »Was genau haben diese Leute denn gesagt?«

»Nur, dass einer ihrer Kontakte sich am Abend zuvor gemeldet und sie informiert hat, dass einer von euch sich als beide Zwillingsbrüder ausgegeben hat, nun aber der andere – der Echte – zurück sei.«

»Einer ihrer Kontakte?«

Sie nickt wieder. »Das hat der eine gesagt. Er hatte einen starken Akzent.«

»Russisch?«

»Ich glaube schon.«

Ich ziehe die Brauen zusammen. »Und dieser Kerl meinte, der Kontakt hätte am Abend zuvor angerufen? Wann hast du das mitgehört?«

»Ähm, ich glaube, am Tag, bevor du mich nach Hause gebracht hast. Aber ich war die ganze Zeit gefesselt und geknebelt und hatte ein Tuch über den Augen, sodass mein Zeitgefühl gestört sein kann. Wenn ich an diese Stunden zurückdenke, dann ... kann ich nicht ...«

Sie schaudert und schließt einen Moment die Augen. Es ist nicht zu übersehen, dass die Erfahrung ihr noch immer zu schaffen macht. So würde es wohl den meisten Menschen gehen. Ihr aber gelingt es, der Öffentlichkeit eine so tadellose Fassade zu präsentieren, dass man leicht vergessen kann, was für ein traumatisches Erlebnis sie hat durchmachen müssen – und das erst vor wenigen Tagen. Ich schätze, wenn so viel auf einmal geschieht, hat man den Eindruck, dass die Zeit wahlweise rasend schnell oder unendlich langsam verstreicht.

Bis diese Geschichte hier endlich vorbei ist, befindet sich unser aller Leben wohl in einer Art Warteschleife. Und ob es uns nun gefällt oder nicht – wir sitzen alle im gleichen Boot, denn durch diese Schweine ist jeder Einzelne von uns in Gefahr geraten.

Die Chronologie der Ereignisse lässt mich nicht los. Wenn sie sich richtig erinnert, bedeutet es, dass jemand den Russen am Sonntag etwas verraten hat. Vermutlich, nachdem ich in der Stadt eingetroffen war. Das wiederum würde bedeuten, dass sie den Club beobachten, was mich allerdings nicht überrascht. Aber war der Bote nur irgendeiner im Club, ein Gast vielleicht? Oder war es jemand, der mehr weiß? Der Cash nähersteht? Jemand aus dem inneren Kreis?

Cash ist ziemlich vorsichtig, daher bin ich geneigt daran zu glauben, dass jemand ihn aus der Perspektive eines Clubgastes im Auge behält.

Ich knurre durch zusammengepresste Kiefer.

»Was ist?«, fragt sie.

»Cash ist ein gottverdammter –« Ich reiße mich am Riemen, bevor ich den Satz beenden kann. Gewisse Aspekte meines ehemaligen Ichs, wie zum Beispiel die anerzogene Gewohnheit, in Damenbegleitung keine Kraftausdrücke zu benutzen, halten sich anscheinend hartnäckig. »Er ist ein Idiot, wenn er Leuten wie dir vertraut.«

»Leuten wie mir«, wiederholt sie gekränkt. »Mich kannst du damit aber nicht meinen.«

»Ach, und wieso nicht? Du bist wahrscheinlich die Schlimmste von allen.«

»Wieso sagst du so was? Ich habe nichts getan, womit ich dein Misstrauen verdient habe.«

Ich schnaube. »Kann sein, aber du hast auch nichts getan, womit du dir mein Vertrauen verdient hast.«

»Niemandem zu verraten, wer du wirklich bist, ist also nicht genug, um ein bisschen Vertrauen zu bekommen?«

»Nein, sicher nicht. Es kommt dir genauso entgegen wie mir. Ich kann mir bestens vorstellen, was für eine gesellschaftliche Verachtung dir entgegenschlagen würde, wenn du jemandem von dem Mann erzählen würdest, den du für Nash gehalten hast.« Mein Lachen ist verbittert. »Nein, tu nicht so, als würdest du mir einen Riesengefallen tun. Deine Motive sind absolut egoistisch, genau wie die von uns anderen auch.«

»Du kannst nicht durchs Leben gehen, ohne ab und zu jemandem Vertrauen zu schenken.«

»Und ob ich das kann!«

Sie blickt gekränkt zur Seite, aber diese typisch weibliche Nummer, die gerne zur Manipulation eingesetzt wird, kenne ich zur Genüge. Aber bei mir funktioniert das nicht. Sie wird mich nicht um den kleinen Finger wickeln. Ich will sie – ja. Aber ich bin nur daran interessiert, mit ihr ins Bett zu gehen, an nichts anderem. Ich war sogar so nett und habe sie vor mir gewarnt. Wenn sie nicht auf mich hören will, ist das ihr Problem.

»Ich glaube, das hier war ein Fehler«, sagt sie mit verzagter Stimme.

»Hör zu, ich habe eine wertvolle Lebensweisheit für dich: Jeder verfolgt sein eigenes Ziel. Jeder. Und je schneller du das kapierst, umso besser kommst du zurecht.«

Sie sieht auf ihre Finger hinab, die mit dem Cocktailglas spielen. »Und was ist dein Ziel?«

»Rache«, presse ich hervor. »Gerechtigkeit.« Sie nickt bedächtig, hält den Blick aber gesenkt. Wieder denke ich daran, dass ich auch sie haben will, und wahrscheinlich sollte ich es vor ihr verbergen und stattdessen erst nett mit ihr flirten. Bestimmt erwarten Frauen wie sie das. Und genau deshalb werde ich es nicht tun. Ich will sie schockieren. Sie soll kapieren, dass ich mich für niemanden ändere. Dass ich niemandem nachgebe. »Und ein paar Stunden allein mit dir.«

Sie soll ganz genau über meine Absichten Bescheid wissen. Denn ich werde mit ihr schlafen, und das lieber früher als später. Ich nehme mir, was ich will. Und es ist gut, wenn sie das weiß.

Obwohl es nichts ändern wird. Ich weiß, wann ich eine Frau haben kann. Die Frau vor mir gehört mir schon.

Und wahrscheinlich gefällt ihr das gar nicht. Aber auch das ist nicht mein Problem. Sie kann nicht behaupten, ich hätte sie nicht gewarnt.

Als wir die Party verlassen, drängt sich Marissa am Rand des Saals entlang, um ihren Bekannten auszuweichen. Wieder wird mir bewusst, dass es nicht leicht für sie sein wird, dieses Leben aufzugeben. Der Abend heute ist ja erst der Anfang. Was wird passieren, wenn sich herumspricht, was geschehen ist? Wenn sie wieder zur Arbeit geht? Man wird sie schneiden, das steht fest. Vielleicht sollte ich sie warnen, denn sie kann es nicht schaffen; sie besitzt nicht die nötige Stärke. Andererseits ist auch das nicht mein Problem, also halte ich den Mund.

Ein Mädchen mit attraktiven Kurven hält Marissa auf, als wir fast schon den Ausgang erreicht haben. Es hat kinnlanges blondes Haar, einen hübschen Vorbau und einen prächtigen Hintern. Wahrscheinlich würden Marissas Freundinnen dieses Mädchen als zu dick bezeichnen, aber was kann man von diesen magersüchtigen Schlampen auch erwarten?

»Marissa, warte mal!«

Es gibt keine höfliche Möglichkeit, so zu tun, als habe sie nichts gehört, daher wendet sich Marissa um und setzt ihr übliches strahlendes Lächeln auf.

»Heather, wie geht's dir?«

»Ich habe gehört, du musstest deine Reise auf die Cayman Islands vorzeitig abbrechen.«

Obwohl es ihr bestimmt nicht gefällt, darauf angesprochen zu werden, bleibt ihr Lächeln standhaft. Sie ist gut unter Druck. »Und von wem hast du das gehört?«

»Tim hat was erwähnt.«

»Eine männliche Klatschbase? Nicht gerade üblich.«

Das Mädchen – Heather – sieht sie einen Moment gekränkt an, erholt sich aber rasch. »Ich würde das nicht als Klatsch bezeichnen. Du bist normalerweise so ... engagiert, dass er der Meinung war, es müsste irgendwas passiert sein. Und ich wollte mich einfach nur vergewissern, dass mit dir alles in Ordnung ist, bevor du schon wieder gehst.«

Das Mädchen tut mir irgendwie leid. Ich habe den Eindruck, dass Heather es durchaus ernst meint und vielleicht wirklich gerne Marissas Freundin sein möchte. Tja, wenn sie wüsste ...

Wenn ich raten müsste, würde ich sagen, dass diese Heather

weit weniger beschränkt ist als die meisten der eiskalten Schlampen in diesem Saal. Und wahrscheinlich hat sie in Marissas Top Ten der Leute, die man kennen muss, bisher keine große Rolle gespielt, gerade weil sie ein netter Mensch ist.

Aus Marissas Miene entnehme ich, wie froh sie ist, dass niemand Nash erwähnt hat. »Mir geht's gut, danke. Das kannst du auch Tim weitergeben.«

»Das freut mich wirklich«, sagt Heather aufrichtig. Aber sie kapiert es nicht. Oder steht darauf, abgewiesen zu werden. Jedenfalls setzt sie hinzu: »Also – wenn du mal das Bedürfnis hast, mit jemandem zu reden, kannst du mich gerne anrufen. Ich hab eigentlich immer Zeit. Bin ganz flexibel.« Sie lacht verlegen, als hätte sie zu viel enthüllt oder als sei es ihr peinlich, dass sie nicht ständig irgendwelche wichtigen gesellschaftlichen Termine hat. Wahrscheinlich ist das in diesen Kreisen schändlich.

»Okay, ich denk dran«, erwidert Marissa höflich und wendet sich ab. Vielleicht ist sie einfach nicht an ehrlich gemeinte Nettigkeiten gewöhnt. Doch als würde ihr plötzlich etwas in den Sinn kommen, dreht sie sich wieder um und legt Heather eine Hand auf den Arm. »Und ich weiß das Angebot zu schätzen. Wirklich. Danke.«

Verdattert reißt Heather die Augen auf und wirkt einen Moment lang wie weggetreten. Wenn ich sie jetzt anpuste, kippt sie wahrscheinlich hintenüber, so schockiert ist sie. Ich selbst bin ziemlich überrascht, und das kommt selten genug vor. Aber Marissa hat es geschafft. Und sie ist in meiner Wertschätzung glatt ein Stückchen gestiegen. Vielleicht habe ich ihren Charakter doch unterschätzt. Vielleicht steckt hinter der schönen Fassade doch noch etwas anderes als ein arrogantes, berechnendes, verwöhntes Biest.

Zumindest ist ihre Persönlichkeit ein bisschen komplexer, als ich ursprünglich angenommen habe. Ich kann nur nicht entscheiden, ob ihr Zicken-Ich das echte ist oder ob es sich um so etwas wie die harte Schale handelt, die den weichen Kern schützt. Wahrscheinlich kann das nur die Zeit zeigen.

»Dann einen schönen Abend noch«, sagt Heather und tritt zurück, damit Marissa gehen kann.

»Dir auch, Heather. Und sag Tim ... Na ja, grüß ihn von mir, okay?«

Das Mädchen strahlt und nickt. Einen Moment lang befürchte ich, dass sie Marissa um ein Autogramm bittet, aber sie reißt sich zusammen und tritt den Rückzug an.

Ich warte, bis wir im Foyer sind, wo relative Ruhe herrscht, bevor ich etwas sage. »Bravo«, bemerke ich sarkastisch. »Ich hätte nicht gedacht, dass du es in dir hast.«

Sie fährt zu mir herum, und ihre Augen blitzen auf. Ich habe gar nicht gewusst, dass sie so temperamentvoll sein kann. »Du willst nichts, was ich tue, gutheißen, richtig?«, faucht sie mich an.

»Dass andere Leute dein ganzes Leben lang deine Schwächen weitgehend ignoriert haben, ist der Hauptgrund dafür, dass die Situation jetzt so ist, wie sie ist. Du brauchst einen Menschen, der dir ehrlich die Meinung sagt. Und dir ab und zu den Hintern versohlt.«

»Ach, und du bist der richtige Mann dafür, ja?«, sagt sie, dreht sich um und geht.

»Eigentlich bin ich der richtige Mann für etwas anderes«, sage ich, aber ich glaube kaum, dass sie mich noch hört.

Also gehe ich ihr nach. Sie ist am Straßenrand stehen geblieben und wartet nun auf den Parkburschen, der das Auto holt. Als sie wieder spricht, ohne sich zu mir umzudrehen, wird mir klar, dass sie mich durchaus verstanden hat. »Ich brauche nichts von dir. Gar nichts.«

»Vielleicht nicht, aber du willst etwas von mir. Streite es meinetwegen ab, aber wir beide wissen dennoch, dass es wahr ist.«

Ihr Blick huscht über mein Gesicht, dann wendet sie sich hastig wieder ab. »Du ... du bist genauso eingebildet wie gemein«, erwidert sie. Ich habe sie eiskalt erwischt. Sie ist es eben nicht gewohnt, dass man sie so behandelt. Oder so ehrlich mit ihr umgeht.

»Wir werden sehen.«

Der Parkjunge hält vor uns mit dem Wagen, den er erst vor kurzer Zeit zum Parkplatz gefahren hat. Ich gebe ihm ein Trinkgeld und mache einer sehr steifen Marissa die Beifahrertür auf. Am liebsten würde ich über ihr pikiertes Verhalten laut lachen, noch etwas, was heute Abend ungewöhnlich ist. Lachen tue ich nicht besonders oft.

Ich setze mich hinters Steuer und ziehe die Tür zu. Marissa hat offenbar entschieden, erst dann wieder etwas zu sagen, wenn wir unter uns sind.

»Wenn du meinst, dass ich mit dir ins Bett gehe, schmink es dir ab. Lieber lasse ich mich noch einmal entführen.«

Diesmal lache ich tatsächlich. Ihre Antwort ist mir zu melodramatisch. »Wir werden sehen«, wiederhole ich, lege den Gang ein und gebe Gas.

Wir sind schon mindestens fünf Minuten auf der Straße, bis sie endlich lange genug zu schmollen aufhört, um zu kapieren, dass wir nicht zu ihr nach Hause fahren.

»Wohin willst du?«

»Ich brauche einen Drink. Und du auch.«

14
Marissa

Obwohl ich mich am liebsten mit Nash streiten würde, um wenigstens meinen Frust loszuwerden, tue ich es nicht. Er hat recht. Ich brauche einen Drink. Vielleicht sogar zwei.

Ich lege meinen Kopf zurück und schließe die Augen. Gerne möchte ich die vergangenen ein, zwei Stunden und die Enttäuschung, die sie mit sich gebracht haben, ausblenden. Ich mache die Augen erst wieder auf, als Nash einparkt und den Motor abstellt. Als ich den Kopf wende, stelle ich fest, dass er mich mit regloser Miene betrachtet. Mich würde brennend interessieren, was in seinem Kopf vor sich geht.

Wirklich?

Nein, lieber nicht. Er hält mich offenbar für ein Miststück. Und im Augenblick fühlt es sich so an, als könne er damit sogar recht haben.

Beschämt sehe ich weg und starre durch die Windschutzscheibe, um herauszufinden, wo wir sind. Ich erwarte fast, auf dem Parkplatz vom Dual zu stehen, keine Ahnung, warum, denn es ergäbe keinen Sinn. Das Dual ist sicher der letzte Ort, wo Nash hinginge, wenn er sich entspannen will. Aber die Wahl, die er letztendlich getroffen hat, überrascht mich genauso.

Wir haben vor einer Piano Bar geparkt. Bevor ich Fragen stellen kann, gibt Nash mir bereits die Antworten. »Meine Mutter hat oft Klavier gespielt. Dabei kann ich gut runterkommen.« Er steigt aus und kommt auf meine Seite, um mir die Tür zu öffnen. Ich bin überrascht, als er meine Hand nimmt – die Geste eines Gentlemans. Aber er ist kein Gentleman. Allerdings schafft er es in der Tat immer wieder, mich aus dem Gleichgewicht zu bringen. »Außerdem fallen wir hier mit unseren schicken Klamotten nicht ganz so stark auf wie anderswo.« Daran hätte ich gar nicht gedacht, aber ich bin froh, dass er es getan hat.

»Warum bist du heute so zuvorkommend? Das sieht dir gar nicht ähnlich.«

Er zieht die Augenbrauen hoch. »Vielleicht gefällt es mir auch mal ganz gut, jemanden darzustellen, der ich nicht bin.«

»Das tust du hier also? Du schauspielerst?«

»Willst du dich beschweren?«

»Nein. Ich bin nur ...«

»Was nur? Misstrauisch?«

Ich lächle. »Vielleicht.«

»Gut.«

Nash lässt meine Hand schneller los, als es mir gefällt. Ich rufe mir in Erinnerung, dass es nur gut so ist. Je größer der emotionale Abstand zu ihm, umso gesünder für mich.

Aber schon argumentiert eine Stimme in meinem Kopf, dass ich keinen Abstand einhalten will. Ich will ihm näherkommen, so nah, dass ich seine Wärme, dass ich die Hitze spüren kann. Nur verbrennt man sich normalerweise, wenn man der Wärmequelle zu nah kommt.

Seine Hand auf meinem unteren Rücken verursacht mir eine Gänsehaut. Instinktiv will ich die Arme vor meiner Brust verschränken, denn ich weiß, dass meine Brustwarzen sich aufrichten. Aber ich widerstehe dem Drang. Stattdessen konzentriere ich mich darauf, seine Berührung zu genießen.

Die Bar ist schummrig beleuchtet, nur das Klavier wird von einem Scheinwerfer angestrahlt. Der Duft teurer Zigarren hängt in der Luft, und der Rauch erzeugt einen Dunst, der die halbrunden Sitznischen an den Wänden noch weiter verdunkelt. Nash führt mich zu einer leeren Sitzgruppe, die versteckt in einer Ecke liegt.

Ich setze mich an den Tisch. Anstatt sich mir gegenüberzusetzen, schlüpft Nash neben mich, sodass ich gezwungen bin, ganz bis nach hinten zu rutschen, wo man von der Bar aus nicht zu sehen ist, gleichzeitig aber einen großartigen Blick auf den Klavierspieler hat.

Als ich zu rutschen aufhöre, tut es Nash ebenfalls. Ohne mich anzusehen, legt er seinen Arm hinter mich auf die Rückenlehne der Bank und konzentriert sich ganz auf den Musiker, dessen Finger den Tasten wunderschöne Töne entlocken. Bei mir sieht es anders aus. Ich kann mich auf nichts und niemanden konzentrieren außer auf Nash.

Sein Körper klebt an meinem vom Knie bis zur Schulter, die perfekt unter seinen Arm passt. Trotz des Rauchs habe ich keine Schwierigkeiten, seinen sauberen, männlichen Geruch wahrzunehmen. Er hüllt mich ein.

Vorsichtig blicke ich nach links. Nash füllt mein Gesichtsfeld aus. Wenn ich mich leicht zu ihm beugen würde, könnte ich meine Lippen auf die pulsierende Ader über seinem Kragen legen.

Als spüre er meinen Blick, greift Nash sich mit der freien Hand an den Kragen, lockert die Fliege und öffnet den obersten Hemdknopf. Die Fliege baumelt auf einer Seite herab und erinnert mich auf sexy Art an Schlafzimmer. Ich stelle mir unwillkürlich vor, wie ich ihn ausziehe, und plötzlich ist mein Mund staubtrocken.

In diesem Moment taucht die Kellnerin auf und fragt nach unserer Bestellung.

»Wodka auf Eis und einen Grey Goose Martini, dirty.« Wieder passt mir seine Wahl sehr gut. Nicht, dass es eine Rolle spielte. Wahrscheinlich bestellt er sowieso, was immer ihm passt.

Ich frage mich, ob er solche Dinge tut, weil er extrem gedankenlos ist oder weil er die unbedingte Kontrolle braucht. Vielleicht ist es von beidem ein bisschen. Eins steht jedenfalls fest: Der Gedanke daran, ihm die absolute Kontrolle zu gewähren, ihm die Zügel zu überlassen, ihm zu erlauben, über mich zu bestimmen, macht mich an wie nichts anderes.

Nash schweigt und ignoriert mich regelrecht, bis unsere Getränke kommen. Er kippt seinen Drink in zwei großen Schlucken herunter und bedeutet der Kellnerin, noch einen zu bringen, bevor sie wieder gehen kann. Er beugt sich vor, schiebt mir meinen Drink näher heran und verlagert seine Position dabei leicht, sodass er mir zugewandt ist. Sein Körper bildet nun eine Barriere zum Rest des Raumes, als ob er mich abschirmen will.

Oder mich vereinnahmen. Für sich beanspruchen. Mit Haut und Haar verschlingen.

»Trink«, sagt er leise. Mein Blick wird von seinem angezogen. Seine Augen sind tiefe Teiche, in denen man untergehen, sich verlieren, sich vor dem Rest der Welt verbergen kann. »Erzähl es mir. Erzähl mir, was passiert ist.«

Ich muss ihn nicht fragen, was er meint; ich weiß es genau. Er spielt auf den Tag an, an dem ich in der Gewalt der Entführer war. Ein Beben arbeitet sich durch meinen Körper, und ich fröstele. Normalerweise vermeide ich tunlichst, an diese Zeit zurückzudenken.

»Reden wir lieber zuerst über dich. Ich erzähle gerne etwas von mir, aber ich will etwas als Gegenleistung.«

»Wenn ich zuerst etwas von mir erzähle, ist das keine Gegenleistung, sondern Erpressung. Was ist los, Marissa? Traust du mir nicht, dass ich dich zufriedenstelle?«

»Nein, tue ich nicht.«

Er streckt die Hand aus, um mir das Haar hinter die Schulter zu schieben, wobei seine Fingerspitzen meinen Hals berühren. »Nun, ich kann dir versprechen, dass ich dich keinesfalls nicht zufriedenstellen werde.«

Ich mühe mich, an seinen netten Worten und dem hypnotischen Blick vorbeizudenken. »Du weißt genau, was ich meine, Nash«, sage ich so streng, wie ich kann.

Ich spüre sein Seufzen mehr, als dass ich es höre. Er ist so nah bei mir, dass seine Brust an meinen Arm stößt, wenn er einatmet. »Was willst du wissen? Was ich dir noch nicht gesagt habe, meine ich.«

Machst du Witze? Du hast mir praktisch noch gar nichts gesagt.

Ich will alles wissen, alles, was zu diesem Augenblick geführt hat, alles, was ihn zu dem Mann gemacht hat, der er heute ist. Alles, was einen vielsprechenden Teenager zu einem harten, verbitterten Menschen gemacht hat. Aber es wäre grausam, ihm Erinnerungen an den Tod seiner Mutter abzuringen, also erspare ich ihm die Frage und hoffe, dass er es mir eines Tages freiwillig erzählt. »Erzähl mir von deiner Zeit auf See. Du hast gesagt, du hast auf einem Schmugglerschiff gearbeitet, richtig?«

»Richtig. Was soll ich sonst noch sagen? Meistens war das,

was ich tat, illegal und extrem unmoralisch. Mehr als das musst du nicht wissen.«

Ich spüre die plötzliche Kälte in seiner Haltung. Offenbar ist das ein sensibles Thema, über das er mit mir nicht sprechen will. Aber ich bin Juristin; ich habe mir angewöhnt, nicht nachzugeben, nur weil jemand mir keine Antworten geben will.

»Bestimmt gab es auch ein paar gute Tage darunter. Erzähl mir doch davon.«

Ich weiß nicht, warum mir so viel daran liegt, ihn kennenzulernen und herauszufinden, wer die Person ist, die er mir nicht offenbaren will. Und ich weiß, dass ich ein Risiko eingehe, aber ich kann nicht anders.

Nash seufzt wieder und richtet seinen Blick gen Decke. Er sagt nichts, wirkt allerdings frustriert, und einen Moment denke ich, dass er gar nicht reagieren wird.

Aber er tut es doch.

Und vielleicht werde ich irgendwann bei ihm das Unerwartete erwarten.

»Mein erstes Jahr an Bord war die reine Hölle. Ich hatte Heimweh, ich war am Boden zerstört, und ich fand den Gedanken, etwas Kriminelles tun zu müssen, entsetzlich. Aber ich hatte den eisernen Willen zu überleben. Für Dad. Und Cash. Ich wusste, dass ich uns mit dem, was ich gesehen hatte, vielleicht eines Tages würde retten können. Und das Schmugglerschiff war der einzige Weg für mich, zumindest am Anfang. Dad hatte versprochen, nach mir zu schicken, und daran klammerte ich mich lange Zeit. Bis ich erkannte, dass nicht nur die Hoffnung, sondern auch der Hass dich am Leben halten kann.« Er verstummt, vermutlich versunken in einer Erinnerung, die ich mir nicht vorzustellen wage. Aber dann räuspert er sich und schüttelt die Dunkelheit sichtlich ab. »Na ja, jedenfalls war ich ein paar Monate unterwegs, als ein Somalier an Bord kam. Er wollte mit seiner Familie nach Amerika, und die Russen hatten eingewilligt, ihn heimlich auf US-Boden abzusetzen, wenn er ihnen zwei Jahre lang helfen würde.

Er hieß Yusuf und erinnerte mich sehr an Dad. Er war zwar etwas jünger, aber genauso wild entschlossen, seine Familie in Sicherheit zu bringen, selbst wenn es bedeutete, sie zwei Jahre nicht sehen zu können. Wir verstanden uns auf Anhieb. Er sprach ziemlich gut Englisch und Russisch und brachte mir sowohl etwas von seiner Muttersprache Arabisch als auch Russisch bei, während er bei uns auf dem Schiff war.« Nash lächelt, als er sich erinnert. »Abends spielten wir oft Karten. Er hatte das mieseste Pokerface, das man sich vorstellen kann.« In seiner Miene zeichnet sich etwas ab, das fast schon Zärtlichkeit sein könnte ... als es auch schon wieder verschwunden ist. »Wie auch immer. Auf einer unserer Touren nach Bajuni, der Insel, an der wir anlegten, wenn wir einen ... Austausch vorhatten, erwischte ich ihn eines Nachts, wie er heimlich in eins der kleineren Boote einstieg. Zunächst wollte er mir nicht sagen, was er vorhatte, doch als ich ihm drohte, den Alarm auszulösen, überlegte er es sich anders.

Dazu muss man wissen, dass Alexandroff, unser ... Captain, Yusuf versprochen hatte, er könne seiner Frau Geld schicken und sie gelegentlich sehen, wenn wir in der Gegend sein würden. Nur erlaubte er es tatsächlich nie. Daher wollte Yusuf nun zu ihr fahren, um ihr das Geld zu bringen, damit sie und seine Tochter nicht hungern mussten. Ich dachte nicht daran, ihn ohne mich gehen zu lassen, also paddelten wir gemeinsam los, legten in einer kleinen Bucht an und reisten von dort in sein Heimatdorf. Wir hatten nur wenige Stunden Zeit, aber ich lernte seine Frau und seine Tochter kennen, obwohl es mitten in der Nacht war. Seine Frau, Sharifa, machte uns etwas zu essen, und die Tochter ließ uns nicht aus den Augen.« Er lächelt traurig. »Sie hieß Jamilla, das bedeutet ›die Schöne‹. Und das war sie wahrhaftig.«

Wieder verstummt er, also dränge ich ihn sanft. »Und wie ging es weiter?«

Nash sieht auf. Sein Blick ist kalt geworden, seine Stimme noch kälter. »Alexandroff fand uns. Er marschierte einfach herein, hielt Yusuf eine Waffe an den Kopf und zog durch. Er erschoss ihn vor den Augen seiner Familie. Zwei seiner Männer, die ich vom ersten Moment meiner Zeit an Bord nicht ausstehen konnte, hielten mich fest, sodass ich zusehen musste, und schlugen dann mit den Kolben der Pistolen auf mich ein, bis ich das Bewusstsein verlor. Erst zwei Tage später wachte ich wieder auf dem Schiff auf. Mein Kopf klebte durch das getrocknete Blut an meinem Kissen. Ich war geknebelt und an mein Bett gefesselt.«

Mir fehlen die Worte. Ich bin entsetzt. Es tut mir in der Seele weh, wie Nash sich gefühlt haben muss, wie er sich noch immer fühlen muss. Auf eine solche Art ist eine seiner schönen Erinnerungen ausgegangen? Mein Gott. Mir brennen die Augen, und mein Hals schmerzt.

»Oh, Nash. Es tut mir so leid.«

Wieso musstest du auch nachfragen, du dumme Kuh? Wieso musstest du ihm so was antun?

»Auf diesem Boot geschah niemals etwas Gutes – nie. In dieser Nacht lernte ich eine harte Lektion. Und die vergaß ich nie wieder.«

Fast traue ich mich nicht zu fragen. »Und welche?«

»Ich lernte zu hassen. Wirklich zu hassen.«

»Das verstehe ich, und es ist bestimmt natürlich, dass man

Hass empfindet. Eine Weile lang. Aber es kann nicht gesund sein, sich an ein solches Gefühl zu klammern.«

»Wenn die Alternative noch selbstzerstörerischer ist, dann ist Hass sehr wohl gesund. Es ist gut, sich an Hass zu klammern, wenn es dich umbringt, sobald du loslässt.«

Für den Bruchteil einer Sekunde ist Nashs harte, zornige Fassade verschwunden, und ich sehe die Wunden hinter dem vernarbten Gewebe. Mit einem Mal kann ich den Menschen, der er einmal war, erkennen, und ich frage mich unwillkürlich, ob er dieser Mensch nicht vielleicht wieder werden kann.

Ohne nachzudenken, hebe ich die Hand und streiche ihm mit den Fingerspitzen über die Wange. »Vielleicht findest du ja eines Tages noch einen anderen Sinn im Leben als Hass und Zorn«, sage ich leise, fast geistesabwesend.

Meine Berührung scheint ihn aus seiner Starre herauszuholen, und er sieht weg, als hätte ich tiefer geblickt, als er es zulassen wollte. Er greift nach seinem Glas, trinkt langsam und stellt das Glas fast sanft zurück auf den Tisch. Als sein Blick zu mir zurückkehrt, sind seine Augen seltsam ausdruckslos. Ich sehe keinen Schmerz, keine Wut, nichts darin. Sein Blick ist wie eine Barriere, eine Mauer, eine undurchdringliche Wand, die seit Jahren immer weiter verstärkt wird.

»So, nun hast du deine Gute-Nacht-Geschichte bekommen. Jetzt bin ich dran. Erzähl mir von Samstagabend.«

Mein Magen ballt sich zu einer harten Kugel zusammen, und mein Puls nimmt an Tempo auf, als ich mich erinnere, was geschah, nachdem ich meinen Wagen abgestellt hatte. Ich war in Gedanken gewesen und wütend über das Ende der Beziehung mit »Nash«, obwohl ich zu dem Zeitpunkt natürlich nicht wusste, mit wem ich in Wahrheit zusammen gewesen war. Oder wer mit mir Schluss gemacht hatte. Das will mir immer noch nicht so richtig in den Kopf. Und macht mich manchmal auch ziemlich sauer. Wenn ich etwas länger darüber nachdenke, komme ich mir immer wie ein Volltrottel vor.

Ich schiebe diesen Gedanken zur Seite und konzentriere mich auf das, was kurz danach kam – auf die Kette von Ereignissen, die mich immer wieder aufs Neue entsetzt, wenn ich die Erinnerung daran aus dem Käfig lasse, in den ich sie am liebsten verschließe.

»In meinem Kopf drehte sich alles um das Ende meiner Beziehung. Am Anfang war es eine ziemliche Ohrfeige für meinen Stolz. Nash ... ich meine, Cash hatte mir nur gesagt, dass es eine andere gab und es nicht richtig sei, wenn er weiterhin zu mir käme. Er äußerte sich sehr vage und ließ sich auf keine meiner Fragen ein. Ich war also in Gedanken versunken und achtete nicht auf meine Umgebung, als ich die Tür zu meiner Wohnung aufschloss.

Ich stellte meine Tasche auf den Tisch und ging in mein Schlafzimmer, um mich umzuziehen und mir dann ein Glas Wein zu holen. Ich hatte schon einen Schlafanzug an, als mir auffiel, dass ich mein Telefon im Auto gelassen hatte, also ging ich noch einmal hinaus, um es zu holen. Und erst als ich schließlich zurückkehrte, fiel mir auf, dass etwas nicht stimmte. Der Fernseher war nicht nur eingeschaltet, sondern auch verdammt laut aufgedreht. Das fand ich merkwürdig, weil Olivia eindeutig nicht zu Hause war, sondern im Dual arbeitete, was ich wusste, weil ich von dort kam. Außerdem hätte sie niemals den Fernseher angelassen. Dazu ist sie viel zu verantwortungsvoll.

Nun, jedenfalls stand ich vor der Tür und wunderte mich noch über den Fernseher, als ich im Wohnzimmer eine Gestalt erkannte. Es war nur ein Umriss, ein dunkler Schemen im flackernden bläulichen Fernsehlicht, der sich praktisch aus dem Schatten löste, und instinktiv wusste ich, dass diese Gestalt niemand war, den ich kannte.

All das geschah vielleicht innerhalb von zwanzig, dreißig Sekunden. Er tauchte zwar praktisch in dem Moment auf, als mein Hirn wieder zu arbeiten begann, aber diese kurze Verzögerung reichte. Der winzige Vorteil, den ich gehabt hätte, war damit dahin. Vermutlich hätte es mich auch mein Leben kosten können.

Alles strömte gleichzeitig auf mich ein, und als ich kapierte, dass ein fremder Mann mitten in der Nacht in meinem Wohnzimmer stand, machte ich den Mund auf, um zu schreien, und er stürzte sich auf mich. Ich wollte ihm ausweichen, und fast wäre es mir auch gelungen. Aber sein Arm erwischte mich dennoch und stieß mich rückwärts gegen den Tisch, auf dem meine Tasche stand. Ich hörte, wie die Lampe zu Boden fiel und zerschellte. Der Kerl riss mich um, sodass ich gegen die Wand krachte. Ich stieß mich ab und taumelte ins Wohnzimmer, um aus seiner Reichweite zu gelangen. Alles, woran ich denken konnte, war, ihm zu entkommen. Aber dann warf er sich nach vorne, packte mein Bein und riss mich zu Boden. Ich trat nach ihm, er schaffte es allerdings, sich auf meine Beine zu setzen. Da ich auf dem Bauch lag, konnte ich praktisch nichts tun. Als er mich an den Haaren packte und meinen Kopf zurückkriss, gelang es mir, ihm die Schlüssel, die ich noch immer in der Hand hielt, in den Handrücken zu rammen. Doch im nächsten Moment presste er mir etwas über den Mund, und ich bekam keine Luft mehr. Ich weiß noch, dass es merkwürdig roch, chemisch scharf irgendwie, und dann war ich weg. Bis ich gefesselt, geknebelt und mit einer Binde über den Augen wieder erwachte. Ich hatte noch nie in meinem Leben solche Angst.«

Ich werfe Nash einen kurzen Blick zu, als ich mich an jedes einzelne Detail erinnere – den Geruch, die Geräusche, das Gefühl des kalten Steins unter meiner Wange, meiner Hüfte. Ich fühle mich wieder klein und einsam, und die Erinnerung macht mir auch jetzt noch Angst. »Ich muss irgendwo in einem Keller gewesen sein. Der Boden war eiskalter Beton. Es roch modrig und irgendwie metallisch – nach Blut. In der Stille konnte ich Wasser tropfen hören. Und jemanden atmen.« Ich breche ab und sehe wieder zu Nash auf, der mich eindringlich anschaut. »Ich weiß bis heute nicht, wer mit mir dort unten gewesen ist. Oder was ihm zugestoßen ist. Irgendwann ... hörte das Atmen einfach auf.«

Wieder schaudere ich heftig. In den schrecklichen Stunden, die ich auf dem kalten Boden lag, stellte ich mir vor, dass neben mir eine Frau lag, die wie ich nichts sehen und nicht sprechen konnte und große Angst hatte ... nur, dass sie noch zusätzlich verletzt war. Und blutete. Vielleicht bewusstlos geschlagen worden war. Sie gab keine Geräusche von sich, und die Atmung veränderte sich nicht, nicht einmal, als ich versuchte, durch den Knebel mit ihr zu reden. Bis das Atmen aufhörte. Und die schreckliche Stille ohrenbetäubend wurde.

Ich lag auf der Seite, Hüfte, Bein und Arm schon lange taub, und weinte. Weinte um die Person, die mit mir auf dem Boden lag und ohne einen Laut gestorben war. Ohne jemanden, der sie liebte, ohne Hoffnung, entdeckt zu werden. Irgendwo gibt es bestimmt jemanden, der nun um sie trauert, der sie vielleicht verzweifelt sucht. Sofern dieser jemand denn weiß, in was sie hineingeraten oder an wen sie geraten war.

Aber vielleicht war es ja gar keine Frau. Und vielleicht werde ich es nie erfahren.

Mir ist nicht bewusst gewesen, dass ich weine, bis Nashs Finger mich zurück ins Jetzt, zurück zu den Lebenden bringen.

»Ich hätte nicht fragen sollen.«

Ich lächele durch meine Tränen. »Na, dann sind wir jetzt ja quitt.«

Er sieht mir in die Augen, und keiner von uns beiden sagt etwas. Seine Finger liegen immer noch auf meiner Wange, und die Klavierklänge verblassen genau wie die Welt um mich herum, und einen Moment lang treten sogar die schrecklichen Erinnerungen, die mich wohl noch lange quälen werden, in den Hintergrund.

Im Augenblick bin ich wie hypnotisiert von ihm, und das tut mir enorm gut. Ich habe keine Ahnung, warum, aber sobald ich mit Nash zusammen bin, kann ich alles andere abschütteln, mein Leben, die Angst, die Sorgen – alles, was nicht mit Nash zu tun hat. Seine Präsenz ist überwältigend, und ich will überwältigt werden. Er ist unkontrollierbar, und ich brauche den Kontrollverlust. Er bedeutet das Versprechen auf … Unbekanntes, und ich sehne mich nach etwas Neuem.

»Manchmal braucht man im Leben etwas, in dem man sich verlieren kann, sodass man keinen Schmerz, kein Leid, nichts anderes mehr spürt. Etwas, das alles betäubt, und wenn es nur für eine kurze Weile ist.« So leise wie mein Herzschlag fasst Nash exakt das in Worte, was ich gerade gedacht und gefühlt habe. Und dann macht er mir ein Angebot, dem ich nicht widerstehen kann, dem ich nicht einmal widerstehen will. Er beugt sich zu mir, und seine Lippen streichen über meine Ohrmuschel, als er spricht. »Ich kann das für dich tun, kann dieses Etwas für dich sein. Wir können es gegenseitig für uns tun.« Ein Schauder rinnt durch meinen Körper.

Nash schiebt seine Hand in mein Haar an meinem Nacken und umfasst meinen Hinterkopf. Er nimmt mein Ohrläppchen zwischen die Lippen, und ganz kurz spüre ich seine heiße Zunge. Automatisch fallen mir die Augen zu. »Ich kann dafür sorgen, dass du alles vergisst. Ich kann dafür sorgen, dass du nichts außer Vergnügen spürst, dass du an nichts anderes mehr denken kannst als an das, was ich mit deinem Körper mache. Mit meinen Händen.« Er zieht seine Finger aus meinem Haar und streicht mir über den Arm abwärts bis zu meiner Hüfte. »Mit meinen Lippen«, fährt er fort, und sein Mund wandert über meine Wange. »Mit meiner Zunge«, flüstert er, während er mit eben dieser Zunge über meine Unterlippe fährt. »Und ich kann dir versprechen, dass du es jede Sekunde genießen wirst.« Und wie um seine Aussage zu unterstreichen, beißt er ganz sanft zu.

Mir stockt der Atem, als er seinen Mund nun ganz über meinen legt. Ich öffne die Lippen, weil ich ihn schmecken will, weil ich etwas von ihm in mir spüren will.

Ein restlicher Hauch Minze mischt sich mit dem Wodka auf seiner Zunge. Er schmeckt wie ein Cocktail und ist ganz genauso berauschend.

Ohne dass ich etwas dagegen tun könnte, wandert meine Hand über seinen Rücken aufwärts und wühlt sich in sein seidiges Haar. Er neigt den Kopf und vertieft den Kuss. Seine Zunge spielt mit meiner und lockt sie hervor, bis er an ihr saugen kann.

Unter dem Tisch bewegt sich seine Hand von meiner Hüfte zu meinem Oberschenkel und weiter nach innen. Mein dramatisch geschlitztes Kleid erlaubt ihm nahezu freien Zugang zu mir, und ich drücke meine Beine ein wenig auseinander und lade ihn ein. Es ist mir egal, dass wir uns in der Öffentlichkeit befinden. Es ist mir egal, dass mein Vater mich für den Skandal enterben würde. Mir ist alles egal, außer dieser Mann und die Empfindungen, die er in mir erzeugt. Ich will, dass er mich anfasst. Ich brauche es. Und in diesem Moment ist die überfüllte Piano Bar nichts als eine Kulisse für die elektrische Spannung, die zwischen uns herrscht.

Er schiebt die Hand fast bis zu meinem Schritt und verharrt. Reglos. Nur sein Daumen streicht im Bogen über die empfindliche Innenseite meines Oberschenkels, hin und her, auf und ab, so nah an der Stelle, an der ich ihn am meisten spüren will.

Ich keuche, als seine Lippen sich plötzlich von mir lösen, und verwirrt öffne ich die Augen. Sein Gesicht ist nur Zentimeter vor meinem, und seine Augen glühen. Ich spüre das Feuer bis tief in mein Inneres. »Ich wette, dein Höschen ist bereits nass«, murmelt er, während seine Hand noch ein winziges Stück höher wandert und dann wieder anhält. Mein Herz rast, und ich rutschte ein wenig auf meinem Sitz nach vorne. Vor Sehnsucht bildet sich ein sehnsüchtiges Ziehen zwischen meinen Beinen. »Und deine Nippel sind hart.« Er beugt sich vor, um an meinem Hals zu knabbern. »Hart und pochend, und sie wollen geleckt werden, geknetet, gef-« Er stöhnt, als er sich rasch fängt.

Und er hat recht. Mein ganzes Wesen will es und fordert es, und mir ist, als könne nichts in meinem Leben je wieder in Ordnung kommen, bis Nash mich nimmt, bis er in mich eindringt, bis ich unter ihm liege und er mich ausfüllt.

Eingehüllt in seinen Duft, seinen festen, warmen Körper an meinem, seinen Atem, der über meine Haut streicht, und seine Hände, die mich quälen, fühle ich mich geborgen. Das hier ist ... irgendwie vertraut.

Die Lichter der Bar flammen auf, und um uns herum bricht Applaus aus. Mit einem frustrierten Seufzer lehnt sich Nash zurück und nimmt seine Hand von meinem Bein. Die Darbietung war so großartig, dass es die Zuschauer nicht mehr auf den Sitzen hält. Und während ich pflichtschuldig klatsche, denke ich, dass die private Darbietung, die ich eben erlebt habe, ebenfalls Standing Ovations verdient hätte.

Wer weiß, was noch alles kommt.

Ein heißes Prickeln zieht meinen Unterkörper zusammen, als ich mir bewusst mache, dass es geschehen wird. Und ich gar nicht daran denke, mich dagegen zu wehren.

Im Gegenteil.

»Komm«, sagt Nash, rutscht von der Bank und hält mir seine Hand hin. »Ich denke, das war unser Stichwort zu gehen.« Sein Lächeln ist ein wenig ironisch, und es macht ihn noch attraktiver, noch aufregender, als er ohnehin schon ist.

Ich hätte nicht gedacht, dass das überhaupt möglich ist.

15
NASH

Ich habe keine Ahnung, was Marissa denkt, und ich bin wohl kaum der Typ, dem es besonders wichtig ist, es herauszufinden. Sie ist still, aber ich schätze, falls es etwas gibt, das sie mir mitteilen muss, dann wird sie das schon tun. Sie ist erwachsen. Ich muss ihr nichts aus der Nase ziehen. Und falls doch, tja, dann hat sie Pech gehabt.

Sie muss wissen, worauf das hier hinausläuft. Ich habe keinen Zweifel daran gelassen, dass ich heute Nacht in ihrem Bett schlafen werde. Nicht, dass einer von uns viel Schlaf bekommen wird. Einer Sache bin ich mir absolut sicher, und das ist das Einzige, was zählt: Sie will es. Sie ist ebenso scharf auf mich wie ich auf sie. Es gibt nur eins, was mich jetzt noch aufhalten könnte – wenn sie Nein sagte. Ich bin kein Vergewaltiger. Aber es wird nicht dazu kommen. Sie wird nicht Nein sagen. Darauf würde ich mein Leben verwetten.

Ich trete das Gaspedal durch. Es ist eine Weile her, dass ich eine Frau gehabt habe, was bedeutet, dass ich es wirklich nötig habe. Und da sie derart heftig auf mich reagiert, kostet es mich Mühe, nicht einfach den nächstbesten Parkplatz anzusteuern. Ich würde sie auf meinen Schoß ziehen, ihr das Höschen herunterreißen und zusehen, wie sie mich reitet, bis sie so heftig kommt, dass sie um Atem ringt. Allein der Gedanke daran macht mich steinhart.

Ich rutsche auf meinem Sitz herum, um den Druck von meinem harten Schwanz zu nehmen. Wie würde Marissa wohl reagieren, wenn ich ihr das vorschlagen würde? Oder besser noch, es einfach täte? Ich weiß, dass sie noch nie einen Mann wie mich hatte und mich aufregend findet, und vielleicht spielt dabei sogar eine vage, unterbewusste Erinnerung eine Rolle. So oder so ist sie bereit und willig – willig, sich auf mich einzulassen –, und dass es eigentlich nicht ihrer Natur entspricht, durch mich anscheinend ihre Hemmungen zu vergessen, ist ein starker Cocktail. Der mir Lust macht, ihr Dinge zu zeigen, die sie noch nie getan, und Empfindungen zu wecken, die sie noch nie gefühlt hat.

Ja, Marissa ist einzigartig. Noch nie zuvor ist mir eine Frau begegnet, die so ... interessante Komponenten besitzt: Sie hat Klasse und gibt sich distanziert, ist aber bereit, die Tigerin in sich herauszulassen, und ich kann es kaum erwarten, mit ihr zu schlafen. Zwar denke ich, dass es nicht lange dauern wird, aber das macht mir nichts. Wir werden wahrscheinlich übereinander herfallen, bis unser beider Hunger gestillt ist. Dann sind wir beide satt und zufrieden, es ist vorbei, und wir gehen wieder getrennte Wege. Einfach, schlicht und sauber. Niemand jammert, niemand klammert. So wie es mir am besten gefällt.

Ich stelle den Wagen am Straßenrand ab, schalte den Motor aus und wende mich Marissa zu. Sie betrachtet mich glutäugig. Ein paar Sekunden lang schweigen wir beide.

»Ich schlafe heute bei dir«, sage ich schließlich.

»Ja«, bestätigt sie, was ich schon wusste.

Ohne ein weiteres Wort steige ich aus und gehe um das

Auto herum zu ihrer Seite. Ich helfe ihr heraus und lege ihr die Hand auf den unteren Rücken, als wir gemeinsam den Weg hinaufgehen. Meine Finger jucken, ihren perfekten Hintern zu packen.

An der Tür holt sie den Schlüssel hervor. Ich nehme ihn ihr aus den Fingern und schließe auf. Sie betritt vor mir das Haus und bleibt direkt wieder stehen. Ich schließe die Tür von innen ab, nehme ihr die Tasche aus der Hand und lege sie auf das Tischchen neben der Tür. Darüber hinaus ist der Tisch leer; sie muss sich erst noch eine neue Lampe kaufen.

Ich bücke mich, hebe sie auf meine Arme und trage sie in ihr Schlafzimmer. Dort stelle ich sie am Ende des Bettes wieder ab. Sie sieht zu, wie ich mich auf der Matratze ausstrecke, auf den Ellenbogen stütze und sie abwartend ansehe.

Sie steht absolut still da, während ich sie vom platinblonden Scheitel bis zu den Füßen in den hohen Riemchensandalen mustere.

Es wird mir großen Spaß machen, die Wildkatze in ihr hervorzulocken. Sie will sich von ihrer Vergangenheit befreien und abstreifen, wer sie einmal war, aber dazu muss sie erst die Kontrolle abgeben.

Also werde ich sie ihr nehmen.

16
Marissa

»Ich werde dir ein Erlebnis verschaffen, wie du es noch nie gehabt hast. Und du wirst mir geben, was ich will«, sagt er. Oder er stellt es vielmehr fest, als ob ich gar keine Wahl hätte.

Und ich muss zugeben, dass mich das anmacht. Eigentlich bin ich ein beherrschter Mensch, und bisher durfte noch kein Mann so mit mir reden. Aber mit Nash ist alles anders. Er ist anders. Er ist ungezähmt. Er ist gefährlich. Und ich bin reif dafür. Ich brauche es, ich sehne mich danach. Ich weiß, dass nie mehr daraus werden kann, doch für einen kleinen Augenblick in der Zeit wird er mir gehören. Und ich ihm.

»Löse dein Haar«, befiehlt er. Ich taste nach den Nadeln, mit denen meine Haare auf einer Seite festgesteckt sind, und ziehe sie heraus, ohne zu hinterfragen, warum er das will. Es ist aufregend und ein bisschen verrucht, ihm auf diese Weise zu Diensten zu sein. Ein warmes Gefühl sammelt sich in meinem Unterbauch.

Ein Teil der dicken Strähnen fallen über meinen Rücken herab. Ich schüttelte leicht den Kopf, damit der Rest folgen kann.

»Mach dein Kleid auf.«

Ich habe noch nie für einen Mann gestrippt, und ich habe keine Ahnung, wie man es auf sexy Art macht, daher versuche ich es gar nicht erst.

Und dadurch weiß ich einen Moment lang nicht, was ich tun soll. Ich bin plötzlich sehr befangen, was eigentlich untypisch für mich ist.

Ich drehe mich etwas zur Seite und greife nach hinten zum Reißverschluss. Der Träger rutscht mir von der Schulter, und ich halte verlegen das Oberteil fest.

Nash beobachtet jede Bewegung, und sein Blick ist so glühend, dass meine Haut zu brennen beginnt. Es fühlt sich gut an.

»Lass es fallen.«

Ich lass meine bebenden Arme sinken, und das Kleid rutscht bis zu den Hüften, wo es hängen bleibt. Darunter kommt der halterlose Spitzen-BH zum Vorschein.

»Jetzt der BH.«

Ich hake den Verschluss auf und sauge scharf den Atem ein, als die kühle Luft über die empfindsamen Brustwarzen streicht. Nashs Blick liegt auf mir. Ich spüre ihn an den Nippeln, als hätte er sie berührt.

»Jetzt der Rest.«

Ich streife das Kleid über die Hüften und weiter hinunter, bis es zu Boden fällt. Durch gesenkte Wimpern beobachte ich Nash. Er betrachtet mein Hinterteil.

»Und das Höschen.«

Mein Herz hämmert heftig, als ich die Daumen unter das Spitzenband hake und den Slip die Beine hinabschiebe. Ich höre nicht auf, bis er auf meinem Kleid am Boden liegt, und bleibe vorgebeugt, um die Riemen der Schuhe aufzumachen. Doch Nash hält mich auf.

»Nein. Lass sie an.« Ich richte mich auf, bleibe aber leicht abgewandt stehen. »Dreh dich zu mir«, murmelt er mit tiefer Stimme. Ich halte den Atem an, als ich mich in nichts als einem Hauch Röte und 500-Dollar-Stilettos zu ihm wende.

Seine Augen brennen sich in meine, bevor sein Blick genüsslich über meinen Körper abwärts und langsam wieder nach oben wandert. Noch nie war ich mir meiner schmalen Gestalt und meiner kleinen Brüste so bewusst. Innerlich bebend bleibe ich reglos stehen und lasse ihn sich sattsehen.

Als seine Augen wieder meinen begegnen, scheinen sie noch mehr zu glühen als zuvor.

»Du bist perfekt«, sagt er schlicht. Erleichterung durchströmt mich, und sofort danach rauscht mir heißes Blut in all die Stellen, auf die es ankommt. »Rosa Nippel, die zum Saugen einladen« flüstert er, »ein flacher Bauch zum Küssen und lange Beine, die gespreizt werden.«

Seine Worte sind wie Finger, die meine Haut kitzeln. Schauder rinnen über meine Brust und den Bauch herab. Ich spüre meine Nippel prickeln, als täte er tatsächlich schon, wovon er spricht. Heißer, klebriger Honig sammelt sich zwischen meinen Beinen.

»Ich will wissen, was du magst, wie du angefasst werden willst. Zeig es mir. Heb die Hände an deine Brüste. Und fass sie an.«

Über die Verlegenheit bin ich längst hinweg. Ich kann mich nur hineinstürzen oder nach Hause gehen. Aber zu Hause bin ich schon. Also stürze ich mich hinein.

Ich hebe die Hände und umfasse meine Brüste. Sein Blick folgt jeder meiner Bewegungen.

»Drück sie«, befiehlt er, also beginne ich sie sanft zu kneten. »Und jetzt die Nippel«, sagt er. »Kneif sie, damit sie hart werden.« Ich nehme die Spitze zwischen Daumen und Zeigefinger und rolle sie leicht, bis sie hart wie Kiesel sind. »So ist es gut, Süße. Und jetzt leg dir eine Hand zwischen deine Beine.«

Meine Wangen glühen, aber ich bin mir dessen nur dumpf bewusst. Nashs heißer Blick hält mich gefangen. Seine Augen sind schwarz wie die Sünde, seine Lider schwer. Wieder folgt er meiner Bewegung, als ich eine Hand zwischen meine Beine schiebe und mit dem Ballen über die feuchte Stelle reibe, und unwillkürlich leckt er sich über die Lippen. Mein Puls reagiert sofort und beginnt zu jagen. »Hm. Ich liebe es, dir zuzusehen, wenn du dir etwas Gutes tust.«

Es ist unglaublich erotisch, ihm zuzuhören, mich dabei zu liebkosen und zu wissen, dass er zusieht und es genießt.

»Komm. Leg dich zu mir aufs Bett.«

Ich bin so begierig darauf, seine Hände zu spüren, dass ich ohne zu zögern gehorche. Ich trete zum Bett und setze mich neben ihn.

»Leg dich hin«, befiehlt er leise. Sein Blick lässt keinen Moment von mir ab, und seine Augen sind dunkel und gefährlich wie Nash selbst. Er ist unerreichbar, er ist alles, wonach ich mich nicht sehnen sollte, und doch tue ich es. Also nehme ich, was er zu geben bereit ist.

Ich lege mich zurück und warte, während er mich erneut betrachtet. »Zieh die Beine an und stell die Füße auf.«

Ich tue es.

Meine Haut ist feucht und perlt vor Verlangen, und am liebsten möchte ich ihn anflehen, mich endlich zu berühren, aber plötzlich steht er auf, stellt sich ans Ende des Bettes und schaut mich über meine Knie hinweg an.

»Spreiz die Beine«, flüstert er, und ich bewege die Füße auseinander. »Weiter.« Ich lasse meine Knie nach außen fallen.

»Hm, wunderbar. Und jetzt zeig mir, wo ich dich anfassen soll.«

Etwas in mir will sich aus Schamgefühl weigern, aber wenn ich ihn damit dazu bewege, schneller zu mir zu kommen, schneller in mich zu kommen, dann gebe ich ihm gerne, was er will.

Ich schließe die Augen und stelle mir vor, dass es Nash ist, der mich anfasst. Ich schiebe eine Hand über meinen Bauch und über den Streifen aus kurzem Haar zwischen meinen Beinen. Dort halte ich plötzlich verunsichert inne. Meine Lider flattern auf. Nash starrt auf meine Hand, aber weil ich mich nicht mehr bewege, hebt er den Blick. Seine Augen brennen und treiben mich wortlos an weiterzumachen.

Langsam strecke ich einen Finger aus und schiebe ihn in mich. Nashs Blick folgt ihm. Ich ziehe den Finger heraus, reibe ihn über meine Klitoris, und mein Körper zuckt unter der Berührung zusammen. Ich bin so bereit für ihn, dass ich gleich komme, bevor wir noch angefangen haben.

Die Verzweiflung treibt mich an. Nun bewegen sich meine Finger schneller, rhythmischer, und unwillkürlich sucht meine andere Hand wieder einen empfindlichen Nippel. Die Stimulierung gepaart mit seinem Blick ist ein sinnlicher Overkill. Ich kann nicht verhindern, dass ich stöhne. Ich sehe, dass ein Muskel in seinem Kiefer zuckt, als er die Zähne zusammenpresst. Und plötzlich kapiere ich, dass in seinem Spiel die Rollen vertauscht worden sind. Nun ist er derjenige, den die Lust peinigt.

Ich werde forscher. Ich spreize meine Beine noch weiter, streichle mich und beginne, mich unter meiner Liebkosung und seinem Blick zu winden. Ich stecke einen zweiten Finger zu dem ersten und bewege sie rein und raus, rein und raus.

Nash öffnet ganz leicht die Lippen und atmet schneller. Er ist genauso erregt wie ich, und diese Erkenntnis jagt mir die Lust wie einen elektrischen Schlag durch den Körper.

Mit blitzartiger Geschwindigkeit packt Nash plötzlich mein Handgelenk und hält es in einem eisernen Griff. Sein Blick wendet sich keinen Moment lang von mir ab, als er meine Finger aus mir herauszieht und an seinen Mund bringt. Er reibt sich mit meinem nassen Fingern über seine Unterlippe, und ich schnappe nach Luft, als seine Zunge die Nässe kostet. »Gott, du schmeckst gut«, stöhnt er, bevor er sich die Finger in den Mund steckt und daran saugt.

Ich spüre die nasse Hitze seiner Zunge, die meine empfindsamen Fingerkuppen ableckt. Ich spüre es bis hinunter in mein Innerstes. Ich keuche überrascht auf, als seine Zähne an meinem Finger knabbern, und die Muskeln zwischen meinen Beinen ziehen sich in lustvoller Erwartung zusammen.

»Das alles macht mir Lust auf mehr«, flüstert er. »Und etwas sagt mir, dass du mir auch mehr geben willst.« Während er redet, schiebt er ein Knie aufs Bett und platziert seine Hüften zwischen meine Schenkel. Ohne mein Handgelenk loszulassen, wandert seine andere Hand die Innenseite meines Beines hinauf zu der Stelle, die vor Lust glüht.

Einer seiner Finger dringt in mich ein, und ich schnappe nach Luft. Mit einem Stoß seiner Hüften schieb er ihn tiefer in mich. »Mach meine Hose auf«, befielt er schroff und lässt mein Handgelenk los. Er steckt einen zweiten Finger in mich und krümmt sie, als er sie herauszieht. »Mach schon.« Ich reagiere verzögert, denn seine Worte durchdringen kaum den sinnlichen Dunst, der mich umgibt.

Ich richte mich ein wenig auf und greife nach seinem Hosenbund. Der Knopf ist schon auf, und ich spüre seine harte Erektion an meinen Fingerknöcheln, als ich den kleinen goldenen Reißverschluss aufziehe.

Der Stoff klafft auf, und ohne nachzudenken greife ich hinein und umschließe den harten Schaft. Weiche Haut über warmem Stahl. Er saugt scharf die Luft durch die Zähne und nimmt gleichzeitig einen dritten Finger dazu. Hart dringt er in mich ein, während ich seine Erektion drücke.

»Ich habe kein Kondom, aber ich bin sauber. Ich gehe davon aus, dass du ... dich schützt?«

Ich bringe nur ein Nicken zustande, als mein Daumen über die befeuchtete Spitze fährt und er sich in meiner Hand verspannt.

Er stöhnt. »Du wirst für mich kommen, und zwar so wie noch nie zuvor. Und dann lecke ich dich, bis du erneut kommst. Mit meiner Zunge in dir.«

Er zieht seine Finger aus mir heraus, stellt sich breitbeinig vors Bett, schiebt beide Hände unter meine Hüften und hebt sie hoch. Während er seinen Schwanz in meine Öffnung dirigiert, blickt er auf, um mir in die Augen zu sehen, und zieht mich grob zu sich. Meine Schenkel umklammern seine Hüften und mein Rücken biegt durch, als er immer wieder in mich stößt, bis ich spüre, wie der Damm bricht.

Ich schreie auf, als die Lust, die intensiver ist als alles, was ich je empfunden habe, sich entlädt. Die Empfindung überwältigt mich, vereinnahmt mich, reißt mich mit. Ich befinde mich in einer Welt, in der nur noch Nash und ich existieren – unsere Körper, die Ekstase, die Leidenschaft des Augenblicks.

Nash drosselt das Tempo, treibt sich mit langsamen kreisenden Bewegungen tief in mich, und die Reibung verstärkt jede Woge meines Orgasmus. Bevor er ganz verebben kann, lässt er mich wieder herab, bis meine Hüften auf der Matratze liegen.

Er zieht sich behutsam aus mir heraus, lässt sich vor der Matratze auf die Knie fallen und legt sich meine Beine über die Schultern.

Mein Körper bäumt sich auf, als seine heiße Zunge mich berührt. Sanft leckt er das geschwollene Fleisch, bis das letzte Zucken verebbt, dann wird er aggressiver.

Er greift um mein Bein herum, lässt den Arm auf meinem Bauch ruhen und zieht meine Schamlippen mit seinen Fingern auseinander. Dann nimmt er den harten Knubbel meiner Klitoris in den Mund, saugt und fährt mit der Zungenspitze darüber. Wieder baut sich die Spannung in mir auf. Meine Faust krallt sich in die Bettdecke, meine andere Hand greift in sein Haar und hält ihn fest.

»O Gott, Nash, das ist so gut.«

»Komm, gib's mir, Süße. Einmal noch. Gib mir alles.«

Das Vibrieren seiner Stimme reizt mich nur noch mehr, als er die Finger seiner anderen Hand in mich schiebt und mich immer näher an den Abgrund bringt.

Und dann zieht er meine Hüften noch ein Stück vor, drückt meine Oberschenkel auf meine Brust und spreizt meine Beine so weit wie möglich, sodass ich nun ihm und seinem Mund vollkommen ausgeliefert bin. Rein und raus bewegt er seine Finger, während seine Zunge leckt und streicht und immer schneller wird.

Mein zweiter Orgasmus kommt in trägen, atemberaubenden Wellen und zieht mich in die Tiefe. Meine Muskeln krampfen sich um seine Finger. »Ja, genau so will ich das. Komm für mich.« Er spreizt meine Beine wieder weit, reibt die Klitoris mit dem Daumen, stößt mit der Zunge in mich und leckt jeden Tropfen auf, den mein Körper herzugeben hat. Allein der Gedanke an das, was er tut, dass er mich tatsächlich schmecken will, reicht aus, um die nächste Welle heranrollen zu lassen.

Als ich erschlafft und fast taub vor Lust in mich zusammenfalle, klettert Nash zwischen meine Beine aufs Bett. Durch den winzigen Spalt, den meine schweren Lider mir lassen, beobachte ich, wie er die Spitze seiner Erektion vor meine Öffnung bringt. Und dann ist er in mir, und wieder verschlägt es mir den Atem.

Er dehnt mich stark und hält inne, damit ich mich an ihn gewöhnen kann, bevor er sich zurückzieht und erneut in mich stößt, wieder und wieder und immer tiefer.

Seine Lippen treffen auf meine, und er stöhnt in meinen Mund. Ich schmecke meine eigene salzige Süße auf seiner Zunge, und es gibt mir den Kick, dass er das von mir gewollt hat – die Essenz meiner Lust, der Beweis für meine Wonne.

Seine rauen Lippen pressen sich hungrig auf meine, seine schwieligen Hände umfassen meine Brüste. Seine Bewegungen sind drängend, dringlich, fast verzweifelt, und immer wieder treibt er sich mit aller Macht tief in mich hinein.

Meine Welt steht in Flammen. Ich weiß nicht, ob sich mein dritter Orgasmus anbahnt oder er nur die Glut des letzten noch einmal entfacht hat, doch mein Körper hält ihn, massiert ihn, bettelt darum, ihn erlösen zu dürfen.

Er nimmt seinen Mund lange genug von meinen Lippen, um mir ins Ohr zu flüstern. »Sag mir, dass ich in dir kommen kann. Ich will, dass du es spürst.«

Seine Worte bewirken, dass meine Muskeln sich um seine Erektion noch stärker zusammenziehen. Ich will unbedingt spüren, wie er in mir kommt. »Ja«, keuche ich.

Mit einem Knurren versteift er sich und ergießt sich in mir in einem ersten Schwall. Noch zwei weitere Stöße, dann wird

Nash langsamer, treibt seine Hüften gegen meine, reibt mich innen und außen und presst die heiße Flüssigkeit, die sich in mir entladen hat, wieder heraus. Die Empfindung ist grausam in ihrer Intensität. Ich bohre meine Nägel in seinen Rücken, um nicht unterzugehen.

»Hm, so ist es gut, Süße. Fühl mich.«

Seine Worte sind wie Benzin auf ein bereits tobendes Feuer. Sie sind eine Liebkosung, die mich im Ansturm des Orgasmus auf dem Wellenkamm hält.

17
NASH

Ich wusste, dass es mir guttun würde, mit dieser Frau ins Bett zu gehen. Aber die Tiefe der Befriedigung, die ich empfinde, während ich, noch in ihr drin, erschöpft auf ihr liege, macht mir erst klar, wie sehr ich es nötig hatte.

Es war dringend.

Sehr dringend.

Ich gehe davon aus, dass mein Verlangen nach ihr nun nachlässt. So ist es bei mir immer. Keine Frau fasziniert mich auf Dauer, und mein Interesse ist ohnehin immer nur rein sexueller Natur. Im Übrigen habe ich das Gefühl, dass Marissa sich doch über kurz oder lang erinnern wird. Und wenn sie es tut – wenn ihr klar wird, was geschehen ist –, dann wird sie mich hassen. Und das mit Recht. Denn was ich getan habe, war verdammt mies.

Ich vermute, es ist gut, dass ich ein schlechtes Gewissen entwickle. Schuldgefühle sind ärgerlich, aber vielleicht ein Anzeichen dafür, dass ich noch weiß, was Menschlichkeit ist. Man verlernt es, wenn man wie ich so viele Jahre unter Tieren lebt. Denn nichts anderes sind diese Verbrecher. Schlimmer noch. Abschaum.

Ich könnte durchaus ohne schlechtes Gewissen leben. Dennoch scheint es das erste Gefühl zu sein, das mein dickes Narbengewebe durchdringt, das einzige, das scharf genug ist, um durch die Jahre emotionalen Exils zu schneiden.

Marissa regt sich unter mir, legt sich bequemer und scheint sich auf eine Kuschelphase einzustellen. Meine erste Reaktion findet in ihr statt. Das Blut strömt wieder in meinen Schwanz und macht ihn erneut steif. Ich bin bereit für die nächste Runde, was nicht ungewöhnlich ist. Ich habe einen ausgesprochen gesunden sexuellen Appetit, und meine Erholungsphase ist kurz.

Nein, es ist die zweite Reaktion, die mir zu denken gibt. Die Muskeln in meinen Armen zucken, und beinahe hätte ich sie tatsächlich an mich gezogen. Das ist sehr ungewöhnlich.

Vielleicht liegt es daran, dass ich seit Wochen keine Frau mehr gehabt habe. Ja, das muss es sein. Ich habe es einfach nur vermisst, sage ich mir fest.

Aber meine vernünftige Erklärung gibt mir kein besseres Gefühl, und das Unbehagen bleibt. Es gefällt mir einfach nicht.

Ich ziehe mich aus ihr heraus, rolle mich herum und stehe auf, um meine Hose zuzumachen. »Ich habe Durst«, sage ich beiläufig. »Willst du auch was?«

Marissa setzt sich auf und schlingt sich die Arme um den Oberkörper. Sie wirkt weniger gekränkt als verwirrt. Verwirrung ist in Ordnung. Ich werde nur sauer, wenn Frauen die Beleidigten und Gekränkten spielen, weil ich nicht der Typ zum Kuscheln und Schmusen bin. Man sollte meinen, dass sie es kapieren, sobald sie nur zehn Minuten mit mir gesprochen haben, doch so ist es nicht. Vielleicht glaubt auch jede, sie sei diejenige, die mich ändern könnte. Aber dazu wird es nicht kommen.

»Ähm, nein. Ich ... ich gehe wohl besser mal ins Bad, denke ich.«

Ich nicke, mache mich auf den Weg zur Küche und überlasse sie den typischen Mädchenritualen.

Ich nehme mir ein Bier aus dem Kühlschrank und lasse mich im Wohnzimmer aufs Sofa fallen. Ich muss nachdenken und für den Fall planen, dass die Dmitry-Sache nicht so klappt, wie ich es mir vorstelle. Und selbst wenn, müssen sich alle anderen Komponenten auch noch nahtlos ineinanderfügen. Und das geschieht natürlich nicht allzu oft. Also ist es nur schlau, wenn mir für den Notfall noch andere Optionen offenstehen.

Meine Gedanken wirbeln um die verschiedenen Versatzstücke und Spieler, die an diesem Wirrwarr beteiligt sind, als plötzlich ein Bild von Marissa, die unter mir stöhnt, auftaucht und mich ablenkt. Ich verdränge dieses Bild und beschwöre die Gesichter der Kerle von der Russenmafia herauf, die ich gesehen habe. Es dauert keine zwei Minuten, bis ich wieder an sie, ihre weiche Haut und den Duft an ihrem Hals denke.

Ich nehme einen tiefen Zug aus der Flasche, betrachte sie eingehend und habe schon wieder ein schlechtes Gewissen. Über das, was ich vor langer Zeit getan habe.

Verdammt, sie wird ausrasten.

Aber vielleicht erinnert sie sich gar nicht. Vielleicht findet sie es nie heraus. Ich habe keine Ahnung, warum es mich kümmert, aber ich hoffe trotzdem, dass sie es nicht erfährt. Schließlich lege ich es ja nicht darauf an, dass sie mich hasst.

Mein Schwanz schwillt immer mehr an, und ich kann nicht mehr denken, also trinke ich mein Bier aus, werfe die Flasche in den Müll und kehre ins Schlafzimmer zurück.

Mal sehen, ob sie noch immer Lust hat, sich auf mich einzulassen.

Als ich die Tür erreiche, schlägt sie gerade die Decke auf, um ins Bett zu kriechen. Sie hält inne und sieht mich an. Wir starren uns beide bestimmt volle zwei Minuten wortlos an, bevor sie die Decke loslässt und sich mir ganz zuwendet.

Ich gehe langsam durchs Zimmer und bleibe vor ihr stehen, um ihr noch eine Chance zu geben, ihre Meinung zu ändern. Dann schiebe ich meine Finger an der Schläfe in ihr Haar und blicke in ihre wunderschönen blauen Augen. Als sie nicht zögert und kein Anzeichen von Widerwillen zeigt, nehme ich ihren Mund in Besitz und küsse sie gierig. Am liebsten würde ich sie mit Haut und Haaren verschlingen. Das Dumme ist nur, dass ich nach kürzester Zeit nicht mehr sicher bin, wer hier wen verschlingt.

Ich rubbele mir mit dem dicken, weichen Handtuch die Brust und die Arme trocken und stelle fest, dass ich mich unglaublich ausgeruht fühle. Ich habe seit Monaten nicht mehr so gut geschlafen. Vielleicht sogar seit Jahren.

Was guter Sex alles bewirken kann.

Ich trockne mir den Bauch ab und inspiziere dabei den roten Strich, der von der Stichwunde zurückgeblieben ist. Sie macht mir keinerlei Probleme heute Morgen und scheint bestens zu heilen.

Während ich mit dem Handtuch meine Beine bearbeite, spannt sich mein Bizeps, und ich schaue unwillkürlich auf die Tätowierung auf meinem Oberarm, die sich in einer Spirale vom Ellenbogen bis zur Schulter aufwärtszieht. Jedes einzelne Band hat eine Bedeutung, und plötzlich keimt in mir die Hoffnung, dass vielleicht – nur vielleicht – die Zeiten, in denen ich nicht sicher sein konnte, ob ich den nächsten Tagesanbruch erlebe, endgültig vorbei sind. Vielleicht brauche ich die Tätowierung nie wieder zu ergänzen.

Aus irgendeinem Grund kommt mir Marissa in den Sinn. Sie ist so anders als all die Menschen, die in den vergangenen sieben Jahren durch mein Leben gezogen sind. Sie ist wie eine Erinnerung daran, wie mein Leben hätte werden können, wie es hätte werden sollen, und es ist ganz schön, ein wenig davon mitzubekommen, auch wenn es zu spät und nur eine Illusion ist. Mein Leben kann nie mehr werden, wie es hätte sein sollen. Meine Zukunft ist in gewissem Maß festgelegt, und daran lässt sich nichts mehr ändern.

Der Gedanke entlockt mir ein Knurren. Ich mag das Gefühl nicht, gefangen zu sein. Diese Unvermeidlichkeit. Es gefällt mir nicht, keine Kontrolle zu haben.

Und daher bin ich fast erleichtert, Stimmen zu hören. Einerseits sind sie eine willkommene Ablenkung. Andererseits höre ich eine männliche Stimme, die ich nicht sofort erkenne.

Ich ziehe mich rasch an und verlasse das Bad. Im Wohnzimmer sehe ich zu meinem Unmut Cashs Freund Gavin auf der Couch Marissa gegenübersitzen und mit ihr plaudern, als fühlte er sich hier zu Hause.

Als ich am Couchtisch mit verschränkten Armen stehen bleibe, blicken die beiden auf.

»Morgen, Kumpel«, sagt Gavin. »Anscheinend hat der Doc dich wieder anständig zusammengeflickt.« Vom Badezimmer aus hatte ich seinen Akzent nicht hören können, jetzt schon. Er ist nicht stark, aber vorhanden.

Er benimmt sich friedlich und freundlich. Ich mag ihn trotzdem nicht.

Ich brumme als Antwort. »Was zum Henker machst du schon so früh hier?«

»Ich war auf dem Weg zum Club und dachte, ich schau mal eben nach Marissa.«

Es ärgert mich höllisch, dass er sich von mir nicht einschüchtern lässt. Er ist fast so groß wie ich, also gehe ich nicht davon aus, dass meine Größe ihn beeindruckt, doch ich bin weit härter drauf als Cash, und ich hätte gedacht, dass ein Kerl wie er Gefahr wittert. Und Abstand hält. Er bewegt sich im Augenblick auf verdammt dünnem Eis. Ich habe keine Ahnung, warum seine Anwesenheit mich derart stört, aber es ist so, und er sollte genug Verstand haben, um es zu spüren und sich möglichst schnell wieder vom Acker zu machen.

»Tja, das hast du ja nun. Und wie du siehst, geht's ihr gut. Ich bin bei ihr, ich passe auf sie auf. Du musst dir also keine Sorgen um sie machen.«

Garvins scharfe blaue Augen verengen sich. Er erwidert nichts, macht allerdings auch keine Anstalten zu verschwinden, was mich langsam fuchsteufelswild macht.

Marissa räuspert sich, und wir wenden uns unwillkürlich ihr zu. »Will jemand frühstücken?«, fragt sie mit einem aufgesetzten Strahlen und erhebt sich schon.

»Lass nur, wir wollen dir keine Mühe machen. Ich denke, ich besorge mir später irgendwo was. Am besten fahre ich mit Gavin zum Club. Ich wollte sowieso mit Cash reden.«

Gavin grinst vergnügt, als fände er es spaßig, dass ich ihm soeben die Tour vermasselt habe.

Arschloch.

Marissa blickt von mir zu ihm und wieder zu mir. Keiner von uns sagt etwas, bis Gavin endlich aufsteht.

»Du musst noch nicht gehen, Gavin«, sagt Marissa. »Und, Nash, es macht mir gar keine Mühe, Frühstück zu machen.«

»Du hast genug Ärger, Marissa, und dieser Bursche da bedeutet Ärger, glaub mir. Wenn ihm wirklich was an dir liegt, dann sieht er jetzt zu, dass er Land gewinnt.« Ich wende mich Gavin zu und sehe ihn herausfordernd an. »Ist es nicht so, Gavin?«

Ich habe noch nie mit meiner Meinung hinterm Berg gehalten.

Gavin lächelt wieder. »Komisch. Ich habe gerade dasselbe von dir gedacht.«

»Ich bin hier, um für ihre Sicherheit zu sorgen, nicht um ihr das Leben noch schwerer zu machen.«

»Meinst du nicht, deine Anwesenheit allein bringt sie in Gefahr?«

»Ich meine, dass ich für ihre Sicherheit sorgen kann.«

Wenn ich ehrlich bin, muss ich zugeben, dass an seinem Einwand etwas dran ist. Aber das ändert nichts an meiner Absicht.

»Das kann ich auch. Vielleicht sogar besser als du. Vielleicht sollten wir ihr die Entscheidung überlassen.«

Ich beiße die Zähne zusammen. Dieser Kerl braucht dringend einen Tritt in den Hintern. »Prima Idee, vor allem prima für mich. Sie hat mich nämlich gebeten, bei ihr zu bleiben.«

Obwohl das nicht ganz den Tatsachen entspricht, glaube ich kaum, dass Marissa es abstreiten wird.

Gavin sieht sie an. »Stimmt das?«

»Ja. Ich habe ihm gesagt, er könnte bleiben.«

Gavin lacht und nickt in meine Richtung. »Das klingt ein bisschen anders, als er es darstellt, aber ich verstehe dein Dilemma. Ein nettes Ding wie du ist immer lieb und höflich. Aber falls du irgendwas brauchst, ruf mich einfach an. Meine Nummer hast du ja.«

Er hat ihr schon seine Nummer gegeben? Was soll das denn?

Er dreht sich zu mir um und grinst selbstzufrieden. »Tja, dann sollten wir wohl mal los, was, Kumpel?«

Als er an mir vorbeigeht, klopft er mir jovial auf die Schulter, allerdings ziemlich fest, und am liebsten würde ich ihm den Arm ausreißen und ihn damit verprügeln.

Ich beiße wieder die Zähne zusammen und wende mich stattdessen zu Marissa um. Ich nehme ihr Gesicht in beide Hände und senke meinen Kopf.

Ich hatte nicht vorgehabt, sie zum Abschied brav und züchtig zu küssen, aber dass es gleich so ... anregend sein würde, war auch nicht beabsichtigt. Anscheinend sind wir wie zwei chemische Elemente, bei deren Zusammenführung es nur eine Reaktion gibt: Feuer.

Allein durch die Berührung ihrer Lippen schießt mir das Blut in genau die richtigen Körperteile. Das Dumme ist nur, dass ich dahingehend jetzt nichts unternehmen kann. Statt Marissa in ihr Schlafzimmer zu tragen und unanständige Dinge mit ihr zu tun, muss ich diesen arroganten Kerl zum Club eskortieren.

Als ich meinen Kopf wieder hebe, bin ich verblüfft. Marissa sieht nicht aus, als hätte der Kuss sie angemacht. Stattdessen wirkt sie sauer. Ihre Augen blitzen zornig, als sie die Hände auf meine Schulter legt, sich auf die Zehenspitzen stellt und sich meinem Ohr nähert.

»Wenn du mich noch einmal so küsst, nur um jemand anderem etwas zu beweisen, dann hau ich zu, und es ist mir egal, wer zusieht.«

Als sie einen Schritt zurücktritt, lächelt sie lieb, aber ihre Augen sprühen noch immer Funken. Die ganze Szene hat mich noch mehr angemacht.

Ich muss grinsen, ich kann nicht anders.

Die Kleine kann ja die Stacheln aufstellen!

»Alles klar«, sage ich, bevor ich mich zu Gavin umdrehe und ihm ein kaltes Lächeln schenke.

Hoffentlich windet der blasierte Vollpfosten sich innerlich.

18
Marissa

Ich habe die Küche aufgeräumt, den Boden gewienert, mein Bad geschrubbt, geduscht und mir die Fußnägel pediküre. Und während ich auf meinem Bett sitze und mein Zimmer betrachte, muss ich einsehen, dass es absolut nichts mehr gibt, womit ich mich von Nash ablenken kann. Ja, ich hatte von vornherein gewusst, dass er mich nicht loslassen würde – ich war fast von Anfang an verloren. Obwohl ich ihn kaum kenne, ist er mir unheimlich vertraut, und es hat nichts damit zu tun, dass er der Zwillingsbruder von dem Mann ist, mit dem ich mal zusammen war. Er zieht mich an wie ein Magnet.

Natürlich kommt hinzu, dass ich nur darauf gewartet habe, mich auf jemanden wie ihn einzulassen. Ich wollte in etwas eintauchen, das nichts mit meinem bisherigen Leben zu tun hatte, das anders ist als das, was normalerweise von mir verlangt wird. Ich brauchte es, brauchte ihn. Das tue ich noch immer. Aber ich hatte nicht erwartet, dass es so ... so intensiv sein würde.

Alle paar Minuten schweifen meine Gedanken noch um vergangene Nacht, um seine Hände und Lippen, seinen Körper und seine Worte. Innerhalb von Sekunden wird mir wieder heiß. Und das auf ganz andere Art als eben beim Putzen.

Es ist ja keine schlechte Sache, dass ich mich von ihm so stark angezogen fühle. Es ist seine emotionale Distanz, die mir Sorgen bereitet. Ich hatte durchaus erwartet, dass er wie ein Blitz in mein Leben einschlägt – grell und heiß und kurz darauf wieder fort, ohne eine Spur zu hinterlassen –, aber wahrscheinlich hatte ich gehofft, dass er sich mir ein wenig mehr öffnen und etwas mehr Gefühl zeigen würde. Im Augenblick kommt es mir jedoch so vor, als ob das, was er fühlt, sich gänzlich auf meinen Körper beschränkt. Und auf Wut natürlich, sehr, sehr viel Wut. Seine Wut ist immer da und lauert direkt unter der Oberfläche. Nichts scheint stärker zu sein, nichts scheint durch seine Wut dringen zu können, keine Person, keine Empfindung, kein Gefühl, nichts.

Ich glaube, er verliert sich genauso sehr in mir wie ich mich in ihm, nur dass es bei ihm sehr viel flüchtiger ist. Sobald sein Bewusstsein sich von unserer körperlichen Vereinigung, von unserem Verlangen füreinander löst, ist er direkt wieder in seiner elenden Vergangenheit und der nicht minder elenden Gegenwart.

Die meisten Sorgen macht mir, dass ich vermutlich nichts dagegen tun kann. Ich habe keine Chance, daran etwas zu ändern oder in seinem Leben und seinem Herzen einen ähnlichen Eindruck zu hinterlassen, wie er es bei mir tut.

Herzen brechen normalerweise nicht gleich. Es gibt fast immer eine Partei, die schlimmer betroffen ist als die andere. In unserem Fall könnte eine Seite regelrecht vernichtet werden, und zwar die meine. Und doch sitze ich hier, denke an ihn und kann es kaum erwarten, dass ich wieder etwas von ihm sehe oder wenigstens höre.

Du bist wie ein Teenie, der bis über beide Ohren verknallt ist.
Vielleicht habe ich ja auch eine masochistische Ader.

Es gibt tausend Gründe, mich von ihm fernzuhalten, und nur einen, es nicht zu tun. Aber dieser eine Grund ist stark und mächtig genug, dass ich hierbleibe, mich nicht rege und darauf warte, dass es weitergeht.

Er ist die verbotene Frucht. Und die ist so verlockend, dass ich einfach nicht widerstehen kann.

Mit einem frustrierten Stöhnen gehe ich zu meinem Schrank, um mich halbwegs anständig anzuziehen. Ich muss raus aus dem Haus, aber zur Arbeit will ich nicht. Doch mit einem Ausflug zur Bibliothek kann ich mich sowohl ablenken als auch etwas Nützliches tun. Ich habe noch immer eine Anklage vorzubereiten, auch wenn es sich um ein Verfahren handelt, in das ich mich erst noch einarbeiten muss und sich gegen Leute richtet, über die ich so gut wie gar nichts weiß.

Dreieinhalb noch frustrierendere Stunden später bin ich auf dem Heimweg und überlege, ob ich einen meiner Juraprofessoren anrufen soll. Was mich noch zögern lässt, ist die Tatsache, dass ich dann zugeben muss, was für ein verwöhntes, reiches Töchterchen ich gewesen bin. Da ich von Anfang an wusste, dass ich in Daddys Kanzlei einsteigen und nichts mit Strafrecht zu tun haben würde, habe ich mir null Mühe gegeben, mir irgendetwas von dem zu merken, was in bestimmten Seminaren gelehrt wurde.

Jetzt aber brauche ich es. Genau wie die Menschen, die mir wichtig sind. Ich will nicht nur für mich Gerechtigkeit, sondern auch für Nash und Olivia. Und, okay, auch für Cash wahrscheinlich. Er hat wirklich eine wichtige Rolle in meiner Befreiung gespielt.

Ihm gegenüber hege ich immer noch gemischte Gefühle. Am wenigsten an ihm gefällt mir, dass er mich an jemanden erinnert, der ich nicht länger sein will und an den ich am liebsten auch nicht mehr denken möchte. Aber sobald ich Cash sehe, ist mein altes Ich wieder präsent, und das kann ich nicht mehr ertragen.

Jeder Gedanke in meinem Kopf wird in den Hintergrund gedrängt, als ich mich meiner Haustür nähere. Ich habe meine Wohnung seit dem Abend, an dem jemand darin auf mich wartete, nicht mehr allein betreten. Und obwohl mein Verstand mir sagt, dass es lächerlich ist, dass ich nicht einmal die Person war, die entführt werden sollte, und es daher keinen Grund gibt, mich noch einmal zu verschleppen, erstarrt mein ganzer Körper, und ich stehe wie paralysiert auf dem Gehweg vor meiner Tür. Doch es ist niemand da, der mir helfen könnte.

Das gedämpfte Piepen meines Handys ertönt aus den Tiefen meiner Tasche. Ich zwinge meine Muskeln zur Tat und greife mit einer zitternden Hand hinein, um mein Telefon hervorzuholen. Ich streiche über das Display unten, und der Bildschirm erhellt sich.

Eine SMS. Drei Worte. Ein Gefühl. So simpel. Und doch ändert es alles.

Bist du okay?

Von Nash.

Ich erkenne die Nummer nicht, und nichts an dem Text verrät den Absender, aber ich weiß es. Tief in meinem Inneren weiß ich, wer es geschrieben hat. Und er könnte ebenso gut schützend hinter mir stehen, solch einen Effekt hat seine Nachricht.

Vielleicht ist es die Erkenntnis, dass ich nicht allein bin, auch wenn ich mich oft so fühle. Vielleicht ist es das Wissen, dass es jemanden gibt, dem nicht egal ist, was mir zustößt. Vielleicht ist es auch nur die Tatsache, dass Nash sich die Zeit genommen hat, mir eine SMS zu schreiben, um sich zu vergewissern, ob es mir gut geht. (Ich kann ja kaum fassen, dass er überhaupt daran gedacht hat, nachzufragen!) Vielleicht ist es auch nur, dass er immer da zu sein scheint, wenn ich ihn brauche, auch wenn es sich eigentlich um reinen Zufall handelt.

Aber ob es an einem der Gründe liegt, an mehreren zusammen oder an etwas ganz anderem – die SMS dämpft meine Angst, und obwohl sie nicht ganz verschwindet, kann ich doch wieder klarer denken und vor allem handeln.

Ich gebe eine knappe Antwort ein.

Ja.

Dann lasse ich das Handy wieder in die Tasche fallen. Mir ist klar, dass ich keine Antwort mehr bekommen werde, aber das macht nichts. Und obwohl ich weiß, dass es ein Fehler ist und zu nichts führt, marschiere ich hoffnungsfroh mit einem Lächeln auf den Lippen auf meine Tür zu.

Als ich erst einmal drin bin und die Tür abgeschlossen habe, entspanne ich mich wieder etwas. Ich will nicht lügen. Ich habe in jeden Schrank und unter beide Betten gesehen, aber das ist ja nur verantwortungsvoll, nicht wahr? *Na klar*.

Ich ziehe meine Kostümjacke aus und hänge sie in den Schrank. Ich schnappe mir ein Haargummi aus dem Bad, um mein Haar zusammenzufassen und mich dann endgültig umzuziehen.

Ich bin gerade dabei, widerspenstige Strähnen in einen halbwegs geordneten Knoten auf meinem Hinterkopf zu stopfen, als es an der Tür klingelt. Ich verharre mitten in der Bewegung, und instinktiv beschleunigt sich mein Puls. Mein Verstand rattert Namen und Gesichter von Leuten herunter, die zu dieser merkwürdigen Zeit vor der Tür stehen könnten.

Nash kann es nicht sein; so höflich ist er nicht. Er hätte erst den Türknauf probiert, und sobald er festgestellt hätte, dass die Tür abgeschlossen ist, hätte er geklopft. Und zwar laut, dessen bin ich mir sicher. Es sei denn, er hat herausgefunden, dass an Cashs BMW-Schlüssel auch einer von meiner Wohnung hängt. Gesagt habe ich es ihm nicht. Ich meine, er kann gerne hier übernachten, aber so viel Freiheit muss ich ihm ja nicht gleich geben. Dazu bedarf es doch einer ganzen Menge Vertrauen.

Ich muss daran denken, den Schlüssel von Cash zurückzufordern.

Meine Gedanken kehren zum Besucher an meiner Tür zurück. Es kann nicht mein Vater sein. Auch niemand aus dem Büro. Mein Vater ist arbeiten, und jeder andere würde zuerst anrufen.

Wer also sonst?

Ich beruhige mich, dass es helllichter Tag ist und die Chancen, jemand könnte mit schändlichen Absichten draußen stehen, gegen Null gehen. Dennoch blicke ich erst durch den Spion, ehe ich die Tür entriegele.

Und was ich sehe, verblüfft mich. Schulterlanges blondes Haar, hübsches Gesicht, hautenger Minirock und enges T-Shirt. Sieht aus wie ein Christina-Applegate-Double, ist aber Olivias Freundin Ginger. Sie sieht wütend aus. Fragt sich nur: Was macht sie hier?

Wahrscheinlich will sie zu Olivia.

Ich entriegele die Tür und ziehe sie auf.

»Hi«, sagte ich hölzern, und sobald sie zu reden beginnt,

wird deutlich, dass ich ihre Miene ganz richtig interpretiert habe. Und unser Gespräch beginnt gar nicht gut.

»Ich denke, wir sind uns einig, dass du Olivia bisher ziemlich mies behandelt hast«, sagt sie mit Nachdruck, »aber ich gebe dir noch genau eine Chance, bevor ich dir so was von in den Hintern trete, dass dir Hören und Sehen vergeht, und dir anschließend deinen Kerl klaue.«

Ich bin so baff von ihrem Auftritt, dass ich nur auf einen winzigen Teil ihrer Ansprache reagieren kann. »Ich habe keinen Kerl.«

»Und ob du einen hast«, sagt sie mit einem Grinsen. »Ich habe doch gesehen, wie du diesen anderen Bruder anglotzt. Ich hab zwar keine Ahnung, wie eine Gebärmutter allein gleich drei Kerle mit so einem Aussehen ausspucken kann, aber ich danke dem Allmächtigen jeden Tag für diese Leistung.«

In diesen wenigen Sekunden, die sich Ginger mir vorstellt, werden mir zwei Dinge klar. Erstens hat sie offensichtlich keine Ahnung, was es mit Cash und Nash auf sich hat. Sie hält Nash für einen dritten Bruder.

Und zweitens gefällt sie mir. Ich begreife hundertprozentig, warum Olivia gerne mit ihr zusammen ist.

»Du kannst mir trotzdem nicht klauen, was mir nicht gehört.«

»Ich bitte dich«, sagt sie mit einer wegwerfenden Geste. »Ich kriege jeden, den ich will – ob er nun dein Freund ist oder nicht. Wenn ich erst mal meinen Charme spielen lasse, sind die Männer hilflos.« Ihr Grinsen ist spitzbübisch und vergnügt, und mir wird klar, dass sie das alles andere als ernst meint.

Oder?

»Jedenfalls bist du ein hübsches Ding und kannst ihn dir wahrscheinlich unter den Nagel reißen, wenn du es richtig anstellst. Aber« – sie bedenkt mich mit einem drohenden Blick – »wenn du Olivia wehtust, dann mach ich dich fertig. So einfach ist das. Einverstanden?«

Ich spüre den Drang zu lachen, doch ich beherrsche mich. Ich könnte mir vorstellen, dass Ginger ziemlich kratzbürstig werden kann, wenn sie glaubt, dass man sie nicht ernst nimmt. »Einverstanden«, stimme ich ihr zu. »Also – was führt dich her? Abgesehen von wüsten Drohungen, meine ich?«

Ihre Augen leuchten auf. »Eine Überraschungsparty. Hättest du Lust?«

Obwohl ich bisher ein privilegiertes Leben geführt habe, war ich noch nie an einer Überraschungsparty beteiligt. Ich wollte es nie. Jetzt allerdings will ich. Es klingt nach sorglosem Spaß, und sorglosen Spaß kann ich brauchen. Himmel, mir ist alles recht, was nach Sorglosigkeit klingt. Obwohl ich gerade versuche, meinem Leben ein Update zu verpassen, das eigentlich den gegenteiligen Effekt haben sollte, scheint es, als sei es noch stressiger und komplizierter geworden, als es ohnehin schon war. Dennoch würde ich es der Scheinwelt, in der ich vorher gefangen gewesen bin, immer vorziehen.

Jederzeit.

»Ich sollte vermutlich Fragen stellen, bevor ich einwillige, aber ich denke, wir umgehen das ganze Vorgeplänkel einfach. Also ja. Was hast du vor?«

»Kann ich reinkommen, oder muss ich den ganzen Tag hier draußen rumstehen?«

»Oh. Tut mir leid.« Ich trete zur Seite, um ihr Platz zu machen. Ginger betritt das Wohnzimmer, als ich die Tür schließe. Sie bleibt vor dem Couchtisch stehen und dreht sich zu mir um. Mit verengten Augen starrt sie mich an.

Ich halte inne und sehe mich verwirrt um. »Was ist?«

»Du scheinst dich echt geändert zu haben. Du kommst mir nämlich gar nicht vor wie die Megazicke auf zwei dürren Beinchen.«

Ich grinse, weil ich nicht genau weiß, wie ich das auffassen soll. »Ähm ... danke?«

Ginger erwidert das Lächeln und lässt sich auf ein Sofaende fallen. »Gern geschehen. Deine Beine sind aber trotzdem ziemlich dünn.«

Ich blicke auf meine Beine unterhalb des Rocksaums und dann auf Gingers, die ihre gerade übereinanderschlägt. »Doch nicht viel dünner als deine.«

»Ich hab nicht gesagt, dass das etwas Schlechtes ist. Damit kann man das Opfer besser umklammern, findest du nicht?«

Ich muss wieder grinsen. Die Frau ist wahrhaftig ein Original. »So habe ich das noch nie betrachtet, aber du könntest recht haben.«

»Ich habe immer recht, daran solltest du dich am besten frühzeitig gewöhnen. Diskutieren bringt sowieso nichts. Frag Olivia. Sie kann es dir bestätigen. Ich stecke voller Weisheit und außer Rand und Band geratenen Hormonen. Und am Wochenende kommt Wodka dazu.« Sie zwinkert mir zu.

»Arbeitest du denn nicht am Wochenende?«

Ich dachte, Olivia hätte gesagt, dass Ginger Barkeeperin in dem Laden sei, wo auch sie gearbeitet hat.

Ginger sieht mich ausdruckslos an. »Ja, und?«

Während ich noch stammelnd nach einer Erklärung suche, bricht Ginger in Gelächter aus. »Hey, ich habe einen Scherz gemacht. Was wäre ich wohl für eine Angestellte, wenn ich ständig breit zur Arbeit erschiene?«

»Eine ziemlich unbrauchbare vermutlich.«

»Damit hast du verdammt recht. Und ich bin eine echt gute

Angestellte. Das kannst du gerne Cash sagen, da ich ernsthaft überlege, in die Stadt zu ziehen, und dann brauche ich dringend einen Job. Und für mich ist jeder Job, bei dem die Chance besteht, dass ich auf ein paar knackige Kerle stoße, genau der richtige.«

»Ich werde es ihm weitergeben.«

»Klasse. Aber kommen wir zum Thema. Olivia hat ja morgen Geburtstag, und ich würde gerne eine kleine Überraschungsparty organisieren.«

»Olivia hat morgen Geburtstag?« Meine Güte, ich bin wirklich ein unmöglicher Mensch. Sie ist nicht nur mit mir verwandt, sondern wir wohnen auch noch zusammen – und ich hatte keine Ahnung. Natürlich hat sie auch nichts gesagt. Dazu ist sie zu anständig. Anständige Menschen tun so etwas nicht. »Verflixt noch mal. Ich bin wohl doch die Megazicke auf zwei dürren Beinchen.«

»Wir können uns ja auf Ex-Megazicke einigen. Ex im Sinne von ehemalig, so wie Ex-Freunde. Die braucht man einfach nicht mehr. Die Vergangenheit ist gelaufen. Lass sie los und schau nach vorn. Wichtig ist doch, dass du aus deinen Fehlern lernst und es das nächste Mal besser machst. Jetzt hast du die Chance dazu. Also, bist du dabei?«

Gingers Art färbt schon jetzt auf mich ab. »Klar bin ich dabei. So was von.« Ich muss lachen, weil meine Antwort sich eigentlich nicht nach mir selbst anhört.

»Genau das wollte ich hören«, sagt Ginger aufgeregt und beugt sich verschwörerisch vor. »Okay. Ich habe Tad bekniet, und er hat eingewilligt, dass wir in seinem Laden feiern können. Olivias Dad macht mit, und ihren alten Freunden habe ich schon Bescheid gegeben, auf meiner Seite ist also alles erledigt. Das Problem ist, dass ich keine Telefonnummer von den Leuten hier aus Atlanta habe, weswegen ich die ganze Strecke bis hierher gefahren bin, um mit dir Kontakt aufzunehmen.« Ginger greift in ihre hellrote Tasche und holt ihr Handy heraus. »Das ändern wir jetzt. Hier.« Sie gibt mir ihr Telefon. »Tipp deine Nummer ein. Und Cashs auch, wenn du sie hast. Wir sind alle eine große, glückliche Familie.« Sie grinst, wird dann aber etwas ernster. »Nur zu schade, dass wir nicht alles teilen. Diese Zwillinge sind einfach rattenscharf. Und der neue Bruder. Wow. Sogar dieser Ausländer! Grundgütiger!« Sie wedelt sich mit den Fingern Luft zu und schlägt die Beine auf der anderen Seite übereinander. »Ich liebe Männer mit Akzent.«

»Du meinst bestimmt Gavin. Soweit ich weiß, hat er keine Freundin. Zumindest ist mir keine bekannt.«

»Soso.« Sie zieht eine Braue hoch. »Weißt du, in meinen Augen ist es eine Frage der Höflichkeit, dafür zu sorgen, dass meine besten Freundinnen an meinem Geburtstag ebenfalls die Nacht ihres Lebens verbringen. Vielleicht ist das ja so ein Südstaatending, und Olivia ist auch so erzogen worden.«

Ich lache laut los. »Kann aber auch einfach ein Ginger-Ding sein.«

»Umso besser.« Sie wackelt mit den Augenbrauen. »Ginger-Dinger sind immer eine großartige Idee.«

»Ja, und langsam kapiere ich auch, wieso du das sagst.«

Sie nickt und zwinkert mir zu. »Irgendwie wusste ich, dass du mir gefallen würdest. Und clever bist du anscheinend auch. Zwei Eigenschaften, die eine Freundschaft mit jemandem interessant machen. Wir zwei werden bestens miteinander auskommen.«

»Schön zu hören.«

Ginger lehnt sich quer über die Couch, als wolle sie mir ein bedeutendes Geheimnis verraten. »Ich weiß ja nicht, ob Olivia es dir gesagt hat, aber meine Ratschläge in puncto Sex sind wirklich großartig. Wenn du dir also diesen scharfen Knackarsch unter den Nagel reißen kannst und nicht so recht weißt, was du damit anfangen sollst, darfst du mich jederzeit anrufen. Mir fällt immer etwas ein.«

Dr. Ginger berät. Ich kann's mir vorstellen.

»Falls er mir Schwierigkeiten macht, melde ich mich bei dir.«

»Süße, wenn er dir keine Schwierigkeiten macht, ist er nicht halb so viel Mann, wie er zu sein scheint. Der eine von den dreien, dieser Grobian, sieht aus, als würde er die Mädels mit Haut und Haaren verspeisen. Ich wäre extrem enttäuscht, wenn er dich nicht verführt und deine Welt auf den Kopf stellt.«

Ich ziehe kurz in Erwägung, ihr zu sagen, dass er das bereits getan hat, aber dann lasse ich es lieber. So nett und lustig ich sie auch finde – Ginger ist im Augenblick noch eine Fremde für mich. Außerdem hat man mir Diskretion anerzogen, und so schnell wird man die Etikette nicht los.

»Ich halte dich auf dem Laufenden, okay?«

»Abgemacht, aber ich muss dich warnen. Ich mag Einzelheiten, also wenn du anrufst, musst du auch bereit sein, mir alles haarklein zu berichten. Im Übrigen kann ich einen besseren Rat geben, wenn ich mir genau vorstellen kann, was läuft. Und ich bin absolut pervers, das darf man auch nicht vergessen.« Wieder zwinkert sie mir zu.

»Ich denke nicht, dass ich das so bald vergessen werde«, antworte ich.

Sie tätschelt mein Knie. »Braves Mädchen.«

Tja, diese Frau gefällt mir. Ich kann ja gar nicht anders.

19
NASH

Nach dem frustrierenden Morgen hatte ich gehofft, dass es nur besser werden könnte, aber leider habe ich mich getäuscht. Nun, auf dem Rückweg zu Marissa, bin ich noch genauso genervt wie heute Morgen, als ich gegangen bin.

Ich hatte Gavin eigentlich nur deswegen zum Club begleitet, um zu verhindern, dass er es sich anders überlegt und Marissa einen weiteren Besuch abstattet. Nicht, dass ich eifersüchtig wäre, so ein Typ bin ich nicht. Wegen Frauen werde ich nicht eifersüchtig. Ich nehme sie mir oder ich lasse es. Wenn die eine nicht will, wartet hinter der nächsten Ecke immer eine andere, es besteht also kein Grund, mich auf eine bestimmte einzulassen. Aber dieses australische Arschloch hat mir den Morgen verdorben, und mir gefällt der Gedanke nicht, dass er sich an Marissa vergreifen könnte. Ich mag ihn nicht, und ich will ihn nicht in meiner Nähe wissen. Punkt.

Cash hatte Olivia zur Schule gefahren, und als er zurückkam, kümmerten Gavin und er sich um irgendwelche Clubgeschäfte, die mich nicht interessierten. Sobald ich sicher war, dass Gavin mit anderen Dingen beschäftigt war, tauchte ich also wieder ab.

Am liebsten wäre ich zu Marissa zurückgefahren. Und genau deswegen habe ich es nicht getan. Es ist zu früh. So bald sollte ich nicht zu ihr zurückwollen. Nicht einmal, um mit ihr zu schlafen. Also habe ich es gelassen.

Das hat mich allerdings nicht daran gehindert, alle paar Minuten an sie zu denken.

Und aus genau demselben Grund bin ich auch den Rest des Tages und den Abend weggeblieben. Ich habe ihr ein paar SMS geschickt, um mich zu vergewissern, dass es ihr gutgeht, jedes Mal dieselbe:

Bist du okay?

Und ihre Antwort war ebenfalls jedes Mal dieselbe:

Ja.

Das zu tun ist einfach nur verantwortungsvoll, zumal sie nur durch meine Familie in diesen Mist geraten ist. Dafür zu sorgen, dass sie sich nicht umbringen lässt, ist also das Mindeste, was ich tun kann.

Das heißt ja nicht, dass ich ständig um sie herum sein muss. Die Tatsache, dass ich zu ihr zurückfahren wollte, hat mich davon abgehalten, eben das zu tun.

Ich mag mich nicht schwach fühlen, aber in ihrer Gegenwart fange ich langsam an, ein solches Gefühl zu entwickeln. Ich denke zu oft an sie, selbst wenn ich versuche, es nicht zu tun. Es kommt mir vor, als hätte ich die Situation nicht hundertprozentig im Griff, und das ist inakzeptabel. Daher gehe ich ihr aus dem Weg.

Den größten Teil des Nachmittags und Abends verbringe

ich in Cashs »Nash-Wohnung« und gehe seine Rechtstexte durch. Ich habe zwar nicht Jura studiert, besitze aber genügend graue Zellen, um solche Fachbücher lesen und kapieren zu können, vor allem wenn ich eine Internetverbindung habe und Referenzmaterialien recherchieren kann, sobald ich zusätzliche Klärung brauche.

Was ich herausfinden konnte, ist vermutlich ziemlich genau das, was Cash und Marissa bereits wussten: Um einen RICO-Act zu konstruieren, müssen verschiedene Dinge zusammenkommen. Obwohl es definitiv zu machen ist, sind wir in unserem Fall auf die Kooperation von mehr als nur einer Person angewiesen. Leider darf man erfahrungsgemäß nur selten auf seine Mitmenschen bauen.

Weswegen ich einen Plan B wollte. Und einen Plan C. Und D. Im Grunde genommen so viele, wie es geht.

Mein Plan A ist und wird immer sein, Duffy und jeden von den anderen Beteiligten, die ich identifizieren und mir schnappen kann, abzuknallen. Es ist nicht so, als hätte ich nicht schon selbst Blut an den Händen kleben und Menschenleben auf dem Gewissen. Aber in Anbetracht der Konsequenzen, die diese Tat für mich hätte, wenn ich auf amerikanischem Boden dabei erwischt werde, hätte ich auch nichts dagegen, sie auf legalem Weg zur Strecke zu bringen. Es ist nicht gerade mein Traum, den Rest meines Lebens im Knast zu verbringen.

Und schon wieder bin ich von Zorn erfüllt. Wieso bin ich überhaupt in einer solchen Situation? Frustriert umklammere ich das Lenkrad und wünsche mir nur noch, ein Weilchen nicht mehr darüber nachdenken zu müssen.

Ich trete fester aufs Gaspedal. Ich rufe mir in Erinnerung, dass ich nicht per se zu Marissa zurückfahre: Ich fahre zu einer

Entspannungsmöglichkeit, die ich verdammt nötig habe. Nicht mehr.

Die Vorfreude ballt sich in meiner Magengrube zusammen und das Blut rauscht in meinen Eingeweiden, als ich mir vorstelle, wie ich mich in Marissas warmen Körper versenke. Ich meine, Sex ist Sex, klar, aber ich muss zugeben, dass wir verdammt guten Sex haben. Wirklich verdammt guten.

Ich runzele die Stirn, als ich vor Marissas Haus hinter einem Mercedes parken muss. Er könnte jedem gehören, doch mir gefällt nicht, dass er dort steht, wer auch immer der Besitzer sein mag. Wahrscheinlich ist es jemand aus Marissas verhasstem altem Leben, dem sie entkommen will, daher kann ich die Person automatisch nicht leiden.

Es ist ein Mercedes der E-Klasse – schnittig, schwarz, getönte Scheiben. Zweifellos das Auto von irgendeinem geschniegelten Warmduscher von Anwalt.

Augenblicklich bin ich mies drauf. Okay, noch mieser drauf. Ich würge den Motor ab und schaue auf die Uhr im Armaturenbrett.

Was soll das überhaupt, jemanden noch so spät zu besuchen? Es ist fast neun!

Ich gehe rasch den Weg hinauf zur Tür. Ich klopfe nicht; ich drehe einfach den Türknauf und trete unangekündigt ein. Wenn Marissa das nicht mag, dann kann sie mich mal. Und die Person, die sich hier zu Besuch rumtreibt, meinetwegen auch. Es sei denn, Letztere möchte die Sache etwas handgreiflicher austragen. Das wäre mir recht. Ein paar Knochen zu brechen könnte mich heute durchaus aufmuntern.

Meine Verärgerung wächst gewaltig, als ich den Anwalt aus der Bibliothek auf der Couch Marissa gegenübersitzen sehe – Jensen oder so. Und Marissas Outfit macht es noch schlimmer.

Sie trägt ein Spitzentop, das sich an ihre Brüste schmiegt, und einen Mini, der ihre langen schlanken Beine betont. Ihr Haar ist hochgesteckt, doch ein paar Strähnchen haben sich gelöst und hängen über ihre Schultern herab. Sie wirkt, als sei sie gerade unter einem Mann hervorgekrochen und hätte gerne noch mehr.

Wen zum Henker glaubt sie damit beeindrucken zu können?

Sie lächelt, als ich am Rand des Wohnzimmers stehen bleibe. »Cash«, sagt sie mit Nachdruck, »du erinnerst dich doch bestimmt aus der Bibliothek an Jensen, nicht wahr?«

Ich knurre zustimmend.

»Ich bin auf fallbezogene Informationen gestoßen, von denen ich dachte, dass sie für Marissa interessant sein könnten«, sagte er höflich als Erklärung.

»Kann ich mir denken«, erwidere ich höhnisch. »Und das konnte unter gar keinen Umständen bis morgen warten, richtig?«

Jensen lacht voller Unbehagen und wirft Marissa einen Blick zu. »Na ja, ich muss morgen früh zum Gericht, gehe also in aller Herrgottsfrühe schon ins Büro, und da es sich um einen großen Fall handelt, ließ sich nicht vorhersagen, wann ich sonst die Chance gehabt hätte vorbeizukommen.«

»Wirklich sehr umsichtig von dir«, sage ich sarkastisch. »Tja, nun sind die Unterlagen ja hier, und du musst bestimmt wieder los, um vor dem großen Tag noch ausreichend zu schlafen, stimmt's?«

Jensen räuspert sich und kommt auf die Füße. »Ich muss tatsächlich wieder los«, sagte er und sieht dabei auf Marissa herab. »Danke für den Kaffee. Ich hoffe, du kannst mit dem, was ich dir gebracht habe, etwas anfangen.«

Marissa steht ebenfalls auf. »Vielen, vielen Dank. Die Unterlagen helfen mir bestimmt, und es ist sehr lieb von dir, dass du dir die Mühe gemacht hast, all die Sachen rauszusuchen und mir vorbeizubringen.«

»Es war mir ein Vergnügen. Wirklich.«

Ich sehe zu, wie Marissa diesem Dünnbrettbohrer ein Lächeln schenkt. Am liebsten würde ich ihm die Fresse polieren.

»Wenn du mal irgendwann Hilfe von Kanzlei-Seite brauchst, sag Bescheid. Ich bin dir was schuldig.«

»Könnte sein, dass ich mal darauf zurückkomme«, sagt er lächelnd.

Mein Blut kocht.

Er wendet sich zum Gehen. Marissa folgt ihm zur Tür und wirft mir im Vorbeigehen einen strengen Blick zu.

Bevor Jensen noch weg ist, summt das Telefon in meiner Tasche. Ich hole es hervor und blicke aufs Display. Mein Puls beschleunigt sich, als ich die Nummer erkenne. Ich habe sie selbst vor Kurzem noch gewählt.

Dmitry.

Der Zeitpunkt könnte nicht unpassender sein. Ich kann nicht vor diesem Kerl mit ihm reden – und auch nicht vor Marissa, was das betrifft –, aber ich gehe nicht, bevor der Idiot weg ist. Und mit weg meine ich im Auto und hinter der nächsten Ampel verschwunden.

Ich schiebe mein Handy wieder in die Tasche und geleite das Arschloch zur Tür. »Ich gehe mit raus. Ich muss einen Anruf tätigen und will Marissa nicht dabei stören, sich bettfertig zu machen.«

Ich weiß, dass meine Bemerkung klingt, als wären wir uns sehr vertraut. Vielleicht hört es sich sogar ein wenig anzüglich an, aber nicht so sehr, dass Marissa Anstoß daran nehmen kann. Nein, es könnte einfach eine unbedachte, harmlose Bemerkung gewesen sein. Ist sie nicht, könnte aber. Es ist ja nicht meine Schuld, wenn Mr. Arschloch sie dahingehend interpretiert, dass Marissa und ich miteinander schlafen. Auf diese Art lässt sich jedoch verhindern, dass seine Visage in nächster Zukunft in frontalen Kontakt mit meiner Faust kommt.

»Gut«, sagt er scharf. »Marissa, ruf mich einfach an, wenn du Hilfe brauchst. Meine Sekretärin kann mich selbst im Gericht erreichen, dann rufe ich zurück.«

Nein, wie freundlich von dir, denke ich säuerlich.

»Ich möchte dich wirklich nicht stören«, sagt sie artig.

»Du könntest mich nie stören«, erwidert er aalglatt. Nachdem er sie noch ein paar Sekunden lang mit seinen Blicken ausgezogen hat, wendet er sich mir zu und sieht mich von oben herab an. Ich knirsche gedanklich mit den Zähnen, als er die Augenbrauen hochzieht. »Wenn du so weit bist, können wir.«

Keine Ahnung, ob er die Frage so gemeint hat, wie ich sie auffasse, aber es hört sich verdammt so an, als ob er den Kampf um Marissa aufnehmen will. Nicht, dass es etwas ausmacht, denn er verliert sowieso. Ich gewinne immer.

Immer!

Ich nicke zur Tür. »Nach dir.«

Jensen macht die Tür auf und geht hinaus. Ich gebe ihm Vorsprung und schaue zu Marissa zurück. Sie sagt nichts, und auch ich bleibe still. Ihre Augen blitzen nicht vor Zorn, doch es liegt etwas darin. Ich weiß nur nicht, was.

Ohne ein Wort gehe ich hinaus und ziehe die Tür hinter mir zu. Ich warte, bis das arrogante Arsch im Wagen sitzt und losfährt, dann setze ich mich ans Steuer des BMW und starte den Motor.

Ich warte gerade noch lange genug, um die Wiederwahl-Taste zu drücken, dann lege ich den Gang ein und lasse Marissas

Haus hinter mir. Dmitry reagiert nicht. Stattdessen springt die Voice-Mail an. Wieder wähle ich. Gleiches Ergebnis. Ich bleibe an einem Stoppschild stehen und überprüfe mein Handy. Natürlich hat er eine Nachricht hinterlassen.

»Nikolai«, sagt er mit seinem starken Akzent, »du kannst mich nicht mehr unter dieser Nummer erreichen. Sie ist nicht länger sicher. Ich melde mich bald bei dir. Warte auf meinen Anruf.«

Ein Klicken signalisiert, dass die Nachricht beendet ist. Ich drück auf »Erneut abspielen« und höre sie mir ein zweites Mal an. *Sie ist nicht länger sicher.* Etwas ist geschehen, aber was? Und warum? Warum jetzt? Hat es etwas mit seiner Verbindung zu mir zu tun? Hat jemand herausgefunden, dass er mir, dem Sohn eines Verräters, Unterschlupf gewährt hat?

Ein neuer Schwall Zorn steigt in mir auf. Hilfloser Zorn. Ich will Blut. Ihr Blut. Mein Durst nach Rache verlangt, gestillt zu werden, aber sobald ich meinem Ziel einen Schritt näher komme, taucht jemand auf und stellt sich mir in den Weg, sodass mir wieder die Hände gebunden sind.

Mein Frust ist auf dem Gipfel angelangt, ich muss Dampf ablassen, die Anspannung lösen. Ein Gesicht kommt mir in den Sinn. Ich bin zu wütend, um darüber nachzudenken, warum das so ist, oder die Weisheit meiner Entscheidung zu hinterfragen, ich tu's einfach.

Ich reiße das Steuer herum und mache eine Kehrtwendung. Mit quietschenden Reifen rase ich zurück zu Marissas Wohnung. Zurück zu ihr.

Die Bremsen kreischen auf, als ich am Straßenrand schlitternd zum Stehen komme. Ich steige aus und werfe die Tür zu. Wieder gebe ich mir keine Mühe, an der Haustür zu klopfen, sondern drehe einfach den Türknauf und gehe hinein. Einerseits bin ich froh, dass die Tür nicht verriegelt war, andererseits schürt es meine Wut. Wie kann sie nur so unglaublich dumm und leichtsinnig sein?

Ich stapfe durch den Flur auf Marissas Schlafzimmer zu. Die Tür zum Bad steht ein Stück offen, und ich sehe sie im Spiegel. Sie steht vor dem Waschbecken und hält in der einen Hand die Zahnpasta, in der anderen die Zahnbürste.

Sie hat sich bereits umgezogen und trägt jetzt ein kurzes, knappes Nachthemdchen. Es wirkt nicht billig oder besonders verführerisch, aber dennoch unfassbar sexy.

Eigentlich sieht es aus wie ein Hemdchen, das ein Mädchen seiner Puppe anziehen würde: schlicht, oberschenkellang und gerade geschnitten, und natürlich rosa. Die dünnen Träger sind aus glänzendem Band. Worin es sich allerdings von Puppenkleidung unterscheidet, ist das Material. Es ist fast durchsichtig. Ich sehe die Schatten ihrer Brustwarzen, ihren Nabel, die Umrisse ihres Höschens. Es wirkt unschuldig und provokant, und ich möchte es ihr sofort herunterreißen.

Ich stoße die Tür auf, und sie knallt gegen den Stopper an der Innenwand. Ihre Hände verharren mitten in der Luft. Ihr Blick begegnet meinem im Spiegel. Mit großen Augen sieht sie mich hereinkommen, doch sie sagt kein Wort.

Ohne sie aus den Augen zu lassen, trete ich hinter sie und packe ihre Brüste. Ich drücke sie, fester, als beabsichtigt, und sie zuckt zusammen, aber das ist mir egal. Ich will grob sein. Und ich will, dass sie es hinnimmt.

Wie als Reaktion spüre ich ihre Nippel an meinen Handflächen hart werden. Vielleicht war ich doch nicht so grob. Oder vielleicht mag sie es ja grob.

Meine Erektion spannt bereits meine Jeans. Mit einer Hand

rupfe ich ihr Bürste und Zahnpasta aus den Händen und werfe sie ins Waschbecken.

Dann lege ich meine Hände an ihre Hüften und schiebe ihr das Nachthemd hoch. Als sie keine Anstalten macht, sich dagegen zu wehren, ziehe ich es ihr über den Kopf und werfe es hinter mich auf den Boden.

Ihre Nippel haben sich zusammengezogen und schreien nach Berührung. Sie atmet schneller: Ihre Brust hebt und senkt sich deutlich. Ihre Unterlippe bebt vor Erwartung. Ja, sie mag es auf diese Art, ob sie es nun zugibt oder nicht.

Ich lege beide Hände auf ihre Brüste und ziehe sie an mich. Sie lässt ihren Kopf zurücksinken, beobachtet mich aber durch ihre Wimpern. »Du bist so verf-... verdammt sexy«, presse ich hervor.

Ich rolle ihre Nippel zwischen Zeigefinger und Daumen und kneife sie. Ihre Lippen öffnen sich, und ihr entwischt ein Keuchen. Ich presse meinen Unterkörper gegen sie, reibe meinen Ständer an ihr, und sie drückt den Rücken durch und schiebt mir ihren festen runden Hintern entgegen. Ich presse die Zähne so fest zusammen, dass ich Nägel abbeißen könnte.

Ich lege ihr meine Hände an die Hüften und halte sie fest, während ich mich weiter an ihr reibe. Dann beuge ich mich vor und beiße sie leicht in den duftenden Nacken. Ihre Lider gehen flatternd zu.

Ich greife um sie herum und schiebe eine Hand unter den Bund ihres Slips und über ihre Scham. Ihre Lippen öffnen sich noch ein Stück, und sie stellt sich etwas breiter hin, sodass ich sie besser berühren kann.

Ja, sie mag es. Sie will es. Aber ich will Verzweiflung in ihren Augen sehen.

Sie beginnt sich unter meiner Hand zu bewegen. Ich weiß

genau, was sie braucht, wohin ich meine Finger tun soll, aber ich will, dass sie noch ein wenig länger darauf wartet.

Ohne ihre Schamlippen zu teilen, streichele ich, necke ich sie. Ich spüre die Nässe an meiner Handfläche, und mein Schwanz pocht, weil ich so dringend in ihr sein will.

Doch noch dringender will ich sie im Augenblick sehen. Ich lege meine freie Hand auf ihre Hüfte. Mit einem Ruck reiße ich ihr das Höschen vom Leib. Sie schnappt vor Überraschung nach Luft, schlägt die Augen aber nicht auf. Das gefällt mir nicht. Ich will, dass sie die Augen öffnet. Ich will ihre Reaktion sehen. Ich will, dass sie sieht, wie wütend ich bin und ich mir nehme, was ich haben will, ohne um Erlaubnis zu fragen. Und sie wird es mir geben.

Und ich will sehen, dass sie mich genau so akzeptiert.

Ich klapse ihr auf den Hintern. »Sieh hin«, knurre ich. Ihre Lider fliegen auf, und sie schaut mir im Spiegel in die Augen. Ihre sind dunkel vor Leidenschaft. Vor Hingabe. Und Erregung. »Braves Mädchen«, sage ich und belohne sie, indem ich einen Finger zwischen ihre geschwollenen Schamlippen schiebe. Sie ist nass und glitschig. Ich lasse meinen Zeigefinger über den harten Knubbel gleiten, und sie schließt wieder die Augen. Ich kneife leicht, und sie stöhnt. »Hinsehen!«, befehle ich ihr wieder.

Gehorsam tut sie es, doch ihre Augen haben Mühe, sich auf das Spiegelbild zu konzentrieren. Sie steht unter meinem Bann. Ich streichle mit der anderen Hand ihre Brust und bringe meinen Mund an ihr Ohr. »Du willst wissen, was in meinem Kopf steckt? Das hier! Wut!« Grob schiebe ich zwei Finger in ihre glühende Hitze, ziehe sie ein Stück heraus und ramme sie wieder hinein. Ihre Knie wollen nachgeben, aber ich presse sie an mich, halte sie fest und vögele sie mit den Fingern.

»Aber das magst du, nicht wahr? Du magst mich so. Du willst, dass ich mir nehme, was ich haben will. Mit mir willst du frei sein, richtig?«

Schneller und tiefer stoße ich die Finger in sie. Schneller und flacher atmet sie. Als ich spüre, dass ihre Muskeln sich um meine Finger zusammenziehen, fahre ich mit dem Daumen über ihre Klitoris und beschreibe Kreise, erst träge, dann schneller und schneller. Ihr Körper verspannt sich, aber ich mache weiter, bis sie atemlos am Rand ihres Orgasmus ankommt.

Und dann höre ich auf.

Ich lasse ihre Brust los und mache meine Jeans auf, dann drücke ich ihren Rücken herunter. Sie stemmt sich gegen die Granitfläche des Waschbeckens, als ich ein Knie zwischen ihre Beine schiebe und sie auseinanderdrücke.

»Ich will, dass du mich anflehst«, zische ich durch zusammengepresste Zähne. »Bitte mich darum, dass ich meinen Schwanz in dich stecke und in dir komme. Bitte mich drum, oder ich haue sofort ab.«

Ich halte jetzt nichts mehr zurück. Das, was ich zeige, ist mein wahres Ich. Das ist alles, was ich zu geben habe. Wut. Zorn. Und glühende Hitze.

»Bitte«, haucht sie. »Ich will dich in mir. Bitte.«

»Sag mir, dass ich dir den Schwanz reinstecken soll.«

»Bitte, steck den Schwanz in mich.«

Ich halte sie mit beiden Händen an der Hüfte fest und ramme mich tief in sie. Sie ist so nass, dass ich nach drei Stößen explodiere. Ein lautes, wütendes Brüllen ertönt. Ich bin es, der brüllt, während ich immer weiter in sie stoße.

Dann ergieße ich mich in sie. Ihre Muskeln ziehen sich immer stärker um mich zusammen, und sie stöhnt mit jedem Atemzug, als die Wogen ihres Orgasmus über ihr zusammenschlagen. »Das magst du, ja? Du magst es, wenn ich in dir komme, nicht wahr?«

Ich ziehe sie an mich, treibe mich noch einmal in sie. Ich senke den Blick auf meine Daumen, die sich in ihren runden Hintern bohren. Mir läuft das Wasser im Mund zusammen. Ich möchte meine Zähne in das pralle Fleisch versenken. Ich will rote Male darauf hinterlassen und sie mit Lippen und Zunge lindern.

Der Wunsch, mich in ihr – in ihrem Körper, ihrem Geschmack, ihrem Geruch – zu verlieren, war nie stärker als jetzt. Impulsiv ziehe ich mich aus ihr heraus, lasse mich auf die Knie fallen und gebe dem Drang nach, in ihre Hinterbacke zu beißen. Sie stößt einen kleinen Schmerzensschrei aus, also lecke ich über die Stelle und liebkose mit einer Hand die andere Backe.

Ich packe ihre Hüften und drehe sie zu mir um, ohne mich aufzurichten. Ich fahre ihr mit den Händen die Innenseiten der Oberschenkel hinauf und drücke ihre Beine auseinander. Dann fahre ich mit der Zunge zwischen ihre Schamlippen und beginne, an ihrer Klitoris zu saugen, während ich einen Finger in ihre nasse Öffnung tauche. Der Zugang ist glitschig von unseren vereinten Säften und zuckt noch immer leicht in den Nachwehen des Höhepunkts. Ich richte mich auf und stecke ihr den Finger zwischen die Lippen.

»So schmecken wir zusammen. Probier es.«

Gehorsam nimmt sie den Finger in den Mund und nuckelt daran, ohne ihren Blick von mir zu nehmen.

Als mein Finger sauber ist, greife ich hinter sie, nehme Zahnpasta und Bürste und drücke sie ihr in die Hand. Sie schließt automatisch ihre Finger darum.

Ohne ein weiteres Wort ziehe ich den Reißverschluss meiner Jeans zu, drehe mich um und verschwinde, wie ich gekommen bin.

Meine Augen brennen, und der Highway vor mir verschwimmt einen Moment, bevor ich wieder klar sehen kann. Ich werfe einen Blick auf die Uhr im Armaturenbrett. Es ist fast zwei. Ich weiß nicht genau, wie spät es war, als ich das Haus verlassen habe, aber ich muss Stunden gefahren sein. Mir wurde klar, dass ich umkehren sollte, als ich die Grenze nach Tennessee überquerte.

Nachdem ich sie im Bad hatte stehen lassen, stieg ich in den Wagen. Sobald ich den Motor gestartet hatte, wäre ich am liebsten sofort wieder ausgestiegen und zu ihr zurückgekehrt, und exakt aus diesem Grund tat ich es nicht. Ich will nicht wollen. Wollen ist ein schlechtes Zeichen.

Ich hatte bereits Schuldgefühle, weil ich in meinem Zorn so über sie hergefallen bin, und das verursachte mir einen schalen Geschmack im Mund. Das schlechte Gewissen und ich verstehen uns nicht sehr gut, am wenigsten, wenn Frauen ins Spiel kommen. Exakt deswegen meide ich emotionale Verquickungen mit dem anderen Geschlecht. In den vergangenen Jahren war ich nie lange genug an einem Ort, als dass es überhaupt dazu hätte kommen können, aber ich weiß noch zu gut aus meinem Leben vor dem Exil, wie es sich anfühlt, wenn man zu sehr an einem Mädchen hängt. *Danke, nein, das brauche ich nicht.*

Es ärgert mich, dass ich es kaum erwarten kann, wieder die Wohnung zu betreten. Ich rede mir selbst ein, dass ich einfach nur müde bin. Aber es ist eben nicht das Bett, das ich vor meinem inneren Auge sehe. Oder sagen wir: nicht das leere Bett.

Ich habe ihr kurz nach elf eine SMS geschickt, um mich zu vergewissern, dass es ihr gut geht. Ich denke zwar nicht, dass sie in Gefahr ist, aber es wäre pure Dummheit, nicht wenigstens eine gewisse Vorsicht walten zu lassen. Also stellte ich ihr die gleiche simple Frage wie zuvor:

Bist du okay?

Und sie antwortete ebenfalls genauso wie zuvor:

Ja.

Aber das ist jetzt schon eine ganze Weile her. Wahrscheinlich schläft sie schon, wenn ich zurückkomme, und das wäre nicht schlecht. Dadurch würde die ganze Situation ... vereinfacht.

Ich bin erleichtert, als ich in die mir schon vertraute Straße einbiege, und noch erleichterter, als ich sehe, dass alle Fenster dunkel sind. Leise gehe ich zur Tür und benutze den Schlüssel, der, wie Cash mir gesagt hat, zu ihrer Wohnung gehört; die beiden hatten wohl noch keine Zeit, diesen ganzen Mein-und-dein-Müll auszusortieren. Leise schleiche ich hinein und bis zu ihrer Schlafzimmertür. Sie steht offen, und ich sehe ihre Gestalt unter der Decke. Sie wird beleuchtet durch einen Mondstrahl, der durch die Vorhänge dringt.

Mir ist klar, dass es rücksichtsvoller wäre, wenn ich auf der Couch penne. Aber ich bin kein rücksichtsvoller Mensch, und sie geht bestimmt davon aus, dass ich ins Bett komme. Zu ihr. Zumindest sollte sie bei mir davon ausgehen.

Lautlos streife ich die Stiefel ab und ziehe meine Sachen aus, dann setze ich mich behutsam aufs Bett und schlüpfe unter die Decke. Ganz klein zusammengerollt liegt sie mir zugewandt, und ich beobachte sie einen Moment lang, doch sie regt sich nicht und öffnet auch nicht die Augen. Also mache ich meine zu und entspanne mich.

Ein paar Minuten später, kurz bevor ich in den Schlaf abdrifte, erklingt ihre Stimme. Sie ist leise, aber ich fahre dennoch zusammen. Und als ihre weichen Finger mich berühren, schaudere ich.

»Was bedeutet das?«, fragt sie und zeichnet ein Stück der Tätowierung auf meinem Arm nach.

»Du hast mich zu Tode erschreckt. Ich dachte, du bist im Tiefschlaf.«

»Ich konnte nicht schlafen. Du warst noch nicht da.«

Ich habe keine Ahnung, ob sie damit sagen will, dass sie sich allein gefürchtet oder sich um mich Sorgen gemacht hat. Es gefällt mir, dass sie sich um mich sorgt, aber gleichzeitig regt es mich auf, weil es mir gefällt.

»Tja, nun bin ich ja da, also schlaf.«

»Kann ich noch nicht. Ich bin noch zu aufgedreht. Erzähl mir, was es mit der Tätowierung auf sich hat.«

»Darüber rede ich nicht. Nie.«

»Vielleicht heute Nacht doch? Bitte.«

Etwas in ihrer Stimme, in dem Glimmen ihrer Augen pikst mich und durchdringt mein dickes Narbengewebe.

Ich seufze und schließe wieder die Augen, und meine Gedanken driften ab in die Vergangenheit, zu Orten und Leuten, die ich lieber vergessen hätte. Doch das kann ich nicht. Das wird niemals funktionieren.

»Als ich auf dem Boot anfing, hatte ich zuerst keine Ahnung, was für ein Geschäft diese Kerle betrieben. Ich dachte, es handelte sich bloß um ein Frachtschiff und wir würden Waren von A nach B transportieren und zurückkehren, um mehr aufzuladen. Das Schiff war nicht groß genug, um besonders viele Container aufzunehmen, und die, die ich von innen sah, waren mit Reifen vollgepackt. Ich hatte keinen Grund zu glauben, dass da etwas nicht stimmte.« Ich breche ab, als ich wieder an den Tag denken muss, an dem ich begriff, dass wir mit etwas anderem als Reifen handelten. »Bis wir die erste Fahrt im Indischen Ozean und der Arabischen See unternahmen.«

Marissa rutscht näher an mich heran und legt ihren Kopf auf meine Schulter. Ihre Finger kreisen immer noch über das sich windende Muster auf meinem Bizeps.

»Das erste Mal war ich eher Beobachter als alles andere. Ich blieb auf dem Schiff, während die anderen Kisten, die zwischen den Reifen versteckt gewesen waren, auf ein kleineres Boot umluden und sie an Land brachten. Es war heller Tag, daher konnten wir alles sehen, was am Strand geschah. Mir kam es merkwürdig vor, dass die Kisten zu einer fast menschenleeren Insel gebracht wurden. Als ich Schüsse hörte und zwei von unserem Schiff fallen sah, wusste ich, warum. Ich kapierte, dass hier etwas Illegales im Gang war.

Am Abend kam Dmitry, der Mann, mit dem mein Vater mich in Kontakt gebracht hatte, zu mir und sagte, dass er mich nur weiterhin schützen könne, wenn ich meinen Mund hielt, und dass es keinen Ort auf der Welt gäbe, wo ich sicher wäre, wenn ich es nicht täte. Er sprach sehr nüchtern mit mir, und mir war klar, dass er es verdammt ernst meinte. Ich stellte keine Fragen, bemühte mich aber, mich möglichst unauffällig zu benehmen. Ungefähr zwei Monate später belauschte ich einen Streit zwischen Dmitry und Alexandroff, dem Captain, von dem ich dir erzählt habe.

Wie ich schon sagte, hatte Yusuf mir etwas Russisch beigebracht, daher konnte ich mir zusammenreimen, worum es ging, vor allem, als ich immer wieder Nikolai heraushörte. Den Namen hatte Dmitry mir verpasst, und ich war der Einzige auf dem Schiff, der so hieß.

Später fragte ich Dmitry danach. Er erzählte mir, dass Alexandroff misstrauisch geworden war und ich beim nächsten Deal mitmachen müsse, sonst würde er mich vom Schiff schaffen. Was im Grunde genommen nichts anderes hieß, als dass er mir einen Kopfschuss verpassen und mich ins Meer werfen würde.«

Marissa schnappt leise nach Luft. Ich habe die Augen noch immer geschlossen, stelle mir aber den entsetzten Ausdruck auf ihrem hübschen Gesicht vor. Ich will ihn nicht sehen, weil ich weiß, dass er sich verändern wird, wenn ich ihr die ganze Geschichte erzähle. Aber vielleicht ist es nur gut so. Vielleicht kapiert sie dann, dass man sich besser nicht mit mir einlässt, und wirft mich raus.

Ich weiß nicht, ob ich mich von ihr fernhalten würde oder es überhaupt könnte, falls sie es von mir verlangt. Doch sie könnte es versuchen.

»Und dann?«, fragt sie leise.

»Ich hatte keine Wahl als einzuwilligen, also arrangierte Dmitry alles so, dass ich ihn bei der nächsten Auslieferung begleitete. Er versprach, dass er mich möglichst aus allem raushalten und nichts von mir fordern würde. Ich sollte mich bloß blicken lassen, damit jeder sehen konnte, dass ich kein Feigling oder Verräter war.

Wir zogen mit einer Crew los, die laut Dmitry etwas moderater war. Er drückte mir eine Waffe in die Hand und zeigte mir, wie man sie benutzte, und dann ging ich mit ihm an Land, um Terroristen Waffen zu verkaufen.«

Marissa sagt eine ganze Weile nichts. Vielleicht überlegt sie ja schon, wie sie mich am schnellsten wieder loswird – selbst wenn sie sich im Augenblick noch immer eng an mich kuschelt.

Doch ihre nächste Frage überrascht mich. Sie scheint ziemlich intuitiv zu sein.

»Musstest du die Waffe benutzen?«

Ich weiß, dass meine Antwort wahrscheinlich die Entscheidung, die sie bereits getroffen hat, untermauern wird, aber sie muss sie trotzdem wissen. Sie muss wissen, dass ich extrem schädlich für sie bin. Das ist für uns beide gesünder.

»Ja.«

»Ist ... die Tätowierung dafür da? Für Leute, die du ... für jedes Mal, die du die Waffe benutzen musstest?«

»Nein«, erwidere ich. »Für jeden Deal, den ich durchgestanden habe. Manchmal war die Pistole nicht nötig.« Ich zögere, bevor ich weiterspreche. »Sehr oft war sie es aber.«

Marissa regt sich neben mir. Ihre Wärme verschwindet. Ihre Reaktion, ihre Entscheidung trifft mich mehr, als ich es erwartet hätte, mehr, als es mich treffen dürfte. Dennoch: Besser jetzt als später. Ich kann es mir nicht leisten, mich an jemanden zu binden. Und sie sollte das auch nicht.

Ich lasse die Augen geschlossen. Ich bin bereit, den kalten, gleichgültigen Schweiger zu geben, was mir nicht schwerfallen wird, weil ich die Rolle nahezu verinnerlicht habe. Wenn sie jetzt geht, wird sie nicht merken, dass es mich auch nur einen feuchten Dreck kümmert. Ich werde mir nichts anmerken lassen.

Aber sie überrascht mich wieder. Plötzlich kitzelt ihr Haar mich auf der Brust, und ich fühle ihre Lippen auf meiner Wange, als sie sie küsst.

»Es tut mir leid, dass du ein solches Leben führen musstest.

Du warst noch so jung.« Ihre Stimme ist belegt. »Das war unfair.«

Ihre Hand streicht über meine Brust, während sie mein Gesicht und meinen Hals mit warmen Küssen überzieht. Hier und da fallen Tropfen, aber ich kapiere erst, dass es sich um Tränen handelt, als einer auf meine Lippe fällt und ich das Salz schmecke.

Liebkosend wandert sie meinen Körper hinab, über meinen Oberschenkel und wieder aufwärts, indem sie mit der Zunge auf der Innenseite entlangfährt.

Mir begegnet nicht oft Güte. Oder jemand, der mir Mitgefühl entgegenbringt. Doch Marissa tut es. Ich habe ihr gerade eben gesagt, dass ich ein Verbrecher und Mörder bin, und statt schreiend davonzurennen, weint sie um mich.

In meiner Brust beginnt es zu brennen. Ich habe keine Zeit, darüber nachzudenken und es zu leugnen oder mir eine Gegenmaßnahme einfallen zu lassen. Dafür sorgt Marissa schon, als sie ihren Mund um meine geschwollene Eichel schließt und mein Verstand seine Arbeit vorübergehend einstellt. Mit Lippen und Zunge löscht sie jeden Gedanken in meinem Kopf, und ich lasse sie nur allzu gerne walten.

20
Marissa

Ich könnte Nash stundenlang im Schlaf beobachten. In diesem Zustand ist sein sonst so grimmiger Mund entspannt, und da die Augen geschlossen sind und man das immer präsente Glühen des Zorns nicht sieht, wirkt er einfach nur unglaublich attraktiv. Nicht kompliziert.

Da er Cashs eineiiger Zwilling ist, sind seine Züge mir nicht unbekannt. Aber in gewisser Hinsicht sieht er doch fremd aus. In Kleinigkeiten, die mir sofort auffallen, grenzt er sich von seinem Bruder ab: zum Beispiel die kleine Narbe, die den Bogen der einen Augenbraue unterbricht, das durch Sonne und Meer aufgehellte gebleichte Haar, der Bronzeton seiner Haut. In meinen Augen sieht er zehnmal besser aus als Cash. Robuster. Und ganz gewiss ist er gefährlicher.

Plötzlich wird mir klar, was ich da mache.

Hör auf, ihn anzuglotzen!

Ich bringe mich dazu, von ihm abzurücken, und steige aus dem Bett. Ich bewege mich so leise, wie ich kann. Weil Nash so dominant und viril wirkt, vergisst man leicht, dass er erst vor Kurzem verwundet worden ist. Bestimmt braucht er Ruhe.

Und ich brauche dringend eine Dusche. Während ich mich

von Kopf bis Fuß einschäume, wandern meine Gedanken zurück zu dem, was Nash mir in der vergangenen Nacht erzählt hat. Mir tut es in der Seele weh, wenn ich überlege, was er durchgemacht hat, was er erleben und tun musste, weil ein anderer falsche Entscheidungen getroffen hat. Kein Wunder, dass er wütend und verbittert ist. Dazu kommt der Verlust seiner Mutter, ja im Grunde seiner ganzen Familie. Ich finde, dass es von extremer Charakterstärke zeugt, so zu überleben, wie es ihm gelungen ist.

Trotzdem wird es bestimmte Züge geben, die Schaden davongetragen haben, falls sie nicht gänzlich abgetötet worden sind.

Ich schüttele die niederdrückenden Gedanken ab. Ich möchte die leider gar nicht abwegige Möglichkeit, dass er nie mehr für mich empfinden wird als jetzt, dass er niemals zu einer echten Beziehung fähig sein könnte, lieber nicht ernsthaft in Betracht ziehen.

Allerdings wusste ich das von vornherein. Er selbst hat mir gesagt, dass er mir am Ende wehtun würde. Aber anscheinend war ich dumm oder arrogant genug, um zu glauben, er würde sich für mich ändern.

Während das Wasser an mir herabströmt, komme ich zu dem niederschmetternden Schluss, dass wohl nur jemand, der sehr viel netter ist als ich, Nash beibringen kann, wieder zu fühlen – jemand wie Olivia vermutlich, jemand mit weniger Altlasten, jemand, der nicht so fertig ist wie er. Vielleicht würden seine und meine Bruchstücke sich zu einer ganzen Person zusammenfügen lassen, aber eigentlich bezweifle ich es.

Meine düstere Stimmung verschlechtert sich sogar noch, als ich aus dem Bad komme und nicht nur das Bett, sondern die ganze Wohnung leer vorfinde. Nash hat keine Nachricht, keinen Hinweis hinterlassen, wohin er gegangen ist oder wann er zurückkommen könnte. Nichts. Nur ein Nachhall meiner Gedanken von eben, der mir sagt, dass Nash deswegen keine Rücksicht nimmt, weil es ihn einfach nicht kümmert. Und dass er sich nie ändern wird.

Ich spüre einen Stich irgendwo in Herznähe. Ausnahmsweise haben meine Gefühle für einen bestimmten Mann nichts mit meinem Ego zu tun. Dabei wünschte ich, dass es so wäre. Mit verletztem Stolz lässt es sich leichter umgehen als mit wachsender Hoffnungslosigkeit.

Auf dem Weg zurück ins Schlafzimmer höre ich das »Pling« einer eingehenden Nachricht. Ich kehre um zu dem Tischchen neben der Haustür, auf dem ich meine Tasche abgestellt habe. Ich hatte mein Handy dort zum Aufladen gelassen und vergessen, es zu holen. Nash hatte mich abgelenkt.

Kann man wohl sagen.

Ein warmes Prickeln breitet sich in meinem Bauch aus, als ich daran denke, wie er gestern Nacht hinter mir im Spiegel stand. Ja, es hätte mir vermutlich nicht gefallen dürfen, dass er so wütend und grob gewesen ist, und ja, ich hätte mich dagegen wehren müssen, als Frau – oder als menschliches Wesen im Allgemeinen – derart behandelt zu werden. Aber ich bereue nicht, dass ich es zugelassen habe, denn eigentlich sind wir nie ehrlicher miteinander umgegangen. Gestern hat er weder etwas zurückgehalten noch vorgegeben, ein anderer zu sein. Er war einfach nur Nash. Ein grober, zorniger, sexueller Nash, der sich genommen hat, was er wollte und brauchte.

Ich weiß, ich sollte nicht zu viel hineininterpretieren, dass er sich ausgerechnet bei mir holte, was er brauchte, doch ich kann einfach nicht anders. Genauso so schnell, wie ich jegliche Hoffnung verloren habe, sehe ich nun doch wieder einen Lichtblick.

Aber mir ist klar, dass sich das in ein paar Minuten oder ein paar Stunden durchaus ändern kann. Seit ich Nash kenne, scheine ich ständig zwischen zwei Extremen hin- und herzuspringen.

Als ich nach meinem Handy greife, schimpfe ich mit mir, weil ich mir Hoffnung mache und Dinge sehe, die gar nicht da sind. Klar, dass ich früher oder später wieder entsetzlich enttäuscht sein werde. Doch was ich sehe, lässt mich nur noch zuversichtlicher werden.

Bin bei Cash. Sag, wenn du mich brauchst. Kann in zwei Minuten zu Hause sein.

Ich tippe meine Antwort ein und versuche, dabei nicht allzu breit zu grinsen.

Okay.

Zu Hause?

Mein Optimismus bekommt einen gewaltigen Schub. Einen Augenblick lang kann ich an nichts anderes denken außer an die Tatsache, dass er an mich gedacht und mir gegenüber Gefühle gezeigt hat. Und dass er meine Wohnung als »zu Hause« bezeichnet hat.

Doch gleichzeitig warnt mich irgendwo am Rand meines Bewusstseins meine Vernunft. Sie sagt, dass ich Nash verfalle, und zwar mit Haut und Haaren. Unglücklicherweise bin ich klug genug, um mir bewusst zu machen, dass das tatsächlich mein Untergang sein könnte.

Weil ich mich davon nicht mehr erholen werde.

Die Nummer und der dazugehörige Name auf dem Display entlocken mir ein Seufzen. Deliane Pruitt. Meine Sekretärin. Und die vierte Person in zwei Stunden, die mich aus der Kanzlei anruft.

Was ist denn nur los heute Morgen? Brodelt es so wild in der Gerüchteküche?

»Guten Morgen, Del. Alles in Ordnung?«, frage ich heiter.

»Guten Morgen. Störe ich?«

»Überhaupt nicht.«

»Okay, gut. Hören Sie, inzwischen wissen alle, dass Sie wieder da sind, und ständig ruft einer an, um mit Ihnen Termine zum Essen, für Wohltätigkeitsveranstaltungen oder für Besprechungen zu machen. Kommen Sie heute noch rein?«

Ihre Frage ärgert mich. Wieso glauben eigentlich alle, dass ich automatisch wieder zur Arbeit komme, nur weil ich wieder im Land bin? Natürlich ist mir klar, dass sie es nicht anders kennt. Für solche Termine bin ich bisher immer verfügbar gewesen. Mittagessen und Wohltätigkeitsveranstaltungen bedeuten bei uns in der Regel eher belangloses Geplauder als Arbeit, und eine »Besprechung« ist nur eine andere Bezeichnung für einen Nachmittag mit Drinks in einem schicken Laden.

Mir kommt ein Gedanke, der mir einen Moment lang den Atem verschlägt.

»Marissa?« Dels Stimme reißt mich zurück ins Hier und Jetzt.

»Was? Oh, tut mir leid. Ähm ... nein. Machen Sie mir noch keine Termine. Ich kann noch nicht genau sagen, wann ich ins

Büro zurückkomme. Oder überhaupt zur Arbeit, was das betrifft. Ich muss mich erst noch um ein paar andere Dinge kümmern.« Ich mache eine kurze Pause, bevor ich Del eine Frage stelle, die mit dem zu tun hat, was mir soeben eingefallen ist. Eine Frage, bei der ich mir nicht hundertprozentig sicher bin, ob ich die Antwort hören will. »Ähm, Del ... hat eigentlich jemand wegen der Peachburg-Konten angerufen? Das müsste nachbearbeitet werden.«

Die Peachburg-Konten sind diejenigen, derentwegen mein Vater und ich auf die Cayman Islands geflogen sind. Zu dem Zeitpunkt dachte ich mir nichts dabei, dass er außer mir ein »Team« mitnahm, das bei diesen Konten helfen sollte, aber nun sehe ich das anders. Und es ergibt mehr Sinn, als mir lieb ist.

»Nein, Ma'am. Ich denke, Garrett Dickinson hat sich der Sache schon angenommen.«

Mein Verdacht hat sich bestätigt. Ich bin bitter enttäuscht, denn dieser Schlag ist vernichtend.

»Okay, danke. Ich gebe Bescheid, zu welchem Datum ich wieder zur Verfügung stehe, okay?«

»Ja, Ma'am.« Ich will gerade auflegen, als Del mich davon abhält. »Marissa?«

»Ja?«

»Ist alles in Ordnung? Ich meine, wenn Sie reden möchten, können Sie das gerne tun, wissen Sie?«

Ich weiß, dass sie es ernst meint. Und es tut mir fast weh. Nicht, dass ich mich Deliane gegenüber jemals gemein benommen habe, doch ich habe sie auch immer nur als Untergebene behandelt. Als jemanden, der unter mir steht. Für mich ist sie stets nur die Schnittstelle zwischen mir und all den Leuten, mit denen wir zu tun haben, gewesen. Wahrscheinlich hätte sie ebenso gut ein Computerprogramm sein können.

In diesem Moment aber wird mir überdeutlich, dass sie ein Lebewesen mit Gefühlen und darüber hinaus ein weit besserer Mensch ist als ich. Sie bietet jemandem, der ihr nie mehr als grundlegende Höflichkeit entgegengebracht hat, ein offenes Ohr an. Sie möchte jemandem zur Hilfe eilen, der ihre Beachtung gar nicht verdient hat.

»Danke, Del. Vielleicht komme ich darauf zurück.« Aber noch während ich den Satz sage, weiß ich schon, dass ich es nicht tun werde. Es wäre unfair, sie mit meinen Sorgen zu belasten.

»Meine Handynummer haben Sie ja. Rufen Sie an, wann immer nötig.«

»Vielen Dank, Del, das ist wirklich nett. Ich melde mich.«

Als die Verbindung getrennt ist, lasse ich mein Handy einfach auf den dicken Teppich zu meinen Füßen fallen. Ich denke zurück an mein Jurastudium und an den Tag, an dem ich die Anwaltsprüfung bestand. Ich denke an all die Konten, Geschäftsbücher, Fälle, zu denen mein Vater mich hinzugezogen hat, um mich, wie er sagte, auf die Übernahme vorzubereiten. Jeder dieser Fälle wurde aus dem einen oder anderen Grund stets von jemand anderem übernommen, während mein Vater mich auf etwas anderes ansetzte. Jedes Meeting, zu dem er mich geschickt hat, war mehr lockeres Beisammensein als eines, bei dem tatsächlich über Geschäfte gesprochen wurde und reelle Zahlen auf den Tisch kamen. Worauf mein Vater mich vorzubereiten versucht hat, ist die Rolle der Frau einer wichtigen Person. Er brachte mir bei, wie ich mich zwischen wohlhabenden, einflussreichen und mächtigen Leuten zu bewegen habe, wie man Millionen für gute Zwecke locker macht, die uns im Licht der Öffentlichkeit als Wohltäter dastehen lassen, und wie man mit eben diesen Leuten Feste gibt, die in Erinnerung bleiben. Doch kein einziges Mal hat er mich mit Aufgaben betraut, die wirklich wichtig waren und das Wissen erforderten, wofür ich jahrelang studiert habe.

Kein einziges Mal.

Die ganze Zeit über hat er mich zu der Frau eines Politikers erzogen, um im Notfall auf Macht und Einfluss zurückgreifen zu können. Ich bin ein Bauernopfer, sein Unterpfand. Und die Erkenntnis ist niederschmetternd.

Und plötzlich prasseln ganz unterschiedliche Erinnerungen auf mich nieder: Mein Vater bittet mich als Kind, für einen asiatischen Diplomaten zu singen; er verbietet mir, mit Jungs auszugehen, die nicht zufällig Söhne seiner einflussreichen Freunde sind; er bringt mich auf der Rechtsschule unter, bevor noch gesichert ist, dass ich meinen Schulabschluss bekomme; er stellt mich allen wichtigen Personen auf dieser Schule vor; er bittet mich, ein fast durchsichtiges Kleid zu tragen und Unterwäsche zu »vergessen«, als ich ihn zum Dinner auf die Jacht eines Öl-Tycoons begleite. Damals war ich siebzehn. Ich weigerte mich nicht. Ich war immer so froh, wenn Daddy mir überhaupt Aufmerksamkeit schenkte, dass ich nicht hinterfragte, worum er mich bat. Mein ganzes Leben lang habe ich alles getan, um Daddys Anerkennung zu bekommen, vielleicht sogar ein Lächeln oder ein freundliches Tätscheln meiner Wange. Solange ich mich erinnern kann, habe ich um Daddys Liebe und den kleinsten Beweis seiner Zuneigung gebettelt. Mir war nicht klar, zu was für einem Monstrum ich mich entwickelte. Genau wie meinen Vater hat mich nie etwas anderes interessiert als mich selbst, und ich habe jeden Menschen, der mir begegnete, nur als Mittel zum Zweck gesehen. Um mein Ziel zu erreichen. Um Daddys Ziel zu erreichen.

Ich bin das ultimative Gastgeschenk, seit ich alt genug war, um etwas »darzustellen«. Ich bin eine Hure. Ich habe mich nicht immer für Geld verkauft und es ging nicht um Sex, aber eine Hure bin ich trotzdem.

Als hätte ich mich bisher ausschließlich in einem angenehmen Nebel bewegt, sehe ich die Realität plötzlich schockierend klar. Und ich bin innerlich wie erstarrt.

Seit der Entführung habe ich mich in meiner mir eigentlich vertrauten Welt wie eine Fremde gefühlt. Jetzt weiß ich warum. Sie war eine Lüge, diese Welt. Nichts war echt. Eine gigantische Lüge.

Plötzlich kommt es mir vor, als würden die Wände um mich herum näher rücken. Ich ziehe hastig Hose und Schuhe an und greife nach meiner Tasche. Ich muss mich auf etwas Reales konzentrieren, etwas Echtes. Falls nicht, könnte ich wie ein teurer Kristallkelch am Boden zerschellen, in Millionen funkelnder Splitter zerbersten und sang- und klanglos untergehen.

Mit tränennassem Gesicht steige ich ins Auto und brause die Straße hinunter, bloß weg von allem. Mein Handy signalisiert, dass eine SMS eingegangen ist. Ich schaue aufs Display, und mein Herz zieht sich nur noch fester zusammen.

Drei Worte. Von jemandem, für den ich niemals gut genug sein kann.

Bist du okay?

Ich ignoriere die Nachricht. Nur mein Schluchzen ertönt im stillen Inneren des Wagens. Ich richte meine Gedanken auf Olivia. Ihr schulde ich das bisschen Gutherzigkeit, das ich vielleicht in mir habe. Ihr schulde ich, dass ich die kriminellen Gestalten, die die Familie ihres Freundes bedrohen, aus dem

Verkehr ziehe und die Gefahr für sie und ihre Lieben beseitige, wenn es irgend machbar ist.

Ich steuere mein Auto zu dem Juwelier, bei dem meine Familie und die meisten Teilhaber unserer Kanzlei seit ewigen Zeiten Schmuck und funkelnde Accessoires kaufen. Verbittert lache ich, als ich auf den Parkplatz fahre.

Eigentlich war ich davon ausgegangen, dass unsere Kanzlei sich um Gerechtigkeit kümmerte, wenn auch um Gerechtigkeit im Bereich Wirtschaft und Finanzen. Aber das war nie der Fall, dessen bin ich mir inzwischen sicher. Und ich denke, ich habe immer geahnt, dass mein Vater einflussreiche Leute für bestimmte und sehr eigennützige Zwecke benutzte, ich wollte es bloß nie wahrhaben. Ich wollte die hübsche Lüge einfach nicht durchschauen, sondern trug sie mit. Ich ließ mich sogar als Mittel einsetzen, andere zu manipulieren, und das habe ich nur deshalb getan, weil ich schwach war.

Genau wie der Schmuck, den mein Vater hier gekauft hat, war ich nur ein funkelndes Juwel, das Vater vor der Nase der richtigen Leute baumeln ließ. Ohne es zu wissen, war es mein Job, andere zu blenden, und ich lernte schon früh, mit einer polierten Außenhülle von der Wahrheit abzulenken. Ich bin nichts anderes als ein mit Diamanten bestückter Hohlraum. Innen leer. Gefüllt mit nichts. Nada.

Ich wische mir die Augen und zwinge mich dazu auszusteigen. Ein zartes Glöckchen kündigt meinen Besuch im Laden an. Eine Verkäuferin begrüßt mich im Foyer. Mit Namen.

»Ms. Townsend, wie schön, Sie zu sehen. Womit kann ich Ihnen heute helfen?«

»Ich brauche etwas mit Smaragden. Für eine Freundin.«

Das Geschäft ist nach bestimmten Schwerpunkten eingerichtet. Man kann von Raum zu Raum gehen und sich inspirieren lassen oder sich, falls man bereits weiß, was man will, direkt in den Bereich bringen lassen, wo sich die Edelsteine oder die Art von Schmuck, die man sucht, befinden. Von früheren Besuchen weiß ich, dass Smaragde, Rubine und Perlen im dritten Raum zur Linken präsentiert werden, also folge ich der Verkäuferin durch den langen, breiten Flur und schaue in jedes der luxuriös ausgestatteten Zimmer links und rechts von mir.

Ein sehr vertrautes Profil fängt meinen Blick ein, und ich stolpere beinahe. Ich hätte ihn wahrscheinlich überall wiedererkannt, aber hier scheinen sein Pferdeschwanz und der Kinnbart besonders fehl am Platz.

Nash. Aber was in aller Welt hat er hier zu suchen? Er hat mir gesagt, dass er bei Cash ist, was bedeutet, dass er gelogen hat.

Er befindet sich mit einem Verkäufer allein im Raum und lässt sich Armbänder zeigen, in Anbetracht der Abteilung wahrscheinlich Diamantarmbänder. Aber warum? Für wen?

Er muss Cash gefragt haben, zu welchem Juwelier er gehen soll; dieses Geschäft liegt nicht gerade an einer Hauptverkehrsstraße. Aber warum sollte er lügen? Nun, natürlich, weil er nicht will, dass ich Bescheid weiß – weil er nicht will, dass ich ihm Fragen stelle.

Ich fühle mich betrogen und den Tränen nah, und ich fahre zusammen, als die Verkäuferin mich anspricht. »Möchten Sie sich lieber Armreifen ansehen?«

»Nein, nein. Heute interessieren mich nur Smaragde.«

Hastig trete ich von der Türöffnung weg. Ich will unter keinen Umständen in eine demütigende Situation geraten. Meine Füße fühlen sich bleiern an, als ich dem Mädchen folge. Es kostet mich einige Mühe, mich wieder daran zu erinnern, warum ich überhaupt hergekommen bin. Meine Begeisterung, Olivia ein wunderschönes Geschenk auszusuchen, hat einen weiteren empfindlichen Dämpfer bekommen.

Es dauert nur wenige Minuten, um das ideale Geschenk für sie zu finden, doch ich verweile sehr viel länger. Ich will nicht riskieren, Nash zu begegnen.

Erst eine Dreiviertelstunde später entscheide ich mich. Auf dem Weg hinaus blicke ich in jeden Raum, sehe aber nirgendwo eine Spur von Nash.

Als ich wieder in den Wagen steige, ertönt mein Handy. Eine SMS. Von Nash. Wie gehabt. Und mein Herz tut plötzlich noch mehr weh.

Bist du okay?

Und wieder ignoriere ich sie. Nash spielt ein Spiel, dem ich nicht standhalten kann. Ich hatte geglaubt, mit der Glut zurechtkommen zu können, doch ich habe mich wohl überschätzt.

Ich weigere mich, den Tränen nachzugeben, die in mir aufgestiegen sind, und fange stattdessen an, stumm auf mich einzureden, um mich auf die richtige Spur zu bringen und nicht zusammenzubrechen.

Du fährst jetzt nach Hause und packst ein paar Sachen, dann geht's los nach Salt Springs. Vielleicht braucht Ginger ja Hilfe bei der Vorbereitung zur Überraschungsparty. Du hast ihr Cashs Nummer gegeben. Wenn sie ihn nicht bittet, Nash einzuladen, oder Cash nicht daran denkt, ist es nicht deine Schuld. Soll er doch in Atlanta bleiben und sich wundern, wo alle anderen sind.

Dieser Gedanke verschafft mir ein wenig Befriedigung. Er wird erkennen müssen, dass er keine Befehlsgewalt über mich hat. Was immer zwischen uns geschehen ist, ist geschehen, weil ich es zugelassen habe. Gegenseitiges Einvernehmen sagt man dazu, und wenn ich nicht mehr will, dann ist es eben vorbei. Aus.

Natürlich erklingt eine leise Stimme in meinem Kopf. Sie lacht mich aus und höhnt, ob ich ernsthaft meine, dass es so einfach sein wird, mich von Nash abzuwenden.

Aber wie Nashs SMS ignoriere ich auch sie.

Mein Kiefer schmerzt, weil ich die Zähne entschlossen zusammenbeiße, doch eine Stunde später, als ich meine kleine Reisetasche zumache, bin ich immerhin ein bisschen stolz, dass ich es so weit geschafft habe. Die Aussicht, aus dieser Wohnung und aus Atlanta zu verschwinden, ist im Augenblick ausgesprochen verlockend.

Ich höre die Haustür zufallen, und mein Herzschlag stockt einige Sekunden. Werde ich wohl bis in alle Ewigkeit so ängstlich reagieren? Dann setzt mein Verstand wieder ein und sagt mir, dass es sich nur um Olivia oder Nash handeln kann. Okay, oder um Cash, was aber sehr unwahrscheinlich ist. Sie sind die Einzigen, die Schlüssel haben könnten, und ich habe die Tür abgeschlossen.

Ich warte mit angehaltenem Atem auf Schritte, die sich meinem Schlafzimmer nähern. Als Nashs große Gestalt den Türrahmen ausfüllt, stockt mein Herzschlag erneut einige Sekunden. Er sieht so unglaublich gut aus. Und so unglaublich wütend.

»Warum zum Henker hast du nicht auf meine Nachrichten reagiert?«

»Mir war nicht klar, dass das verlangt wird«, sage ich hölzern.

Er beißt die Zähne zusammen – ich kann sie praktisch knirschen hören. »Es wird nicht verlangt. Es hat etwas mit stinknormaler Höflichkeit zu tun. Ich dachte immer, ihr reichen, arroganten Schlampen liebt eure alberne Etikette.«

Obwohl ich weiß, dass er das Wort verallgemeinernd benutzt, ist es trotzdem verletzend, als Schlampe bezeichnet zu werden. »Vielleicht halten wir reichen, arroganten Schlampen uns nicht immer an die Regeln.«

Der Zorn in seinen Augen verraucht. »So habe ich es nicht gemeint.«

Ach nein. Ich denke nicht daran, ihn so schnell davonkommen zu lassen.

»Dann solltest du vielleicht lernen, deine Zunge zu hüten.«

»Glaub mir, wenn ich in deiner Nähe bin, sage ich nicht einmal die Hälfte von dem, was ich denke.«

»Wie wär's also, wenn du zur Abwechslung mal sagst, was du denkst?«

Nash kommt mit wenigen großen Schritten herein und bleibt dicht vor mir stehen. Ich bin mit eins fünfundsiebzig groß für eine Frau, doch er überragt mich um einiges. Ich widerstehe dem Drang zurückzuweichen. Stattdessen hebe ich mein Kinn und sehe ihm trotzig in die Augen.

»Das willst du gar nicht hören, glaub mir.«

»Vielleicht will ich es ja nicht hören, muss es aber.«

Seine Finger umfassen meine Oberarme wie Schraubstöcke, und er zieht mich an seine Brust. Ich habe das Gefühl, dass er mich am liebsten schütteln würde. »Habe ich dir denn noch nicht genug Grund gegeben, mich zu hassen? Dich verdammt noch mal von mir fernzuhalten?«

»Vielleicht hast du es ja endlich geschafft«, bringe ich durch den Strich, den meine Lippen bilden, hervor. Er ist nicht der Einzige, der wütend werden kann.

»Was ist denn los mit dir?«

»Nichts, worüber du dir Gedanken machen musst.«

Wir starren einander an, denken beide nicht daran, auch nur einen Millimeter nachzugeben, wollen aber auch beide nicht voneinander lassen. Zum ersten Mal kann ich hinter seine sorgsam aufrechterhaltene Fassade blicken. Er will mich nicht begehren, er will nichts für mich empfinden, doch ich glaube, er tut es langsam, auch wenn er es sich selbst möglicherweise nicht eingesteht.

Nach einer Weile, die mir wie eine Ewigkeit vorkommt, lässt Nash meine Arme los und tritt einen Schritt zurück. Er hebt die Hand und streicht eine Haarsträhne zurück, die nicht in seinem Pferdeschwanz steckt. Sein Blick flackert zum Bett und zurück. »Willst du weg?«

»Ja, das will ich tatsächlich. Nicht, dass es dich etwas anginge.«

Er verengt die Augen. »Und du wolltest dir nicht einmal die Mühe machen, es mir mitzuteilen?«

Auch ich blicke ihn mit verengten Augen an. »Ich dachte, ich schicke dir nachher noch eine SMS.«

Da du diese Methode ja vorziehst, sogar um Lügen zu verbreiten.

»Nachher, ja?«

Wieder sprühen seine Augen Funken.

»Du nimmst dir auch nicht ständig die Zeit, um mich über alles, was in deinem Leben geschieht, auf dem Laufenden zu halten, nicht wahr?«

Es tut gut, ihm das vorhalten zu können, auch wenn er nicht wissen kann, dass ich mich auf seinen heutigen Besuch beim Juwelier beziehe, während er angeblich bei Cash war. Doch als ich seine Lippen zucken sehe, wird mir klar, dass meine Sticheleien nichts bewirken. Er findet das lustig.

Wow. Ausgerechnet jetzt Humor zu zeigen ...

Der Mann macht mich wahnsinnig.

»Sieh an. Da ist ja jemand richtig sauer«, sagt er gedehnt.

Am liebsten würde ich mit dem Fuß aufstampfen, aber diese Genugtuung gebe ich ihm nicht.

Als er wieder nah an mich herantritt, ist es kein Zorn mehr, der ihn treibt. In seinen Augen ist etwas anderes zu lesen. Und ich bekomme weiche Knie.

Er hebt die Hand und dreht eine Locke von mir um seinen Finger, dann zieht er leicht, bis meine Nase fast seine berührt. Seine Stimme ist nur ein Flüstern, als er spricht. »Ich kann sehr ... hilfreich dabei sein, wenn du deine Wut loswerden willst. Soll ich es dir mal zeigen?«

Ich sehe in seine Augen, höre seine weiche Stimme, und mir wird schwindelig. Ich stehe unter seinem Bann. Und wäre nicht seine Anwesenheit beim Juwelier heute gewesen, würde ich meine Lippen auf seine legen und mich wie ein Stein ins Wasser in sein Versprechen plumpsen lassen.

Aber diese Lüge will mir einfach nicht aus dem Sinn. Auch wenn ich von ihm vieles toleriere, was ich niemand anderem hätte durchgehen lassen, ist Unehrlichkeit für mich ein Unding. Da mein Leben größtenteils auf Lügen aufgebaut wurde, brauche ich etwas, das echt und ehrlich ist. Und ich dachte, Nash würde diese Rolle ausfüllen.

Ich habe mich mal wieder geirrt.

Ohne wegzusehen, trete ich betont einen Schritt zurück. »Ich werd's mir merken«, sage ich mit eisigem Unterton.

Er zieht die Brauen hoch. Ich weiß nicht, ob er überrascht ist oder mich herausfordern will, doch mir rinnt ein kalter Schauder über den Rücken.

»Wie du meinst.« Langsam dreht er sich um und geht zur

Tür. Im letzten Moment sieht er zu mir zurück. Seine Lippen deuten noch immer ein Lächeln an. »Dann will ich dich nicht länger beim Packen stören.«

Ich rege mich nicht, bis ich die Haustür gehen höre. Während ich meine Tasche ins Wohnzimmer trage, fühle ich mich trotzdem so, als hätte ich gerade eine Schlacht verloren.

21

NASH

Cash erwähnte Olivias Geburtstag beiläufig und bat mich unter anderem, ihm dabei zu helfen, ihr Geschenk auszusuchen. Aber es gab noch etwas Wichtigeres, weswegen er mich dabeihaben wollte, wie ich bald darauf erfahren sollte. Cash will Olivia einen Heiratsantrag machen.

»Ich weiß, dass es eigentlich noch zu früh ist, daher frage ich sie bestimmt noch nicht jetzt, und am wenigsten an ihrem Geburtstag. Dennoch möchte ich schon einen Ring kaufen, damit ich ihn zur Hand habe, wenn der Zeitpunkt kommt«, sagte Cash am Morgen, als wir auf dem Weg zum Juwelier waren.

»Und wozu brauchst du dann mich? Ich bin kein Schmuckexperte.«

Cash hob die Schultern. »Hauptsächlich, weil ich dich fragen wollte, ob du mein Trauzeuge sein willst.«

Ich bin sicher, dass mein Schock im Autoinneren widerhallt wie der Nachklang einer Bassdrum.

»Nimm's mir nicht übel, Mann, aber – warum ich?«

»Du hast recht, wenn du meinst, dass ich Gavin besser kenne. Eigentlich wäre er die naheliegende Wahl, und zufällig mag ich ihn auch viel lieber als dich.« Er warf mir einen Blick zu und grinste. Ich nehme an, dass er Gavin wirklich lieber mag als mich, doch ich verstand die Botschaft: Ich bin immer noch sein Bruder. Wir sind blutsverwandt. Und das ist das eine, was sich nicht leugnen lässt, das eine Band, das nicht durchtrennt werden kann, wie sehr wir uns auch entfremdet haben mögen.

Ich weiß, was er empfindet. Ich empfinde dasselbe.

»Aber wir sind Brüder. Kapiert.«

Er nahm den Blick lang genug von der Straße, um mich zu betrachten. Dann nickte er.

»Also – bist du dabei?«

Ich nahm mir einen Moment Zeit, um darüber nachzudenken, worum genau er da bat und ob ich mich bereitwillig darauf einlassen wollte. Ich konnte nicht Ja sagen, wenn ich nicht sicher war, dass ich meinen Teil der Abmachung auch würde halten können.

»Ja, okay. Ich bin dabei.«

Cash nickte wieder. Er wusste, dass er sich auf mich verlassen konnte. Was auch immer in nächster Zeit geschehen würde – wenn seine Hochzeit stattfände, wäre ich da. Als sein Trauzeuge.

Danach versanken wir in ein erstaunlich behagliches Schweigen, bis wir beim Juwelier ankamen, dem unkonventionellsten Schmuckladen, den ich je gesehen habe. Eigentlich handelte es sich um ein altes Haus, das man in ein edles Geschäft umgewandelt hatte: In verschiedenen Räumen wurden verschiedene Steine und Schmuckarten präsentiert, und man konnte wie bei einer Hausbesichtigung von Zimmer zu Zimmer gehen. Cash erzählte mir, dass seine Kanzlei am liebsten hier einkaufte, und wahrscheinlich hatte er in der Vergangenheit hier auch schon einmal etwas für Marissa besorgt, obwohl ich das Thema nicht ansprach. Nicht unbedingt aus Rücksicht auf ihn, sondern weil ich es eigentlich nicht wissen wollte. Er suchte ein hübsches Armband für Olivias Geburtstag aus, dann verschwand er mit einer Frau in das Zimmer, in dem einzelne Diamanten ausgestellt wurden. Er wollte etwas Einzigartiges, das extra für sie gefertigt wurde.

Armer Teufel. Stand schon voll unterm Pantoffel.

Mir den ganzen Schmuck anzusehen und an die Freundin zu denken, die ich vielleicht hätte haben können und der ich hübsche Kleinigkeiten geschenkt hätte, versetzte mich in ziemlich miese Stimmung. Und da Marissa den ganzen Tag über keine meiner SMS beantwortet hatte, war ich ziemlich angefressen, als ich schließlich wieder zu ihrer Wohnung kam.

Doch sie dort selbst derart wütend zu erleben ... Verdammt! Das war schon ziemlich scharf. Nur schade, dass sie nicht willig war, mit meiner Hilfe ein bisschen Dampf abzulassen.

Dennoch verstehe ich nicht, warum sie sich so verhalten hat – als hätte ich irgendetwas falsch gemacht. Nun, ich habe etwas falsch gemacht, und zwar etwas Entscheidendes, aber ich denke nicht, dass sie sich dessen bewusst ist. Falls ja, hätte sie mich vermutlich vor die Tür gesetzt und geschworen, nie wieder auch nur ein Wort mit mir zu wechseln. Das hat sie aber nicht getan. Aber was kann es sonst gewesen sein? Ich habe ihr doch im Grunde genommen gesagt, was für ein mieser Kerl ich bin. Herrgott, ich habe gestanden, ein Killer zu sein, und sie hat mir einen geblasen!

Aber vielleicht hat sie ja gerade deswegen Gewissensbisse. Möglich wäre es. Kommt mir aber nicht wahrscheinlich vor.

Frauen!

Das ist genau der Grund, weswegen ich mich hüte, mich zu sehr auf eine einzulassen. Die meisten Frauen sind vollkommen verrückt und den Ärger, den man mit ihnen und durch sie hat, nicht wert.

Ich sollte sie also am besten vergessen. Eigentlich ...

Frustriert haue ich meine Faust aufs Lenkrad. Ich habe keine Ahnung, was ich mit diesem »Eigentlich« anstellen soll.

Ich bin unterwegs nach Salt Springs. Ich habe keine Ahnung, ob Cash die Absicht gehabt hat, mich zu Olivias Geburtstagsfeier einzuladen, aber nach der Episode mit Marissa habe ich mich kurzerhand selbst eingeladen. Ich gehe davon aus, dass sie dort sein wird. Cash war freundlich genug, mir eine Wegbeschreibung zu geben.

Ich sehe die Bar ein Stück voraus und biege links ab auf den Parkplatz. Erstaunlich. Entweder ist der Laden in diesem Kaff weit und breit die einzige Anlaufstelle für einen halbwegs guten Drink oder Olivias Bekanntenkreis ist gigantisch. Jedenfalls ist der Parkplatz rappelvoll mit Autos und Pick-ups.

Diese Art von Bar ist mir nicht fremd. Ich weiß, was ich zu erwarten habe, und werde nie enttäuscht. Gewöhnlich macht man mir Platz, sobald ich eintrete. Die Männer sehen in mir eine Konkurrenz. Die Frauen betrachten mich wie einen leckeren Nachtisch. Mir ist es egal, was die Leute denken. In solchen Läden will ich entweder eine Frau abschleppen oder mich besaufen.

Das ist der einzige Unterschied an meinem Auftritt heute Abend. Heute Abend interessieren mich weder der schnelle Sex noch der Rausch, obwohl ich mich nicht beschweren werde, wenn es zu einem von beiden kommt. Eigentlich bin ich mir nicht sicher, warum ich hergekommen bin, aber natürlich hat es etwas mit Marissa zu tun. Ich habe gesagt, dass ich auf sie aufpassen werde, und das kann ich schlecht, wenn ich meilenweit entfernt bin. Außerdem will ich auch wissen, welche Laus ihr über die Leber gelaufen ist. Ich bin neugierig. Und ich hätte durchaus Lust, ihr Temperament auszutesten. Doch darüber hinaus interessiert mich nicht, was mit ihr los ist. Es gibt nichts, wofür ich mich entschuldigen müsste. Jedenfalls nichts, wovon sie weiß.

Ich entdecke sie augenblicklich. Das liegt nicht daran, dass sie in der Menge zwingend sofort auszumachen wäre. Der Laden ist so voll mit Blondinen, dass man von all den Peroxyd-Dämpfen high werden könnte. Aber Marissa ist natürlich blond und hebt sich deutlich von all den Gefärbten um sie herum ab. Außerdem hat sie etwas an sich, das meinen Blick anzieht, wie voll der Raum um sie herum auch sein mag.

Ganz abgesehen von der Tatsache, dass sie allein da sitzt. Wahrscheinlich ist sie noch nie in einer solchen Bar gewesen. Das Dual dürfte unter den Läden, in die sie normalerweise geht, dem hier noch am ehesten entsprechen – obwohl das Dual ein Club ist und somit nicht viel Ähnlichkeit haben kann.

Marissa wirkt vollkommen fehl am Platz, auch wenn sie eindeutig versucht hat, sich passend anzuziehen. Ihre Jeansshorts sind zu neu, das T-Shirt dürfte Designerware sein, und ich schätze, ihr Outfit kostet mehr, als die meisten hier in einem Monat verdienen. Sie lächelt verkniffen, und ihr Unbehagen ist offensichtlich, aber immerhin ist sie über ihren Schatten gesprungen: Sie ist ins feindliche Lager gekommen, um ihrer Cousine gegenüber etwas gutzumachen. Und vielleicht auch, um es sich selbst zu beweisen.

Die Kleine hat Mumm, das muss man ihr lassen.

Als sie mich entdeckt, gefrieren ihre Augen zu eisblauen Punkten. Aufgesetzt desinteressiert wendet sie sich ab und schaut zur Tanzfläche, wo sich die Leute behäbig und ohne Raffinesse bewegen.

Ich halte Abstand. Statt zu ihr zu gehen, trete ich an die Bar und bestelle ein Bier. Als der Barmann mir die grüne Glasflasche über die Theke schiebt, bereue ich meine Wahl sofort. Mein Schwanz zuckt als Reaktion.

Du hast Cash und ihr eins auswischen wollen, bist aber der Einzige, der noch immer daran zu kauen hat, denke ich bei mir, als ich versuche, jene Nacht zu verdrängen.

Ich richte meine Gedanken auf etwas anderes, bevor mein Körper sich nicht mehr beherrschen lässt. New Orleans ist etwas, das ich besser vergesse. Wenn ich nur solch ein Glück hätte wie Marissa und mich gar nicht erinnern könnte …

Eine weiche Brust reibt sich an meinem Arm. Links neben mir steht eine Blondine mit mächtiger Oberweite und beugt sich zu mir. Der Hocker auf ihrer Seite ist leer, also hat sie jede Menge Platz, doch setzen will sie sich anscheinend nicht. Sie will meine Aufmerksamkeit.

Sie bestellt einen Margerita und schlägt ihre dick bemalten Lider zu mir auf. »Ich kann mich gar nicht erinnern, dich hier schon mal gesehen zu haben.«

»Das liegt wahrscheinlich daran, dass ich noch nie hier war.«

»Dachte ich mir. So einen Kerl wie dich hätte ich nicht vergessen.«

Ich lächle zu ihrer plumpen Anmache. »Stimmt. Hättest du nicht.« Ich setze meine Bierflasche an und trinke einen Schluck. Sofort muss ich an Marissa denken. Das Bier und der Gedanke machen mich umso durstiger, aber nichts, was ich vor mir habe, könnte den Durst löschen.

Unwillkürlich ziehe ich meine Stirn in Falten. Normalerweise ist eine Schlampe wie die andere. Solange sie sauber aussieht, willig ist und gut riecht, nehme ich sie mir gern. Dazu sind schließlich Kondome da.

Aber heute Abend nicht. Zum ersten Mal seit ... tja, Jahren, habe ich Lust auf etwas ganz Bestimmtes. Eine Bestimmte. Und es ist nicht die dralle Blondine an meiner Seite. Es ist die Unterkühlte, die ganz allein auf der anderen Seite des Raumes sitzt.

Unwillkürlich wandert mein Blick dorthin und kollidiert mit Marissas. Bevor sie hastig wegsieht, erkenne ich Zorn darin. Und Eifersucht.

Normalerweise geht mir so etwas nur auf die Nerven, aber in diesem Fall fasziniert es mich. Eifersucht scheint nicht zu ihr zu passen, und ich bekomme Lust, die Sache näher zu erkunden und auszutesten. Wie ihren Zorn vorhin.

Zorn verstehe ich, mit Zorn kann ich mich identifizieren. Dummerweise bewirkt dieses Verständnis in ihrem Fall, dass ich eine innere Verbundenheit mit ihr spüre, die ich gar nicht spüren will. Ich bin ein Einzelgänger. Ich brauche keine Wurzeln oder Bande oder Verwicklungen. Marissa ist das genaue Gegenteil von mir. Sie ist ein Mensch, der all das braucht.

Ich bin einer, der geht. Sie braucht einen, der bleibt.

Vielleicht sollten wir das beide nicht aus den Augen verlieren.

In diesem Sinne packe ich die Hand der Blonden, die aus ihrem Oberteil platzt, und führe sie auf die Tanzfläche.

22
Marissa

Mein Herz bekommt einen bösen Knacks, als Nash dieses Mädchen durch die Menge führt. Ich sollte ihn nicht beobachten, aber ich kann nicht damit aufhören. Ich kann genauso wenig aufhören, ihn zu beobachten, wie ich mich von ihm habe fernhalten können, als ich noch eine Chance hatte, all das hier zu vermeiden.

Ich wusste von vornherein, was für ein Kerl er ist. Jedes Mädchen mit ein bisschen Verstand kann auf den ersten Blick erkennen, was für ein Kerl er ist. Er ist der Mann, der dir ohne mit der Wimper zu zucken das Herz bricht und dann in aller Seelenruhe wieder aus deinem Leben verschwindet.

Es ist ja nicht so, als hätte er dich nicht gewarnt.

Das bessert meine Stimmung ganz und gar nicht. Nun fühle ich mich als Krönung auch noch wie eine dumme, hirnlose Kuh.

Während er mit dieser nuttigen Blonden tanzt – was er, wie ich zugeben muss, erstaunlich gut macht –, überkommt mich ein vernichtendes Gefühl der Enttäuschung. Es klingt bescheuert, ich weiß, aber wahrscheinlich hat mein Unterbewusstsein doch gehofft, dass mein neues Ich an ganz unerwarteter Stelle und auf unerwartete Weise Liebe findet. Mit Nash.

Ihn an mich zu binden, ihm dabei zu helfen, sich von alten Narben zu erholen und wieder lieben zu lernen, wäre ein wunderbarer Start in ein neues Leben gewesen. Aber vielleicht soll es einfach nicht sein. Vielleicht muss ich wirklich erst alle Verbindungen kappen und meinen ganz eigenen Weg finden. Und zwar allein. Ich war noch nie in meinem Leben nur auf mich selbst angewiesen. Vielleicht ist es einfach an der Zeit.

In meinem Verstand klingt das ganz großartig nach Antigone, doch mein Herz fühlt sich einsam und leer.

Mit einem Mal kann ich den großen Raum mit den vielen Leuten nicht mehr ertragen; es kommt mir vor, als bekäme ich keine Luft mehr.

Ich lasse mich vom Barhocker rutschen, um dem Druck in meiner Brust zu entkommen, als mich jemand an der Schulter packt. Ich blicke mich um und sehe Ginger vor mir. Sie schüttelt den Kopf, um mich daran zu hindern, nach draußen zu verschwinden, zwinkert mir zu und wendet sich dann der Menge zu.

»Wer will dem Geburtstagskind dabei zusehen, wenn es Geschenke auspackt?«, ruft sie in die Menge. Trotz der lauten Musik ist sie gut zu verstehen. Zweifellos sehr praktisch, wenn man hinter der Bar arbeitet. Wie aufs Stichwort dreht jemand die Musik leiser, und viele Gesichter wenden sich Ginger zu.

Ich sinke wieder auf meinen Hocker. Mist. Wenn ich nicht unhöflich erscheinen will, kann ich jetzt unmöglich verschwinden. Also klebe ich mir ein Lächeln ins Gesicht und blicke mich suchend nach Olivia um, wobei ich mir Mühe gebe, Nash und diese ... diese Frau tunlichst zu übersehen.

Zuerst entdecke ich Cash. Sein Kopf ragt über die Menge hinweg. Er lächelt und hat sein Kinn auf einen glänzenden schwarzen Haarschopf gelegt. Ich lehne mich ein wenig zur

Seite und sehe Olivia, die mit dem Rücken an ihm lehnt. Auch sie lächelt, und zwar so glücklich, dass es kaum zu ertragen ist.

Meine Brust wird immer enger, und meine Augen brennen. Ich beneide sie. Nicht, dass ich ihr das Glück missgönne, ganz sicher nicht, ich hätte nur gerne ein bisschen mehr von ihr. In jeder Hinsicht.

Mein Kinn bebt, und ich muss die Tränen zurückdrängen. So bin ich nie zuvor gewesen – so emotional, sehnsüchtig, besitzergreifend, so unbeherrscht –, aber wahrscheinlich hat es seinen Preis, ein besserer, mitfühlender, rücksichtsvollerer Mensch zu werden.

Doch ein Blick auf Olivia zeigt mir, was man dafür bekommt. Sie befindet sich in einem Raum randvoll mit echten Freunden, mit Menschen, die sie lieben, weil sie so ist, wie sie ist, und nicht, weil sie aus einer reichen Familie stammt und anderen vielleicht helfen kann, auf der Karriereleiter ein Stück hochzuklettern. Sie hat den Mann ihrer Träume getroffen und ihn um den kleinen Finger gewickelt. Und wenn sie sich abends hinlegt, weiß sie, dass sie wirklich geliebt wird und diese Welt jeden Tag durch ihre Wärme ein bisschen schöner macht. Sie braucht keine Reichtümer, keine Statussymbole, keinen einflussreichen Vater oder einen tollen (und nutzlosen) Abschluss. Sie ist einfach ein anständiger Mensch. Ein grundanständiger Mensch mit gesundem Menschenverstand.

»Meins zuerst, meins zuerst«, sagt Cash und winkt jemanden aus der Menge heran. Ich überfliege die Gesichter, bis ich Nash herankommen sehe. Er reicht Cash eine längliche Schachtel, die in schlichten roten Samt eingeschlagen ist. Ich weiß sofort, woher die Schachtel stammt. Und mein Herz sinkt rasant. Mir dämmert, dass ich Nash vorschnell verurteilt habe.

Cash nimmt die Schachtel, die er wahrscheinlich durch

Nash vor Olivia verstecken konnte, und gibt sie ihr weiter. Strahlend zieht sie die rote Samtschleife auf und löst die Verpackung. Cash greift um sie herum, hebt den Deckel ab, und Olivias Augen werden groß.

»Oh, Cash! Es ist wunderschön!«

Sie nimmt ein Armband aus dem Kästchen. Selbst aus der Entfernung kann ich sehen, dass es aus drei Reihen Edelsteinen besteht: eine Reihe Smaragde flankiert von jeweils einer Reihe Diamanten. Es ist atemberaubend und wird großartig zu den Ohrringen passen, die ich ihr gekauft habe.

»Ja, ist es«, erwidert Cash. »Aber es kann dir nicht das Wasser reichen.« Er lächelt, als sie sich in seinen Armen umdreht, ihm das Armband gibt und dann ihr Handgelenk hinhält. Er befestigt das Schmuckstück, dann bringt er ihre Finger an seine Lippen. Seine Worte sind nicht laut. Sie sind nur für Olivia bestimmt, aber alle sind so still, so ehrfürchtig über das, was sich zwischen den beiden abspielt, dass man ihn gut verstehen kann. »Ich liebe dich, mein Geburtstagskind.« Olivia schlingt die Arme um ihn, flüstert ihm etwas ins Ohr, und er lacht leise und küsst sie. »Ich nehme dich beim Wort, glaub mir.«

»Wehe nicht«, antwortet sie, und die Leute um sie herum grinsen.

Nacheinander treten nun Freunde vor und geben ihre Geschenke ab. Einige sind hübsch, andere lustig, andere haben bestimmt eine tiefe Bedeutung, aber alle sind sorgfältig ausgewählt worden, um der Beschenkten zu zeigen, dass sie geliebt wird. Das ist das übergeordnete Thema des Abends: Alle lieben Olivia. Und zwar nur für das, was sie ist. Und genau so sollte es sein. Ich habe mein ganzes bisheriges Leben gebraucht, um das zu kapieren.

Als die anderen all ihre Geschenke abgeliefert haben, greife ich in meine Tasche und hole ein Kästchen heraus, ebenfalls in roten Samt eingeschlagen. Ich habe schon ein schlechtes Gewissen, wenn ich es nur ansehe. Nicht wegen des Geschenks an sich, sondern für das, was ich Nash unterstellt habe. Ich habe das Schlimmste angenommen und geglaubt, dass er mich anlügt, habe ihn automatisch gemessen an den Leuten, mit denen ich mein ganzes Leben lang zu tun gehabt habe: Leute, die ohne mit der Wimper zu zucken lügen, betrügen und andere in die Irre leiten, weil es ihnen gerade in den Kram passt. Ich bin nicht an Menschen gewöhnt, die aufrichtig sind und sich um andere kümmern.

Und Nash gehört sehr wohl dazu.

Ich weiß nicht, ob ich ihm etwas bedeute, aber seine Mutter hat ihm sehr viel bedeutet, und sein Vater und sein Bruder tun es heute noch, auch wenn er es vielleicht nicht zugibt. Und, ja, er ist auch aufrichtig. Nash sagt die Wahrheit, auch wenn sie verdammt wehtut, und das hat er mir auch schon bewiesen. Er warnte mich, mich auf ihn einzulassen, da ich nur darunter leiden würde. Und auch heute hat er keinesfalls gelogen. Er war bei Cash, wie er gesagt hatte – im Juweliergeschäft. Nur bin ich davon ausgegangen, dass er vom Club gesprochen hat, und habe nicht einmal versucht, eine Erklärung zu finden.

Ich rutsche vom Hocker und gehe zu Olivia. Sie lächelt, als ich nach ihrer Hand greife. Ich lege die Schachtel hinein und warte, bis ihr Blick meinem begegnet. Sie soll wissen, dass ich es ernst meine. Sie soll es meinem Gesicht, meinen Augen ansehen.

»Wenn ich mir aussuchen könnte, wie jemand anderes zu sein, dann würde ich dich wählen.« Ich beuge mich vor und küsse sie auf die Wange. »Herzlichen Glückwunsch. Du verdienst alles Glück dieser Erde.«

Ihre Augen funkeln, als ich zurückweiche. Sie schlingt mir einen Arm um den Hals und zieht mich fest an sich.

»Ich hab dich lieb, Cousinchen«, flüstert sie, und irgendwie bin ich mir sicher, dass sie es wirklich ernst meint.

»Ich hab dich auch lieb.«

Als ich mich umdrehe, um zu meinem Hocker zurückzukehren, sehe ich gerade noch, wie Nashs Kopf sich wieder durch die Menge bewegt. Aber diesmal geht er auf den Ausgang zu und bei ihm ist die Blondine von eben, die an seiner Hand zieht. Ich blicke ihnen nach, bis sie draußen sind und die Tür zufällt.

Er hat sich nicht einmal zu mir umgedreht.

Nicht einmal.

Ich kann kaum erwarten, dass Olivia mein Geschenk auspackt und die Menge weiterfeiert. Dann kann ich wenigstens unbemerkt verschwinden. Ich muss hier raus. Hier drinnen kann ich kaum noch atmen, und mir ist, als hätte jemand die Luft aus der Bar, aus meiner Lunge, aus meiner Seele gesogen.

Als die Musik wieder aufgedreht wird und die Menge wogt, bewege ich mich langsam bis an den Rand des Geschehens und steuere auf die Tür zu.

Die kalte stille Nacht schlägt mir entgegen, als ich hinaustrete. Der Kontrast ist wie eine Ohrfeige, die mir guttut, denn sie gibt mir das Gefühl, lebendig zu sein, während mein Inneres sich kalt und leer und hoffnungslos anfühlt. Ich will nichts weiter als zu meinem Auto, bevor ich die Tränen nicht mehr zurückhalten kann, daher fahre ich heftig zusammen, als ich direkt hinter mir eine Stimme höre.

»Würdest du einen alten Mann ein Stück mitnehmen?«

Eine Hand auf mein wie wild schlagendes Herz gedrückt, drehe ich mich um. Mein Onkel Darrin, Olivias Vater, lächelt aus einem Rollstuhl zu mir auf. Sein gestreckt eingegipstes Bein deutet auf mich.

»Du hast mich zu Tode erschreckt.«

»Entschuldigung, das war nicht meine Absicht. Ich sah dich rausschleichen und bin dir gefolgt. Ich wollte bloß warten, bis Liv ihre Geschenke ausgepackt hat, und dann Ginger bitten, mich nach Hause zu fahren. Ich bin alt, ich muss ins Bett.« Er grinst mich charmant an.

»Kein Problem, ich fahre dich. Mein Wagen steht da vorne.« Ich zeige es ihm.

Ich gehe langsam, sodass Onkel Darrin im Rollstuhl mithalten kann. Zum Glück ist der Parkplatz geteert, sonst hätte er sicher arge Schwierigkeiten gehabt.

»Ich würde dir ja die Tür öffnen«, sagt er, als wir an meinem Wagen angekommen sind, »aber dieses Ding da stört wirklich.« Mit einer Kopfbewegung deutet er auf sein ärgerliches Bein, und ich finde es vor allem unglaublich lieb, dass er überhaupt an so etwas denkt. Ich hatte ganz vergessen, wie gut erzogen die Jungs vom Land manchmal sind, und ich würde wetten, dass mein Onkel nicht einmal dann boshaft sein könnte, wenn er sich richtig anstrengte. Ich kenne nicht viele Leute, die so sind, und ich bin mit noch weniger verwandt.

»Wie wär's, wenn ich dann dieses eine Mal die Tür für dich öffne?«

Er seufzt aufgesetzt laut. »Na, wenn du darauf bestehst.« Ich drücke auf die Entriegelung auf meinem Schlüssel, warte auf das Klacken, mache die Beifahrertür auf und halte sie für Darrin offen. Fasziniert sehe ich zu, wie er sich auf sein gesundes Bein stellt, geschickt herumschwingt und sich rückwärts auf den Sitz niederlässt.

»Wie ein Profi, was?«, sagt er, während er den Rollstuhl zusammenklappt. »Der Arzt lässt mich noch nicht an die Krücken.« Ich nicke. Ich hatte mich schon gewundert. »Könntest du den für mich verstauen? Im Kofferraum oder auf dem Rücksitz? Er ist nicht schwer.«

»Klar. Mach ich.«

Ich hieve den Rollstuhl auf den Rücksitz, steige ein und starte den Motor.

Es ist nicht weit, bis zu seinem Haus. Am Anfang schweigen wir beide, und als er endlich zu reden beginnt, ist es nicht der Smalltalk, den man hätte erwarten können.

»Du hast dich verändert. Du bist nicht mehr das verwöhnte reiche Töchterchen, das du mal gewesen bist.«

Wahrscheinlich hätte ich beleidigt sein sollen, aber das bin ich nicht. Im Gegenteil. Er hat mir ein Kompliment gemacht.

»Nein. Und ich will es auch nie wieder sein.«

Ich werfe ihm einen Blick zu. Er nickt, ohne mich anzusehen.

»Ich hätte nicht gedacht, dass du gegen meinen verdammten Bruder eine Chance haben würdest. Aber ich freue mich, dass du offensichtlich stärker bist als er – als sein Einfluss.«

Wieder werfe ich ihm einen Blick zu. Jetzt betrachtet er mich, und zwar als sähe er mich zum ersten Mal. Was er sieht, scheint ihm zu gefallen.

Ich spreche aus, was ich wirklich empfinde. »Danke.«

»Olivia hatte es mit ihrer Mutter, die ständig an ihr herummäkelte, auch nicht leicht. Weißt du, was ich ihr immer gesagt habe? Bahn dir deinen eigenen Weg im Leben. Triff eigene Entscheidungen und mach eigene Fehler. Nur auf diese Art findest du dein maßgeschneidertes Glück.«

Darauf entgegne ich nichts, sondern nicke nur. Seine Worte sinken tief ein und hallen so gründlich nach, dass ich einfach nichts zu sagen habe. Plötzlich kommt es mir vor, als hätte ich mein ganzes Leben darauf gewartet, dass jemand mir sagt, ich dürfe Fehler machen, ich dürfe genau die sein, die ich bin. Aber bisher hat man mir das nicht zugestanden. Und die Menschen, mit denen ich bis jetzt zu tun hatte, werden das auch nie. Wenn ich also die Marissa sein will, als die ich mich mag, dann werde ich mich aus meinem jetzigen Leben, von meiner Familie und meinen bisherigen Freunden verabschieden müssen. Mir meinen eigenen Weg zu bahnen kann nur funktionieren, wenn ich Brücken hinter mir zum Einsturz bringe.

Und manchmal weiß ich nicht, ob ich dazu genug Kraft habe.

Trotzdem muss ich es versuchen.

Als wir sein Haus erreichen, schalte ich auf »Parken«, lasse den Motor aber laufen. Ich steige aus, hole den Rollstuhl vom Sitz, klappe ihn auseinander und schiebe ihn zur inzwischen offenen Beifahrertür. Wie der Profi, über den Darrin eben gewitzelt hat, stemmt er sich aus dem Auto, steht auf seinem gesunden Bein, kehrt seine Bewegungen von vorhin um und lässt sich in den Rollstuhl plumpsen.

Ich trete hinter den Stuhl, packe die Griffe und schiebe an.

»Willst du den Wagen die ganze Nacht laufen lassen?«

»Ich bleibe nicht. Ich fahre lieber nach Hause. Ich muss noch einiges erledigen, um mir ... einen Weg freizumachen.«

Er nickt. Er versteht, was ich meine. Er schweigt, bis wir seine Haustür erreicht haben. Dort dreht er den Rollstuhl, um mich anzusehen. Sein Lächeln ist freundlich.

»Du wirst es schaffen«, sagt er, und ich glaube, Stolz in seinen Augen zu sehen. Stolz auf mich! Noch nie war jemand stolz auf mich, noch nicht einmal mein Vater, als ich ihm mein Abschlusszeugnis der Rechtsschule präsentierte. Und mit einem

Mal fühle ich mich, als könnte ich mit einem Sprung auf Hochhäuser gelangen.

Er sucht in seiner Tasche nach dem Schlüssel und steckt ihn ins Schloss. Bevor ich noch fragen kann, ob er etwas braucht, kommt er mir zuvor. »Fahr vorsichtig. Und lass dich mal wieder blicken. Du bist hier immer willkommen. Schließlich gehörst du zur Familie.«

Ich schenke ihm ein Lächeln und wende mich um. Meine Kehle ist vor lauter Emotionen so eng, dass ich keinen Laut herausbekomme. Erst als ich meinen Wagen erreiche, drehe ich mich wieder um. Onkel Darrin wartet in der offenen Tür und winkt mir noch einmal zu. Ich winke zurück und lege den Rückwärtsgang ein. Als ich die Auffahrt zur Straße hinunterfahre, sehe ich in den Rückspiegel. Onkel Darrin blickt mir noch immer nach.

23
NASH

Mein Mund ist so trocken, dass ich Watte spucken könnte. Ich brauche etwas zu trinken, aber die Blondine aus der Bar liegt auf meinem Arm und hält mich auf dem schwarzen Laken fest.

Wie ein Magier, der das Tischtuch mit einem Ruck unter dem Geschirr wegzieht, rupfe ich meinen Arm unter ihr hervor und rolle mich an die Bettkante. Ich mache mir nicht die Mühe zurückzublicken. Wenn sie aufwacht, wacht sie eben auf. Und wenn sie dumm genug ist, etwas zu sagen, dann verdient sie die kalte Schulter, die ich ihr zeigen werde.

Ich bin gestern Nacht mit ihr abgezogen, um etwas klarzustellen. Das Einzige, was ich aber bewiesen habe, ist, dass ich Marissa nicht einfach vergessen kann.

Die Blonde, Brittni mit »i«, schien nicht zu merken, dass ich eigentlich nicht bei der Sache war, und es schien sie auch nicht so recht zu kümmern, dass ich erst einiges an Schnaps tanken wollte, bevor wir mehr machten, als uns nur zu küssen. Doch selbst im Wodka-Tequila-Dunst wollte es mir nicht gelingen, mich auf sie zu konzentrieren. Ich konnte immer nur an einen anderen Geschmack, einen anderen Geruch denken. An eine andere Frau.

Auch nachdem ich mich noch mehr abgefüllt hatte, ließ sich nicht leugnen, dass sie nicht Marissa war. Zum Glück trank auch Brittni reichlich und pennte weg, ehe ich ihr klarmachen musste, dass ich eigentlich keine Lust hatte, mit ihr etwas anderes anzustellen, als gemeinsam zu saufen.

Ich will weg sein, bevor sie aufwacht. Allerdings brauche ich erst einmal Wasser. Am besten literweise.

Ich greife nach meinem T-Shirt und ziehe es über, dann taumle ich aus dem Schlafzimmer. Die Küche lässt sich leicht finden. Ihre Wohnung hat in etwa die Größe einer Keksschachtel.

Ich öffne den Kühlschrank und hoffe auf gekühltes Wasser, aber da ist nichts außer Cola light und Bier. Ohne die Kühlschranktür wieder zuzumachen, nehme ich mir ein offenbar gespültes Glas aus dem Abtropfgestell und halte es ins Licht. Es sieht zum Glück sauber aus, also lasse ich Leitungswasser einlaufen und kippe es durstig herunter. Noch ein zweites. Gegen einen Kater hilft nichts besser als Wasser.

Mir ist immer noch schwummrig, also lasse ich mich auf der Couch nieder, um den Kopf einigermaßen klar zu kriegen, damit ich fahren kann. Ich kann nur hoffen, dass mich keiner anhält. Wie jeder Kriminelle gehe ich der Polizei um jeden Preis aus dem Weg. Anständige Leute sorgen sich um Strafzettel, die in ihrer Akte erscheinen. Ich sorge mich darum, geschnappt und überprüft und als Folge daraus direkt in den Knast geworfen zu werden, ohne eine Chance auf Bewährung zu haben.

Ich lege den Kopf zurück und lasse meine Gedanken schweifen. Sie reisen in der Zeit zurück zu einer Nacht, die ich bereue und die mich inzwischen verfolgt wie ein Albtraum. Es war eine Nacht, in der ich Opfer meines eigenen Spiels wurde – Opfer meines Wunsches, meinen Bruder für das leiden zu lassen, was mir geschehen war.

Es war in New Orleans vor ein, zwei Jahren. Noch heute erinnere ich mich sehr genau daran, wie die Luft roch. Ich atme tief ein, wie ich es damals tat, und erinnere mich …

Die Luft ist mild und riecht nach Salzwasser. Die laute Musik und die überschäumende Feierstimmung fluten meine Sinne und spülen alle anderen Gedanken fort. Nur für eine kleine Weile will ich vergessen, wer ich bin, was ich getan habe und was noch vor mir liegt. Ich will mich im Augenblick verlieren, und nirgendwo und zu keiner Zeit kann man das besser als zum Mardi Gras.

Niemand weiß, wer ich bin. Im French Quarter ist an diesem Tag jeder, der es sein will, anonym. Ich trage keine Maske, kein Kostüm wie die meisten anderen, aber ich bin auf andere Weise genauso maskiert. Hier kennt mich niemand. Und genau das ist der Grund, warum ich unterwegs bin.

Überall auf den Balkonen zur Straße stehen Mädchen, lassen ihre Brüste blitzen und bekommen Perlenschnüre dafür. Das Volk ist betrunken, die Musik laut, und heute zählt nichts außer Spaß und Vergnügen. Überall wird gefeiert, und das gilt auch für die luxuriösen Privatquartiere, an denen ich vorübergehe.

Diese Villa hier macht keinen Unterschied.

Die Fenstertüren stehen offen. Musik und Licht dringen heraus auf die Straße, und über den Partylärm hört man immer wieder das laute Lachen der Gäste.

Etwas dringt durch die trunkene Gleichförmigkeit der Nacht. Es packt mich an einem Zipfel meines Bewusstseins und zieht mich zurück in die Wirklichkeit, der ich entkommen wollte, zerrt mich erbarmungslos wieder in die unerfreuliche Realität.

Jemand ruft meinen Namen. Eine Frau.

Aber wer zum Teufel soll mich hier schon kennen?

Ich schaue mich um, sehe aber keine bekannten Gesichter. Wieder höre ich die Stimme. Dieses Mal horche ich hin und versuche herauszufinden, wo die rufende Person sich befindet.

Dann sehe ich sie.

Sie steht auf dem Balkon des Hauses und beugt sich über das schmiedeeiserne Geländer.

Mein Blick begegnet ihrem, und ich erkenne sie. Sie meint tatsächlich mich.

»Nash! Mein Gott, was machst du denn hier? Komm rauf.«

Sie lächelt mir entgegen. Strahlend. Fast zu strahlend. Wahrscheinlich ist sie betrunken. Ich habe sie erst ein paarmal gesehen, aber es hat gereicht, um zu merken, dass sie ein ziemlich kaltes Biest ist. Aber nicht heute Nacht. Heute Nacht lockt mich Marissa, die Freundin meines Bruders, mit einem warmen, anschmiegsamen Körper. Und der Gedanke, ein wenig Rache zu nehmen, lockt mich genauso.

Bevor ich hinterfragen kann, ob mein Vorhaben klug ist, mache ich auf dem gut beleuchteten Gehweg kehrt und begebe mich zum Haus. Die Tür ist nicht verschlossen, also trete ich ein.

Im Foyer blicken ein paar Leute in meine Richtung, aber niemand spricht mich an oder versucht mich aufzuhalten, als ich mich nach rechts zur Treppe wende. Vielleicht liegt es daran, dass sie mich zu kennen glauben und mich für meinen Bruder Cash halten, für Cash den Betrüger. Der sich für mich ausgibt.

Die vertraute Bitterkeit brennt in meiner Kehle wie Säure. Ich genieße das Brennen, denn es nährt die Lust an dem kleinen Racheakt, den ich plane, und weiter will ich im Augenblick nicht denken.

Und als ich die Treppe hinaufsteige, prickelt jeder Nerv in meinem Körper. Ich weiß, dass es wahrscheinlich unklug ist, eine Entdeckung zu riskieren, aber die Chancen stehen gut, dass die meisten hier viel zu betrunken sind, um sich später an mich zu erinnern. Oder wenigstens zu betrunken, um meine Anwesenheit hier infrage zu stellen, sollte das Thema jemals in einer späteren Unterhaltung aufkommen. Dennoch sollte es ein Kinderspiel sein, den Verdacht zu tilgen. Cash hält mich schließlich für tot. Zweifellos wird er davon ausgehen, dass die Leute hier einfach schon zu berauscht gewesen sind, um richtig hinzusehen.

Im ersten Stock gelange ich in einen Flur, der sich nach rechts und links erstreckt. Es ist der symbolische Scheideweg, denke ich voller Ironie. Ich könnte einfach kehrtmachen – dann wäre nie etwas geschehen. Ja, ich würde mich vielleicht um die Chance betrogen fühlen, mich zu rächen, aber es bestünde auch keine Gefahr, meine Deckung auffliegen zu lassen.

Oder aber ich ziehe es durch. Ich nutze die Gelegenheit und verschaffe mir die Befriedigung, mir auf Kosten meines Bruders ins Fäustchen zu lachen.

Die Wahl fällt mir leicht. Ich verdränge die Stimme in meinem Kopf, die mich einen Idioten schimpft, und wende mich nach rechts. Von der Straße aus gesehen hat sich Marissa auf dieser Seite aufgehalten.

Ich sehe drei Türen zu Zimmern, die zur Straße gehen. Die erste ist zu, und ich öffne sie nicht. Die zweite steht offen, und ich blicke hinein. Es handelt sich um eine Art Salon, der sich auf der anderen Seite zum Balkon öffnet. Das muss es sein.

Ich dränge mich durch die Menge der Gäste auf die deckenhohen Balkontüren zu. Ein paar Leute sprechen mich an, als würden sie mich kennen. Ich lächle höflich, reagiere aber nicht. Ich möchte mich mit niemandem unterhalten. Ich habe nur ein Ziel. Und das entdecke ich nun auf dem Balkon. Marissa.

Sie trägt ein glänzendes königsblaues Kleid, das wie eine zweite Haut sitzt. Die Corsage drückt ihre Brüste zu einem üppigen

Dekolleté nach oben. Das Rockteil ist dramatisch hoch geschlitzt und teilt sich in zwei separate Schleppen. Ihr langes blondes Haar hängt ihr in üppigen Wellen den Rücken herab, und hier und da sind Muscheln eingeflochten.

Es bedarf keiner besonderen Transferleistung, um zu begreifen, dass sie eine Meerjungfrau darstellen soll.

Ich bleibe stehen, um sie zu betrachten und meine Wut zu schüren. Mein Bruder hat wirklich verdammtes Glück. Er hat eine großartige Existenz – meine Existenz! –, er hat den Abschluss an einer renommierten Rechtsschule gemacht und ist in einer prestigeträchtigen Kanzlei in Atlanta untergekommen. Er hat einen guten Namen und vögelt die Tochter des Chefs (zweifellos mit dessen Einwilligung). Und das Tüpfelchen auf dem i? Sie ist zufällig auch noch atemberaubend. Eiskalt, ja, aber dennoch atemberaubend.

Doch heute Nacht werde ich sie ein wenig auftauen. Und anschließend demütigen, damit sie wieder abkühlt. Ich werde sie in der Rolle meines Bruders so richtig schön auf Touren bringen und dann abhauen und es meinem Bruder überlassen, den Schlamassel wieder zu bereinigen. Soll er doch zu erklären versuchen, warum er plötzlich zu einem unsensiblen Arschloch mutiert ist. In der Zwischenzeit schneide ich mir eine Scheibe von seinem guten Leben ab. Wenn das nicht eine echte Win-Win-Situation ist.

Ich durchquere den Raum und trete auf den Balkon hinaus. Anscheinend platze ich gerade in einen Witz, einen echten Brüller, denn Marissa klammert sich vor Lachen an eine kleine Braunhaarige, als könne sie kaum noch gerade stehen. Wahrscheinlich stimmt das sogar. Sie ist absolut breit.

Ein Kellner im Smoking kommt an mir auf dem Weg zum Balkon vorbei, und ich schnappe mir ein Bier von seinem silbernen Tablett. Der Kronkorken ist bereits ab. Wie bequem.

Ich stelle mich draußen an die französischen Türen, trinke einen Schluck aus der Flasche und warte darauf, dass Marissa mich bemerkt. Als es geschieht, quiekt sie entzückt auf, wirft mir die Arme um den Hals und schmiegt sich an mich.

Dann zieht sie den Kopf zurück, um mich zu betrachten. Ihre Arme umfassen meine Schultern noch immer. »Ich habe nichts geahnt. Im Ernst. Das ist eine großartige Überraschung. Ich dachte, du hättest es wirklich so gemeint, als du sagtest, du hättest zu viel zu tun.«

Ich zucke die Achseln und drehe den Kopf zur Seite, um noch einen Schluck Bier zu trinken. Mein Schwanz zuckt, als ich ihre heiße Zunge an meinem Hals spüre. Alkohol scheint sie mächtig scharfzumachen.

»Ich freu mich so, dass du doch noch gekommen bist«, schnurrt sie und reibt ihre Brust an meiner. »Und die Perücke ist toll. So langes Haar steht dir.«

Ich trage das Haar offen, und es hängt mir an beiden Seiten bis zum Kinn herab. Eigentlich erstaunlich, dass sie mich erkennt. Oder zumindest zu erkennen glaubt.

Impulsiv schlinge ich einen Arm um ihre Taille und hebe sie hoch, bis sich ihre Füße vom Boden lösen. Langsam gehe ich mit ihr voran, bis ich den Widerstand des Geländers hinter ihr spüre. Dann stelle ich sie wieder ab.

»Warum diese Freude?«, frage ich. Ich rede so wenig wie möglich, um das Risiko der Entdeckung gering zu halten.

»Weil ich jetzt dringend jemanden zum Küssen brauche. Und hier draußen sind ja nur wir Mädels.« Sie sieht sich um. Ich tue es ihr nach. Doch bis auf uns ist inzwischen niemand mehr auf dem Balkon. »Oder waren es zumindest.« Sie kichert. Tja, es sieht tatsächlich so aus, als seien alle weg. Hier sind nur noch Marissa und ich und eine halbe Millionen Menschen, die unten auf den Straßen

durch die Stadt ziehen. Und von denen uns ein paar ziemlich sicher beobachten.

»Nun bin ich ja da«, sage ich und blicke in ihre Mandelaugen. Mag sein, dass sie meistens ein frigides Biest ist, aber sie hat Feuer in sich. Ich sehe es in ihrem verhangenen Blick, in der sinnlichen Schwellung ihrer Unterlippe.

»Jetzt bist du da.« Sie schmiegt sich an mich und legt ihre Lippen auf meine. Ich staune. Denn obwohl sie glaubt, ihren Freund vor sich zu haben, fehlt diesem Kuss echte ... Leidenschaft. Unwillkürlich frage ich mich, ob das alles ist, was die beiden im Bett miteinander haben: einen oberflächlichen, zweckgebundenen Austausch von Körperchemie.

Ich rufe mir in Erinnerung, dass die beiden und ihre Beziehung mich einen feuchten Dreck angehen. Ich bin nur aus einem einzigen Grund hier, und dass ich meinen Rachedurst mit solchen Lippen, mit einer solchen Frau löschen kann, ist nur ein Bonus. Sie ist nicht zu vergleichen mit den Frauen, mit denen ich mich normalerweise einlasse, wenn ich an Land bin.

Meine Hand wandert ihren Rücken hoch, greift in ihr Haar und zieht ihren Kopf etwas zurück und zur Seite, damit ich den Kuss vertiefen kann. Ich schlinge meine Zunge um ihre und spüre ein Vibrieren, als sie stöhnt. Sie scheint zunächst etwas verunsichert, reagiert aber schnell auf mich.

Sie schiebt eine Hand in mein Haar und hält mich fest. Ihr gefällt es, was es für mich umso süßer machen wird.

Ich nehme meine Hand aus ihrem Nacken, streiche ihr über den nackten Rücken und knete ihren Hintern. Dann drücke ich sie an mich, damit sie spürt, was sich zwischen meinen Beinen tut, und werde damit belohnt, dass ihre Finger sich in mein Haar krallen.

»Magst du das?«, flüstere ich an ihren Lippen.

Sie atmet flacher, die warme Luft streicht über mein Gesicht.
»Ja.«

»Und wie ist es hiermit?«, frage ich und dränge meinen harten Körper gegen sie.

Sie stößt wieder diese Mischung aus Keuchen und Stöhnen aus und rückt ein Stückchen ab, um mich anzusehen. Fragend. Einen Moment lang fürchte ich, dass sie den Betrug durchschaut hat und weiß, dass ich nicht Cash bin. Der in ihrer Welt Nash ist, versteht sich.

Aber sie stellt die Frage nicht. Ob sie es deshalb unterlässt, weil es ihr dann doch zu abwegig erscheint oder sie die Antwort lieber nicht wissen will, kann ich nicht sagen. Jedenfalls hält sie den Mund und lässt mich machen. »Das mag ich sogar noch mehr.«

Sie zieht meinen Kopf zu sich herab, hebt ein Bein an, um mit der Wade über die Rückseite meines Oberschenkels zu reiben, und öffnet sich für mich ein wenig mehr.

Ich streiche meine Hand über ihre Hüfte, bis ich ihr nacktes Bein spüre. Unter dem Kleid wandere ich weiter bis zu ihrem Slip. Mit einem Ruck zerreiße ich das dünne Material. Ich spüre ihre Nägel an meiner Kopfhaut, und das heizt mich nur weiter an.

Meine Absicht, sie – und durch sie meinen Bruder – zu demütigen, wird plötzlich gedämpft durch heiße Lust auf dieses kleine scharfe Ding in meinen Armen. Dennoch ist mein Rachedurst stark und verschwindet nicht gänzlich, dennoch will ich sie immer noch zu etwas bringen, das sie noch nie getan hat und eigentlich auch nicht tun würde. Selbst wenn sie sich später nicht daran erinnert und Cash es nie erfahren wird – ich werde es wissen. Und das ist es, was zählt. Ich werde es wissen.

Ich drehe mich ein wenig zur Seite, schiebe meine Hand zwischen ihre Beine und stecke einen Finger in sie. Sie ist so nass, dass es bis zu meinem Knöchel tropft. Blut strömt in meinen Schwanz, und ich stöhne in ihren Mund, als sie ihre Hüften an meiner Hand bewegt.

Ich ziehe meinen glitschigen Finger heraus und nehme den Kopf ein Stück zurück, um ihr ins Gesicht zu sehen. Ihre Augen sind groß, die Pupillen geweitet.

»Aufmachen«, sage ich und senke meinen Blick zu ihrem Mund.

Sie öffnet die Lippen, und ich stecke ihr den Finger in den Mund. Meine Bauchdecke zieht sich zusammen, als sie die Lippen darum schließt und zu saugen beginnt. Ich würde wetten, dass sie das noch nie getan hat, aber vielleicht irre ich mich auch. Also treibe ich es noch weiter.

Ich ziehe meinen Finger wieder heraus und greife um sie herum, um die Bierflasche in die andere Hand zu nehmen. Ich führe sie zwischen unsere Körper und berühre ihr Bein mit dem kalten Glas. Ihren glänzenden Lippen entweicht wieder ein keuchender Laut. Und der ist purer Brennstoff für mich.

Sie ist höllisch erregt. Aber wie weit wird sie gehen?

Ich schiebe die Flasche an ihrem Bein aufwärts bis zu der Stelle zwischen ihren Schenkeln, wo sich die Hitze ausbreitet. Ich berühre sie mit dem kühlen Flaschenhals, und sie schaudert, hält mich aber nicht davon ab. Keuchend sieht sie mich an, die Finger noch immer in mein Haar gekrallt, ihr Gesicht ganz nah an meinem.

»Denkst du, dass ich dich vor allen Zuschauern hier zum Höhepunkt bringen kann?«

Ich höre, wie ihr der Atem stockt. Ihr Blick huscht an mir vorbei, als müsse sie sich selbst davon überzeugen, dass wir keinesfalls allein sind. Anscheinend war sie so sehr auf mich konzentriert, dass ihr diese Kleinigkeit entfallen war.

Sie gibt mir keine Antwort, regt sich aber auch nicht. Also stecke ich den Flaschenhals in sie hinein. Ihre Knie knicken ein, und ich packe sie mit dem anderen Arm um die Taille, um sie festzuhalten, während ich die Flasche noch ein Stück weiter in sie schiebe. Ganz, ganz langsam ziehe ich sie wieder heraus. Ihre Lippen zittern.

Sie schließt die Augen und schnappt stoßweise nach Luft. Sie ist schon kurz davor, ich spüre es.

»Mach die Augen auf. Ich will dich sehen.«

Als sie gehorcht, schiebe ich die Flasche erneut in sie, wieder etwas tiefer. Sie beißt sich auf die Lippe, um nicht aufzuschreien. Nun bewege ich die Flasche rhythmischer in sie, drehe sie hin und her, treibe sie mit jeder kleinen Bewegung weiter zum Höhepunkt. Wieder und wieder und immer schneller schiebe ich die Flasche in sie, und sie ballt die Faust im gleichen Rhythmus in meinem Haar, bis ihre Augen erneut zufallen. Ihr Mund öffnet sich, und ihr heißer Atem schlägt mir ins Gesicht. Sie kommt, kommt für mich, kommt für den Kerl, den sie für ihren Freund hält. Und sie kommt unter den Augen Tausender Fremder. Ich lege meine Lippen auf ihre und lecke ihre Zunge, während sie jeden Widerstand aufgibt und sich von der Flasche, die ich ihr zwischen die Beine gesteckt habe, vögeln lässt.

Als ihr Atem sich langsam beruhigt, beiße ich ihr in die Unterlippe und ziehe den Kopf zurück, um sie anzusehen. Ihre schweren Lider öffnen sich einen Spalt, um mich anzusehen. Sie lächelt nicht, sie sieht nicht nachdenklich aus, sie beobachtet mich einfach nur. Neugierig. Vielleicht ein bisschen verwirrt.

Ich ziehe die Flasche aus ihr heraus und trete einen Schritt zurück. Ohne sie aus den Augen zu lassen, hebe ich sie an meine Lippen. Bewusst langsam kippe ich sie, lege den Kopf zurück und lasse das Bier fließen. Marissas Geschmack mischt sich mit dem kalten Getränk. Ich schlucke es herunter.

»Das beste Bier, das ich je getrunken habe«, sage ich.

Ich lasse sie los, drehe mich ohne ein weiteres Wort um und gehe. Ich sehe nicht zurück, bis ich die Treppe hinabgestiegen bin.

Marissa steht am Kopf der Treppe und blickt mir nach. Ein paar Sekunden lang starren wir einander in die Augen. Mit einem selbstzufriedenen Grinsen wende ich mich ab und verlasse das Haus. Ohne mich ein weiteres Mal umzudrehen, tauche ich in der Menge unter.

Lange Zeit gehe ich durch die Straße und versuche das, was gerade geschehen ist, hinter mir zu lassen. Aber weder die Lichter, die Musik, das Johlen der Menge noch die Stimmung der Nacht können Marissa aus meinen Gedanken drängen. Je länger ich gehe, umso intensiver denke ich an sie. An ihren Gesichtsausdruck, ihre weichen Lippen, die Leidenschaft, die unter ihrer kühlen Oberfläche lauert. Mein ganzer Körper pulsiert. Das Schlimmste daran ist, dass es keinen Sinn hat, mir eine andere zu suchen. Sie ist die Einzige, die mir in dieser Nacht Befriedigung verschaffen kann. Und sie kann ich nicht haben.

Sie wird es wohl nie erfahren, aber sie hat das Spiel dieser Nacht gewonnen. Marissa hat mich zum Opfer meiner eigenen Rache gemacht.

»Was machst du da?«

Brittnis Stimme reißt mich mit einem Ruck in die kalte Realität zurück.

»Ich gehe«, sage ich schlicht. »Danke für den Schnaps.«

Sogar im Dunkeln kann ich ihren beleidigten Gesichtsausdruck erkennen, aber es könnte mich nicht weniger kümmern. Es gibt nur eine Person, deren Meinung mich wirklich zu interessieren beginnt, und ich habe keine Ahnung, was ich deswegen unternehmen soll.

24
Marissa

Das Klicken des Türriegels weckt mich. Ich lausche angestrengt, um zu bestimmen, ob ich das Geräusch nur geträumt habe oder ob es echt war. Dann wird die Tür zugedrückt, und ich weiß, dass es sich nicht um einen Traum handelt. Das hier ist Realität.

Sofort beginnt mein Herz zu rasen, und mein Verstand geht alle Optionen, die ich habe, durch. Ich will mich gerade lautlos aus dem Bett gleiten lassen, um mich im Bad einzuschließen, als ich das metallische Klingen von Schlüsseln höre, die auf den Tisch neben der Tür fallen. Und das lässt mich augenblicklich etwas zur Ruhe kommen. Irgendwie kann ich mir nicht vorstellen, dass jemand mit bösen Absichten seinen Schlüssel auf den Tisch legen würde.

Ein Gesicht taucht vor meinem inneren Auge auf.

Nash.

Als er im Türrahmen auftaucht, erkenne ich ihn sofort. Wie er sich bewegt, ist mir so vertraut, dass ich ihn überall erkennen würde, sofern ich seine Umrisse sähe.

Schweigend kommt er aufs Bett zu. Obwohl ich einerseits froh bin, dass er hier ist, bin ich auch noch sauer, dass er vorhin mit dieser Blondine abgezogen ist.

»Wo ist denn deine Begleitung?«, frage ich eisig.

Zuerst reagiert er nicht. Ich höre, wie er sich bewegt, höre das Rascheln der Kleider, als er sich auszieht. Trotz meiner Verärgerung strömt sofort neues Verlangen durch meinen Körper.

Er tritt ans Bett und blickt im Dunkeln auf mich herab. Ich kann genug erkennen, um zu sehen, dass seine Miene ernst ist. Entschlossen. Wild entschlossen.

»Ich habe heute Nacht etwas begriffen.«

Die Matratze wird heruntergedrückt, als er sein Knie aufstützt. Seine Finger streifen meine Haut, als seine Hand neben meiner Schulter in die Decke greift. Er hält inne, wie um mir für eine Antwort Zeit zu geben.

»Und was?«

Mein Inneres ist wie ein Vulkan. Er spuckt Feuer, das durch meine Glieder bis in mein Innerstes strömt, als er langsam die Decke wegzieht.

»So fest ich auch die Augen zugemacht habe, so sehr ich es auch zu übersehen versucht und mir das Gegenteil gewünscht habe…« Er spricht sehr leise, und ich muss mich anstrengen, ihn zu verstehen, obwohl es so still ist. »Sie war nicht du.«

Mein jagendes Herz überschlägt sich.

Nashs Hände stocken in meiner Hüftgegend, als würde er auf meine Erlaubnis warten.

Ich richte mich auf und lege meine Hände über seine. Nun warten wir beide – reglos, sprachlos, atemlos. Als würde etwas Wichtiges entschieden.

Dann lasse ich mich betont auf den Rücken sinken und lege seine Hände auf meine Brüste. Er zieht scharf die Luft durch die Zähne.

»Zeig's mir«, befehle ich schlicht. Was ich von ihm wissen will, ist klar. Sein Wunsch, sie wäre ich gewesen, bedeutet hoffentlich das, was ich meine, doch ich weiß nicht, ob er tatsächlich gewillt ist, sich das auch einzugestehen.

Er erwidert nichts, reagiert aber, als hätte er es getan. Er streckt sich neben mir auf dem Bett aus, und als er mir in die Augen sieht, wirken seine im Mondstrahl, der durch meine Vorhänge dringt, wie funkelnde schwarze Edelsteine. Eine Weile betrachtet er mich nur, während sein Daumen geistesabwesend über meinen Nippel streicht.

Schließlich senkt er den Kopf und streicht mit seinen Lippen über meine. »Ich weiß nicht, was ich mit dir machen soll«, sagt er leise.

»Liebe mich«, entgegne ich und lege meine Hand an seinen Hinterkopf, um ihn resolut an mich zu drücken. Ich will nicht, dass er mit Worten den Augenblick ruiniert. Ich will nur, dass er mich liebt, als seien wir nicht zwei kaputte Menschen ohne gemeinsame Zukunft. Zumindest das hier können wir haben: einen Augenblick, unsere Gefühle, die eine perfekte Nacht.

Mein Herz, meine Seele und mein Körper vibrieren unter seiner Berührung. Nashs Hände, Finger, Lippen und Zunge wandern über mich, als gäbe es nichts anderes für sie zu tun. Geschickt treibt er mich in fiebrige Höhen, bevor er schließlich innehält, sich zwischen meinen Beinen einrichtet und seine Erektion an meiner Scheide positioniert.

Mir ist, als würde die ganze Welt den Atem anhalten und gespannt darauf warten, dass er in mich stößt und die Sehnsucht stillt, die er selbst in mir erzeugt.

Meine Augen sind geschlossen, und mein ganzer Körper ist auf die Stelle konzentriert, an der wir uns auf so intime Weise berühren. Doch er überrascht mich und spricht.

»Sieh mich an.«

Ich gehorche und begegne seinem Blick. Er starrt mich einige lange, verwirrende Sekunden an, ehe er die Hüften nach vorne bringt und quälend langsam in mich eindringt. Und als er tief in mir ist und mich auf eine Art erfüllt, die so viel mehr als nur körperlich ist, senkt er den Kopf zu einem Kuss, der mir unter die Haut geht und sogar mein verschrecktes, schutzloses Innerstes erreicht.

Aber als seine Zunge mich zu liebkosen beginnt, wird aus Zärtlichkeit Leidenschaft, und meine Muskeln ziehen sich um ihn herum zusammen. Er beginnt sich in mir zu bewegen und treibt mich rastlos auf Wonnen zu, die ich bisher nur in seinen Armen, unter seinen Händen erfahren habe.

Mein Orgasmus ist anders als jeder zuvor. Er überspült mich wie warmer Honig, langsam und süß.

»Ich liebe es, dich so nass und eng um mich zu spüren«, stöhnt er und verlangsamt die köstliche Qual, um mein Vergnügen zu verlängern.

Er hört nicht auf, bis ich gewaltig gekommen bin. Dann zieht er sich mit einer Sanftheit, die ich bei ihm noch nicht erlebt habe, aus mir heraus und dreht mich auf den Bauch.

Meine Glieder sind wie Gummi, und weder will noch kann ich mich ihm widersetzen, als er ein Kissen unter meine Hüften stopft. Ich fühle mich, als hätte ich nichts mehr zu geben, als ich seine Lippen spüre.

»Ich liebe diesen Hintern«, sagt er leise, küsst eine Pobacke und zupft mit den Zähnen an meiner Haut. Seine Hände streicheln über meinen Po und wandern abwärts, um meine Beine auseinanderzudrücken. Er steckt einen Finger in mich, und zu meinem Erstaunen strömt neue Hitze in meinen Unterbauch. Schon wieder. »Mindestens einmal kannst du noch«, sagt er, und ich spüre sein Gewicht an meiner Kehrseite, als er sich über mich beugt und mir ins Ohr flüstert: »Tust du das für mich? Kommst du noch einmal für mich?«

Ich weiß nicht, was ich darauf antworten soll, daher sage ich nichts. Aber als sein Finger abwärts wandert und über meine Klitoris reibt, denke ich, dass es ganz bestimmt doch möglich ist.

Seine Beine drängen meine weiter auseinander, und ich spüre die Spitze seiner Erektion gegen meine Scheide drücken, bevor er sich wieder in mich schiebt. Dieses Gefühl, dieses wunderbare Gefühl, ausgefüllt zu sein, entlockt mir ein Stöhnen, und mein Körper erwacht erneut zum Leben.

Auch er stöhnt, zieht sich zurück, stößt wieder in mich. »Das dachte ich mir.«

Ich stütze mich auf die Ellenbogen und biege den Rücken durch, damit er tiefer eindringen kann. »Oh, ja«, flüstert er, packt meine Hüften und zieht mich fester an sich.

Eine Hand lässt meine Hüften los, und dann spüre ich sie unter mir und an meiner Klitoris. Sein Finger zieht im Rhythmus der Stöße kleine Kreise, und es dauert nicht lange, bis sich die Spannung in meinem Unterbauch erneut aufbaut.

Ich drücke mich gegen Cash. Sein Atem kommt nun keuchend, und ich weiß, dass er gleich kommt, was mich noch viel mehr erregt. Als er plötzlich reglos verharrt, spüre ich das Pulsieren seiner Explosion, und sie löst die meine aus. Gemeinsam kommen wir zum Höhepunkt, und während meine Muskeln ihn drücken und massieren, pulsiert und zuckt er in mir.

Fast geistesabwesend reibt er seine Hände in großen Kreisen über meinen Rücken und meinen Po, immer wieder, immer weiter. Kurz bevor er sich aus mir herauszieht und sich auf mich sinken lässt, spüre ich seine Lippen zwischen meinen Schulterblättern. Einen Moment lang glaube ich, dass er etwas flüstert, aber die Dunkelheit schluckt es, und er sagt anschließend nichts mehr.

25
NASH

Das Klingeln des Telefons weckt mich. Noch immer groggy rolle ich mich herum und taste verschlafen nach dem lärmigen Ding. Ich blicke aufs Display und fahre hellwach hoch. Kein Name steht bei der Nummer, aber ich weiß sehr gut, zu wem sie gehört.

Dmitry.

»Hallo?«

»Nikolai, wir treffen uns in zwei Stunden«, sagt er mit seinem breiten Akzent. Dann gibt er mir die Adresse eines Motels in einem Ort durch, der etwa eine Autostunde von Atlanta entfernt ist. »Zimmer elf. Komm allein. Wir reden dann.«

Es klickt, und die Verbindung ist unterbrochen. Ich senke die Hand mit dem Telefon und starre einen Moment lang ins Leere. Das also ist mein Leben.

So ein Schwachsinn sollte nur in Kinofilmen passieren.

So leise wie möglich, um Marissa nicht zu wecken, stehe ich auf und dusche. Bei Dmitry zögere ich nicht. Er ist einer der wenigen Menschen, denen ich fast traue. Auch wenn seine Botschaft obskur und mehr als nur knapp war, tue ich, was er sagt. Natürlich werde ich sehr vorsichtig sein. Und bewaffnet dazu.

Hinfahren werde ich aber dennoch. Er kennt mein ultimatives Ziel besser als jeder andere, und ich habe das dumpfe Gefühl, dass das, was er mir zu sagen hat, unmittelbar damit zusammenhängt.

Es ist noch nicht einmal neun, aber man kann bereits ahnen, dass der Tag heiß und feucht werden wird. Ich sitze noch keine fünf Minuten in Cashs Wagen, als mir das Hemd bereits am Rücken klebt.

Da ich schon unterwegs bin, sollte ich etwa eine halbe Stunde vor der ausgemachten Zeit eintreffen, was immer günstiger ist, als zu spät zu kommen. So kann ich aus etwas Abstand den Treffpunkt ein paar Minuten lang beobachten, bevor ich mich schließlich blicken lasse.

Meine Gedanken und Gefühle auf der Fahrt sind ein wirrer Mix aus Erinnerungen an Marissa und all die unerwünschten Emotionen, die sie in mir erzeugt, und Hass und Zorn, die seit einer Ewigkeit in mir schwelen. Am seltsamsten aber erscheint mir, dass die Gedanken, die sich um Tod und Rache drehen, ständig durch die an Marissa verdrängt werden. Und sich nur schwer wieder zurückholen lassen.

Kann es sein, dass ich mich irre? Könnte es sein, dass es doch eine Zukunft für uns gibt? Kann ich mir am Ende doch das Leben einrichten, das mir eigentlich zugestanden hätte? Und gibt es eine Chance, dass ich es mit einer Frau wie Marissa schaffe? Bin ich gut genug für sie?

Du bist ein verf–, verdammter Vollidiot, dass du so einen Schwachsinn überhaupt denkst.

Doch noch während ich mich selbst runterputze, schüttele ich den Kopf über meine Selbstzensur. Sogar wenn sie nicht in meiner Nähe ist, verbessere ich meine Wortwahl aus Respekt vor ihr.

Ich bin der Lösung meiner Probleme kein bisschen näher gekommen, als ich an der Kreuzung dem Motel gegenüber ankomme. Die Anlage sieht aus wie der feuchte Traum eines jeden Psychopathen: rostigen Türen, abblätternde Farbe und unregelmäßig flackernde Neonschilder. Es hätte mich nicht gewundert, wenn es »Bates Motel« geheißen hätte.

Langsam steuere ich den Wagen nach rechts, statt über die Kreuzung auf die Hotelzufahrt zu fahren. Ich biege auf eine stillgelegte Tankstelle ein, umrunde sie und visiere eine Baumreihe am Rand des Geländes an. Ich könnte mir vorstellen, dass ich Zimmer Nummer elf von hier aus sehen kann.

Und tatsächlich. Ich halte an, stelle den Motor aus und spähe hinüber. Und warte.

Ein paarmal sehe ich, wie sich die Vorhänge, die das Panoramafenster verdecken, ein Stückchen teilen, doch die Person im Zimmer steht nicht nahe genug an der Scheibe, als dass ich sie klar als Dmitry identifizieren könnte.

Die Zeit kriecht dahin, bis ich beschließe, mich blicken zu lassen. Ich lege den Rückwärtsgang ein, mache kehrt und fahre wieder auf die Kreuzung, um diesmal auf die Auffahrt zum Motel abzubiegen.

Ich spare mir die Rezeption, durch deren Fenster ich einen schmierigen bebrillten Kerl sehen kann, der hinter der Theke sitzt und fernsieht. Stattdessen fahre ich um das Gebäude herum zu der Reihe von Parkplätzen vor den einzelnen Zimmern. Ich fahre bis zum Ende der Reihe und stelle mein Auto vor Nummer zwanzig ab.

Aus den Augenwinkeln mustere ich jeden Wagen und jedes Zimmerfenster, an dem ich vorbeikomme. Nichts wirkt ungewöhnlich oder alarmierend, aber das heißt nicht viel.

Ich klopfe an die Tür der Nummer elf. Als ich das dritte

Mal mit den Knöcheln gegen das kalte Metall klopfe, löst sich eine Eins aus der Elf und baumelt an der untere Schraube herab.

Ganz reizend.

Wieder teilt sich der Vorhang hinter dem Fenster. Diesmal erkenne ich Dmitry. Meine Muskeln entspannen sich ein klein wenig.

Die Tür geht gerade weit genug auf, dass ich eintreten kann. Dmitry steht dahinter, sodass ich einen freien Blick auf das leere Zimmer habe. Meine Anspannung lässt noch etwas nach.

Er schließt die Tür und tritt näher, um mich zu umarmen. Er klopft mir herzlich auf den Rücken, packt mein Gesicht mit beiden Händen, wie viele Russen es tun, küsst mich auf beide Wangen und versetzt mir noch einen Klaps.

»Nikolai, du siehst gut aus.« Er tritt an die Kommode, die er als Minibar benutzt. Er schenkt Wodka in zwei Schnapsgläschen und reicht mir eins. Ich kippe es in einem Zug runter.

»Warum hast du dich hier versteckt?«, frage ich. »Was ist passiert?«

Dmitry seufzt in sein Glas und starrt auf den Boden, als könne er darin eine Antwort finden, dann nippt er daran. Schließlich setzt er sich auf die Bettkante. Im Schein der Außenlampe, die durch den Vorhang dringt, kann ich ihn besser erkennen und stelle fest, dass er nicht gut aussieht.

Dmitry ist groß für einen Russen, aber nicht annähernd so groß wie ich. Ich würde ihn als stämmig bezeichnen. Zusammen mit den harten Linien seines eckigen Kinns und den stahlblauen Augen wirkt er auf die meisten Menschen normalerweise ziemlich einschüchternd. Im Augenblick jedoch könnte er höchstens ein Kind erschrecken. Sein Haar, teils dunkelblond, teils schon ergraut, sieht zottig aus und hätte dringend eine Wäsche nötig, und er hat sich mindestens drei Tage lang nicht rasiert. Doch es ist der grimmige Zug um den Mund, der mich stutzig macht. Und seine sichtbare Erschöpfung.

»Herrgott, Dmitry, du siehst aus, als hättest du nicht mehr geschlafen, seit wir uns das letzte Mal gesehen haben. Was zum Geier ist los mit dir?«

»Ich weiß, wer deine Mutter getötet hat, Nikolai.«

Ich ziehe die Brauen zusammen. »Ich auch. Ist das der Grund, aus dem du mich herbestellt hast? Um mir zu sagen, wer aufs Knöpfchen gedrückt hat?«

»Nein. Nicht nur.« Er macht eine Pause. Die Situation hat etwas Dramatisches, ob er es nun beabsichtigt oder nicht. Meine innere Anspannung nimmt wieder zu, bis er endlich fortfährt. »Ich hab dich herbestellt, weil ich ihn habe. Hier. Zusammengeschnürt. Für dich.«

Mein Herz beginnt heftig zu hämmern. Alles um mich herum verschwindet bis auf den Mann vor mir. Und die Möglichkeit, dass sieben Jahre Streben hier und jetzt ein Ende finden können. Dmitry hat mir das einzige Geschenk gemacht, das Männern wie uns etwas bedeutet – die Befriedigung von Rachegelüsten. Vergeltung.

In meinen Ohren klingelt es so laut, dass ich meine eigene Stimme beinahe nicht mehr hören kann. »Wo?«

»Nebenan.« Er deutet mit dem Kopf auf eine Tür, die zu einem anderen Zimmer führt.

Wie betäubt gehe ich auf die Tür zu und drücke sie auf. Es kommt mir surreal vor, fast mehr, als mein Verstand verarbeiten kann, als ich eintrete und Duffy sehe, der mitten im Raum an einen Stuhl gefesselt ist. Ein Knebel steckt in seinem Mund, und Blut aus seiner Nase ist zu einem Rinnsal getrocknet.

Sein Blick begegnet meinem. Ein Auge ist fast zugeschwollen, doch das andere blickt klar. Und resigniert. Ich zweifle keine Sekunde, dass ein Mann wie er weiß, wie enorm groß seine Chancen sind, einen gewaltsamen und frühzeitigen Tod zu erleiden. Nur wenige Männer blicken ihrem Ende ins Auge. Der Kerl dort tut es. In dem Moment, in dem ich eintrat, war ihm klar, dass sein Leben hier und jetzt ein Ende nimmt. Da kein Cash hier ist, der mich daran hindert, kann ich nun die Rache nehmen, die ich mir sieben Jahre lang ausgemalt habe.

Kaltes Metall berührt meine rechte Handinnenfläche. Ich werfe einen Blick zurück. Dmitry steht hinter mir und drückt mir einen Schalldämpfer in die Hand. Wir kennen uns schon so lange, dass er weiß, welche Waffe ich bei mir habe und welches Zubehör das richtige ist.

Ich nehme ihm das Ding ab und werfe es zu Boden.

»Nein. Ich mach es auf meine Art.« Ich bücke mich und greife in meinen Stiefel, in dem immer ein langes, sehr scharfes Messer steckt. Ich halte es hoch und drehe es so, dass die Klinge im schwachen Licht aufblitzt. »Ich werde es ihm zwischen die Rippen bis ins Herz stecken und zusehen, wie er verblutet. Dieser Verräter soll wenigstens etwas von dem Schmerz spüren, den ich gefühlt habe, als er meine Mutter mitsamt dem Boot in tausend Stücke gerissen hat.«

Langsam gehe ich auf ihn zu und nehme jede Einzelheit in mich auf, genieße jede einzelne Sekunde, die mich zu dem Ziel führt, das ich seit all den Jahren anstrebe. Ich war schon so weit und glaubte, mich niemals rächen zu können, doch nun ist der Tag gekommen. Nun ist es so weit. Heute kann ich mich endlich von all dem Hass befreien.

Ich bleibe vor Duffy stehen. Meine Hand krampft sich so fest um den Messergriff, dass meine Knöchel zu schmerzen beginnen. Ich blicke in das nicht zugeschwollene Auge, und was ich sehe, verwirrt mich.

Friede. Vor mir sitzt ein Mann, der mit seinem Leben abgeschlossen hat. Und seinen Tod akzeptiert. Er ist bereit zu sterben. Fast könnte man glauben, er ist sogar begierig darauf.

Und in diesem Moment sehe ich sie.

Marissa.

Sie ist nicht hier, aber sie könnte es ebenso gut sein. Ihre Präsenz ist spürbar. Ich spüre sie, als stünde sie direkt vor mir und berührte mein Gesicht. Ich stelle mir ihre wunderschönen blauen Augen vor. Und die Tränen, die sich darin bilden.

Ihre warmen Finger werden kalt, als das Bild verblasst. Und mit einem Mal ist sie weg, einfach so. Sie ist weg.

Und wieder befinde ich mich an einem Scheideweg, ähnlich wie damals in New Orleans. In der einen Richtung wartet Marissa. In der anderen ... alles andere.

Wenn ich das Ding hier durchziehe, gibt es kein Zurück. Jedes Mal wenn ich in den vergangenen Jahren getötet habe, war es aus Selbstschutz. Noch nie habe ich jemanden kaltblütig ermordet.

Ich bin klug genug, um zu kapieren, dass mich das verändern wird. Wenn ich das tue, schlage ich einen Weg ein, der sich nicht zurückgehen lässt. Ich treffe eine Entscheidung, mit der ich möglicherweise nicht leben kann, und sie hat unweigerlich Konsequenzen, an denen ich nichts ändern kann. Ich werde zum Beispiel das Land verlassen müssen. Ich werde den Rest meines Lebens auf der Flucht sein. Und niemals würde ich Marissa in eine solche Sache hineinziehen.

Der Nash, der hier und jetzt mit dem Messer in der Hand im Motelzimmer steht, hat noch einige wenige Optionen im Leben. Der Nash, der dem Mörder seiner Mutter das Messer zwischen die Rippen rammt, nicht. Diesem Nash bliebe nur eine Möglichkeit: untertauchen.

»Nikolai?«

Dmitry. Natürlich fragt er sich, worauf ich warte. Er hat mir alles, was ich mir je gewünscht habe, auf einem Silbertablett serviert, und ich zögere.

Mein Herz klopft heftig, als mir bewusst wird, dass es nicht mehr alles ist, was ich mir wünsche. Ich will eine Existenz. Eine echte. Mit einer gewissen Normalität, die in den vergangenen Jahren für mich ein unerreichbarer Luxus war. Vielleicht ein Dasein, das ich mit jemandem teilen kann. Vielleicht ...

Aber ich schieße über das Ziel hinaus. Und ich will keine vorschnellen Entscheidungen treffen. Da ich unbedingt erst einen klaren Kopf brauche, wende ich mich ab und kehre in den anderen Raum zurück.

»Was ist los mit dir? Ist es nicht das, was du immer wolltest? Seit ich dich kenne, redest du von nichts anderem.«

Ich schaue Dmitry in die besorgten Augen. Ist es das, was ihm Sorgen gemacht hat? Hat er Angst gehabt, dass ich letztlich noch kneife? Oder genau das Gegenteil – dass ich es tue?

In den vergangenen Jahren ist er für mich wie ein Vater gewesen. Er beschützte mich so gut er konnte in dem Leben, das ich zu führen gezwungen war, und manchmal denke ich, dass ich für ihn ebenfalls die Familie bedeutete, die er nie gehabt hatte. So wie er werde ich in zwanzig Jahren auch sein, wenn ich den eingeschlagenen Weg weitergehe. Aber will ich das? Will ich dieses Leben weiterführen? Ist die Befriedigung, mich an dem Mörder nebenan zu rächen, es wirklich wert? Ist sie es wert, selbst zum Mörder zu werden?

Das Adrenalin lässt mich klar denken. Aus heiterem Himmel durchzuckt mich ein Gedanke.

»Ich werde ihn unter einer Bedingung verschonen«, sage ich zu Dmitry.

»Und die wäre?«

»Er muss gegen den Kerl aussagen, der ihm den Auftrag gegeben hat. Ich will für meine Mutter Gerechtigkeit, selbst wenn sie eine andere Gestalt hat, als ich ursprünglich gedacht habe.«

»Damit hast du nur ein Problem gelöst. Und das auch nur, wenn er einwilligt.«

»Richtig, die Aussage allein wird nur ein Problem beseitigen. Aber vielleicht kann ich ja mehr erreichen. Mein Vater würde ebenfalls aussagen, wenn er sicher sein könnte, dass uns das ein für alle Mal von der Bedrohung durch die *Bratva* befreit.«

Die Idee wächst bereits in meinem Kopf. Die Wurzeln dringen tiefer, der Stamm wird kräftiger. Plötzlich fühle ich mich so optimistisch wie schon lange nicht mehr.

»Man müsste genug Material zusammentragen, um wenigstens Slava und seine rechte Hand Anatoli dranzukriegen. Dennoch ist wohl keiner von uns wirklich sicher, wenn du nicht auch Ivan erwischst. Sie sind die beiden Einzigen, die Slava wirklich treu ergeben sind. Ich könnte mir sogar vorstellen, dass Konstantin, ein alter Bekannter von mir und Vierter in der Befehlskette, die Gelegenheit, weiter aufzusteigen, nur allzu gerne ergreifen würde. Er war immer schon ein ehrgeiziger Mistkerl. Vielleicht könnte er für uns eine Insider-Rolle übernehmen. Vielleicht könnten wir eine Art Waffenstillstand erreichen.«

Wie ein Schleier heben sich Erschöpfung und Hoffnungslosigkeit von Dmitrys Zügen. Endlich sieht er einen besseren Weg als Mord, endlich sieht er den Schimmer am Horizont.

Er hätte niemals versucht, mich von meiner Rache abzubringen, doch nun begreife ich, dass er es am liebsten getan hätte. Aber er liebt mich zu sehr. Mich, den Sohn, den er nie hatte.

»Über Duffy kommen wir an Anatoli. Er hat den Anschlag in Auftrag gegeben, oder?«

»Soweit ich weiß, ja. Er ist normalerweise der Mann für solche Problemlösungen.«

»Und über meinen Vater kommen wir an Slava ran. Er hat dabei geholfen, das Geld zu waschen und die Bücher zu frisieren. Demnach müssen wir uns nur überlegen, wie wir Ivan zu fassen kriegen. Und wenn wir genügend Beweise oder Aussagen haben, um eine Anklage wegen organisierten Verbrechens zu erwirken, wie mein Bruder es die ganze Zeit über vorhat ...«

Dmitry tritt ans Fenster und schiebt den Vorhang ganz leicht zur Seite, um hinaus auf den Parkplatz zu blicken. Für jeden anderen mag diese Geste unverfänglich aussehen, aber ich kenne ihn gut genug, um zu wissen, dass ihn etwas bedrückt.

»Was ist los, Dmitry?«

»Du weißt, dass ich immer schon mehr vom Leben wollte. Ich hätte nie gedacht, dass ich in dem Alter, in dem ich jetzt bin, noch immer Waffen schmuggle. Ich hätte früher aussteigen müssen. Ich hätte es wagen müssen wie dein Vater.«

»Dmitry, sobald das hier vorbei ist, helfe ich dir auszusteigen, wenn es das ist, was du willst. Ich habe Geld. Ziemlich viel sogar. Ich habe so gut wie alles, was ich in den vergangenen Jahren verdient habe, zur Seite geschafft. Es liegt auf einem Überseekonto und arbeitet für mich. Wenn wir das alles hinter uns haben, bekommst du deinen Neustart.«

Selbst im Profil lässt sich erkennen, dass sein Lächeln traurig ist. »Das würde ich von dir niemals verlangen. Du bist jung. Du hast noch so viele gute Jahre vor dir. Du hast eine Zukunft. Mir dagegen bleibt nicht mehr viel. Ich bin alt. Wichtig ist jetzt vor allem, wie ich die Zeit, die mir bleibt, verbringe.«

»Was meinst du damit?«

»Ich kenne Ivan, weil wir vor vielen, vielen Jahren zusammengearbeitet haben. Sogar noch bevor dein Vater und ich uns kennenlernten. Über ihn bin ich überhaupt erst in dieses Geschäft eingestiegen. Er ist derjenige, der die Schmuggel-Operationen leitet.«

O Scheiße! O Scheiße, o Scheiße, o Scheiße!

Die Puzzleteile rücken an die richtige Stelle und fügen sich klickend ineinander, und ich begreife. Ich begreife, was das bedeutet. Was es bedeuten kann, heißt das.

Ich will nicht zu enthusiastisch werden. Falls Dmitry nicht aussagen will oder ich etwas übersehen habe, dann führt das alles vielleicht zu nichts. Aber jetzt besteht die Chance, dass diese Sache richtig groß wird. Und uns alle von diesem verfluchten Dasein im Halbschatten oder auf der Flucht befreit. Auftragsmorde, Geldwäsche, Waffenverkäufe an US-amerikanische Terroristen ... O ja, das wird für ein Strafverfahren wegen organisierter Kriminalität reichen. Zumindest, wenn ich es richtig verstanden habe. Und wenn der Staatsanwalt seinen Job gut macht, dann werden sie alle den Rest ihres Lebens hinter Gittern verbringen.

Und die unerwartete Wende des Ganzen? Der Bonus, der alles umso schöner macht? Duffys Aussage verschafft meinem Vater die Freiheit. Hiermit könnte die ganze Sache wirklich vorbei sein. Ein für alle Mal. Wir könnten wieder eine Familie sein und in die Zukunft schauen. Wir könnten fast wieder ein normales Leben führen!

»Dmitry, ich weiß, dass es ein gewaltiges Risiko für dich ist, aber –«

»Es ist Zeit, Nikolai. Viele, viele Jahre habe ich auf diese Art gelebt, und ich bin müde. Du warst das einzig Gute an meinem Dasein. Da du nicht mehr da bist, bleibt nur noch ... Leere. Nein. Wir ziehen es durch. Wir tun es.«

»Aber das mit dem Geld meinte ich ernst. Ich könnte –«

Dmitry unterbricht mich erneut, indem er mir eine Hand auf die Schulter legt. »Wofür habe ich je Geld ausgegeben? Wem hätte ich je teure Geschenke kaufen sollen? Wie viel Geld braucht man schon für ein Leben, wie ich es führe? Auch ich habe Ersparnisse.«

Natürlich. Es stimmt ja. Ich weiß, wie er lebt. Und es ist kein Dasein, das ein anständiger Mensch führen müssen sollte. Denn trotz all seiner Fehler, Laster und begangener Taten ist Dmitry dennoch im Herzen ein anständiger Mensch.

»Das heißt, du tust es?«

Ich halte den Atem an und warte auf seine Antwort. Aber er braucht nicht lange, um zu einer Entscheidung zu kommen. Und diese verändert alles.

»Ja. Ich tu's.«

»Dann lass uns mit Duffy reden.«

26
Marissa

Ich komme gerade aus der Dusche, als mein Handy klingelt. Die Schmetterlinge im Bauch und das Ziehen im Herzen zeugen von meiner Hoffnung, dass es Nash ist. Gleichzeitig jedoch befiehlt mir meine Vernunft, es keinesfalls zu hoffen. Ich muss anfangen, ihn realistisch zu sehen. Ihn und unsere Beziehung.

Als ich aufwachte, war er weg. Das hätte mich nicht überraschen dürfen. Aber durch gestern Nacht war ich so zuversichtlich, dass es mich heute Morgen schier niederschmetterte, als ich feststellen musste, dass er ohne Nachricht gegangen war.

Wie oft muss ich mich denn noch daran erinnern, dass in uns beiden schon zu viel zerstört ist, als dass wir zueinanderfinden könnten? Wir würden uns vermutlich gegenseitig noch weiter zerfleischen, bis nichts mehr zu retten ist. Und sosehr ich mich vor dem fürchte, was vor mir liegt, am schlimmsten fände ich die Vorstellung, ich könnte Nash in irgendeiner Hinsicht daran hindern, jemals Frieden zu finden und an einen Punkt zu gelangen, an dem er mit sich, seiner Vergangenheit und seiner Zukunft leben kann.

Nein, wir leisten uns gegenseitig den besten Dienst, wenn wir uns voneinander fernhalten. Das weiß ich. Aber werde ich es wirklich schaffen, seiner Anziehungskraft zu widerstehen? Kann ich mein Herz lange genug verschließen, damit mein Verstand Zeit hat, die Kontrolle zu übernehmen? Ich weiß nicht, wie die Antwort darauf lautet, daher sollte ich mich darüber freuen, wenn er mir die Entscheidung abnimmt und nie wieder zurückkehrt.

Aber dumm wie ich bin, bin ich dennoch enttäuscht, als ich die Nummer auf dem Display nicht erkenne. Es ist eine Nummer aus der Stadt. Und Nash hat eine andere.

»Hallo?«

»Marissa?«

»Ja.«

»Ich bin's, Jensen. Jensen Strong.«

»Oh. Hi, Jensen.« Ich gebe mir Mühe, etwas Enthusiasmus in meine Stimme zu legen.

»Ich hoffe, du bist nicht böse, aber ich habe deine Nummer aus dem Archiv rausgekramt. Na ja, ehrlich gesagt, habe ich die Archivarin bestochen, aber ich dachte, mein Erstgeborener ist es bestimmt wert.«

Ich muss lachen. »Zum Glück hast du nicht gleich deine Seele versetzt. Ich bin gebührend geschmeichelt.« Und das stimmt. Es tut gut zu wissen, dass jemand stark genug an mir interessiert ist, um sich mühevoll meine private Telefonnummer zu verschaffen. Nun, ich hoffe zumindest, dass er wirklich an mir interessiert ist. Und nicht daran, woher ich komme und mit wem ich verwandt bin.

»Ich hoffe, du bist so geschmeichelt, dass du als Zeichen deiner Wertschätzung mit mir essen gehst.«

»Ja, vielleicht tue ich das ja. Was schwebt dir vor?«

»Heute Abend? Halb acht? In irgendeinen megaschicken Laden mit Kerzenlicht, in dem du noch ätherischer aussiehst als ohnehin schon.«

Eigentlich will ich gar nicht. Überhaupt nicht. Aber ich sollte es. Jensen ist ein gut aussehender, kluger, erfolgreicher und beliebter Kerl, der weiß, wie man Frauen bezaubert. Und er findet mich toll. Es wäre dumm von mir, es nicht wenigstens einmal auszuprobieren.

Aber anscheinend bin ich dumm.

Ich will nicht.

Obwohl so vieles für Jensen spricht, fehlt ihm ein entscheidendes Merkmal. Er ist nicht Nash.

Es hat nichts mit seinem Äußeren, seinem Beruf oder seiner Persönlichkeit zu tun. Ich bin einfach nur in jemand anderen verliebt. Und er ist nicht dieser andere.

Aber Nash kann ich nicht haben. Nash ist unerreichbar für mich. Ein Einzelgänger. Jemand, der sich nur für mich interessiert, weil er mit mir Spaß haben kann. Vielleicht mag er mich auf seine eigene Weise, doch die tut mir einfach nicht gut. Damit könnte ich nicht leben. Und ich will mich auch nicht ewig nach ihm verzehren, was aber unweigerlich geschehen würde, wenn ich mich auf ihn und meine Gefühle einlasse.

Er würde immer wieder gehen.

Und ich ewig auf ihn warten.

So ist Nash eben. Und das wusste ich von Anfang an. Er ist verhärtet, verbittert und rücksichtslos. Nicht mit Absicht. Aber es ist so, und das kann ich nicht ändern. Ich kann ihn nicht ändern.

»Wie wäre es stattdessen mit einem Lunch?«, sage ich impulsiv. Lunch ist nicht so intim wie Abendessen, und ich käme aus dem Haus heraus und müsste nicht tatenlos herumsitzen und mir Gedanken machen.

Was ich nämlich jetzt schon tue. Seit ich wach bin, denke über jedes Wort, jede Einzelheit von gestern Nacht nach, während ich darauf warte, dass er auftaucht, anruft oder sich irgendwie meldet.

Da hast du es. Du wartest ja jetzt schon.

Das Treffen mit Jensen wird mir guttun. Außerdem führt es mich zur Arbeit zurück. Ich kann ihn ein paar Dinge fragen und mir überlegen, wie wir mit diesem Fall vorankommen, und gleichzeitig mein Leben wieder in Angriff nehmen.

Schließlich kann ich nicht ewig Urlaub machen. Wenn ich mich von meiner alten Existenz wirklich lösen will, dann muss ich mich in Bewegung setzen, und den ersten Schritt kann ich ebenso gut heute machen. Und dass ausgerechnet ich mit einem Anwalt eine Verabredung zum Lunch habe, kann auch nicht schaden. Er kann mir auf vielerlei Art behilflich sein. Zumal ein unverfängliches Mittagessen ihn nicht auf dumme Gedanken bringen wird.

Hoffe ich zumindest.

»Nun, das ist nicht der Ort, den ich gewählt hätte, um dich mit meiner Jazzflöte zu bezaubern, aber ich nehme ihn«, witzelt er. Ich bin kein großer Kinokenner, aber *Anchorman – Die Legende von Ron Burgundy* habe ich tatsächlich gesehen. Sogar mehrmals. Und plötzlich kann ich mich sehr viel mehr für die Idee erwärmen, mit Jensen essen zu gehen. Vielleicht lenkt er mich ja doch von Nash ab.

Vielleicht.

»O mein Gott, ich liebe diesen Film.«

Jensen lacht. »Ich wusste doch, dass du etwas Besonderes bist.«

Ich wünschte, ich könnte dasselbe von ihm sagen. Doch im Augenblick fühlt es sich an, als würde er höchstens einen prima Kumpel abgeben. Mehr nicht.

Ich unterdrücke den Seufzer der Enttäuschung, der sich in mir aufgebaut hat. Dennoch mache ich einen Schritt in die richtige Richtung. Ich muss es einfach langsam angehen lassen. Eins nach dem anderen. Vielleicht auch einen Lunch nach dem anderen.

»Wo bist du?«

Ich beiße mir auf die Lippe. Es ist mir etwas peinlich, es zuzugeben. »Äh ... noch zu Hause.«

»Ich hole dich in einer Stunde ab. Ist das okay?«

»Wie wär's, wenn wir uns treffen? Ich habe noch einiges zu erledigen.«

Ich merke sofort, dass er es lieber anders gehabt hätte, aber er willigt ein und schlägt mir ein Restaurant vor.

»Okay. Bis nachher.«

Die Verbindung ist schon längst unterbrochen, doch ich halte gedankenverloren das Telefon in den Händen, als es erneut klingelt und ich heftig zusammenfahre. Ohne nachzudenken, nehme ich den Anruf an.

»Warum bist du abgehauen? Ich habe heute Morgen ein gigantisches Frühstück gemacht, und du hast es verpasst.«

Olivia. Ich muss lächeln.

»Morgen, alte Frau. Wie fühlt man sich mit stattlichen zweiundzwanzig?«

»Übel verkatert.« Sie lacht.

»So muss das sein, wenn man die Jugend richtig verabschieden will.«

»Meinst du? Na, in diesem Fall ist der Abschied episch ausgefallen. Urgh.«

»Sei nicht böse, dass ich gestern sang- und klanglos gegangen bin. Ich, ähm, fühlte mich nicht so richtig gut, also bin ich besser nach Hause gefahren. Ich wollte nicht die Spaßbremse sein, um die man sich dann auch noch kümmern muss.«

Olivia schweigt einen Moment lang. »Und geht es dir ... jetzt wieder besser?«

»Hmmm, ein bisschen.«

»Kann es sein, dass es etwas mit einem gewissen Arschloch zu tun hatte, das meinem Freund erschreckend ähnlich sieht?«

»Hm, kann sein.«

»Ah, das habe ich mir doch gedacht. Es ist eine Schande, dass er nicht auch mehr von Cashs Charakter hat. Die langen Jahre auf See haben sein Hirn wahrscheinlich ausgedörrt.«

Ich weiß, dass sie sein Verhalten zu entschuldigen versucht, und vielleicht hat sie ja recht. Aber eigentlich kann ich es mir nicht vorstellen. Es gibt einfach Leute, die zu emotionaler Tiefe nicht fähig sind. Und Nash gehört vermutlich dazu. Er empfindet nur Wut und darüber hinaus anscheinend fast nichts.

»Tja, vielleicht«, antworte ich.

»Also – was hast du heute vor? Hast du Lust, shoppen zu gehen?«

»Ich bin sicher, dass die Pläne, derentwegen du ursprünglich die Uni hast sausen lassen, spannender waren, als mit deiner Cousine shoppen zu gehen.«

»Die Uni sausen zu lassen war nicht geplant. Dieser höllische Kater hat mir sozusagen die Entscheidung abgenommen.«

»Aber dann kannst du dir bestimmt Schöneres vorstellen, als von einem schlecht gelüfteten Laden zum nächsten zu gehen und Klamotten anzuprobieren.«

»Wenn ich dich dafür ein bisschen aufmuntern kann? Nö, das wäre okay.«

»Warum bist du so nett zu mir?«

»Weil du mit mir verwandt bist und ich dich lieb hab, du Dussel.«

»Verwandt oder nicht, das habe ich nicht verdient.«

»Marissa, hör auf, so einen Quatsch zu reden. Wann kapierst du endlich, dass du nicht das Miststück bist, für das du dich hältst? Oder das du einmal gewesen bist? Manchmal passieren Dinge, die einen grundlegend ändern. Manchmal ist es etwas Gutes – den richtigen Partner zu finden zum Beispiel –, und manchmal ist es schlimm wie deine Entführung und die Todesangst, die du deshalb ausgestanden hast. Aber du musst aufhören, dich wegen der Vergangenheit selbst zu zerfleischen. Schau nach vorne. Und sieh ein, dass auch du ein Recht auf Glück hast. Und auf den Respekt anderer. Jeder Mensch hat eine zweite Chance verdient. Du bist nicht anders.«

»Und wenn ich die auch vermassele? Wenn ich kein besserer Mensch werden kann?«

»Du bist es doch schon. Allein, dass du dir Sorgen darum machst, beweist es. Marissa, vor einem Monat noch hättest du dich einen feuchten Dreck um so was gekümmert. Du warst nicht der Meinung, du müsstest an deinem Verhalten etwas ändern, und ganz sicher hast du niemals in Betracht gezogen, irgendetwas nicht zu schaffen. Ob es dir gefällt oder nicht – dieses Mädchen existiert nicht mehr. Du musst nur die Kraft finden, es wirklich loszulassen und das zu leben, was du jetzt bist.«

»Und wenn ich das nicht kann?«

»Darauf gebe ich dir keine Antwort, weil es nicht passieren wird. Du kannst. Und du wirst.«

»Dein Vertrauen möchte ich haben.«

»Umgib dich mit Leuten, die es haben. Vergiss die Plastikpuppen, die du bisher Freunde genannt hast, und such dir echte.«

Jensen fällt mir ein. Er gehört definitiv nicht zu den Leuten, mit denen ich mich bisher abgegeben habe. In meinen Kreisen sieht man auf seine Rechtssparte herab. Vielleicht kommt mir das jetzt zugute. »Du hast recht. Und ich habe heute schon etwas in dieser Hinsicht unternommen. Ich esse mit jemandem, der nichts mit meinem bisherigen Freundeskreis zu tun hat, im Petite Auberge zu Mittag.«

»Sehr gut.«

Ich bin froh, dass sie nicht weiter nachhakt. Obwohl ich mir sicher bin, dass sie mir alles Gute wünschen würde, möchte ich ihr aus irgendeinem Grund nicht sagen, dass ich mich mit Jensen treffe.

Wir plaudern noch ein bisschen, aber dann muss ich Schluss machen, um mich für den Lunch ein bisschen frisch zu machen. Auch wenn mein Herz nicht bei der Sache ist, möchte ich mich sorgfältig kleiden. Mein Outfit muss ein Mittelding zwischen privater und geschäftlicher Verabredung sein, denn ich will bei Jensen keinen falschen Eindruck erwecken. Ein enger, langer Rock, eine Bauernbluse und Riemchensandalen sollten die Dinge eigentlich in den richtigen Rahmen rücken.

Ich komme ein paar Minuten zu früh im Restaurant an, doch Jensen sitzt bereits da. Er trägt natürlich einen Anzug – er arbeitet ja ganz normal – und mustert mich verstohlen, als ich näher komme. Dass seine Augen anerkennend funkeln, tut mir gut. Doch obwohl mich sein nonverbales Kompliment freut, empfinde ich keine Erregung wie bei Nash, sobald er mich ansieht.

Hau ab, du Mistkerl. Raus aus meinem Kopf.

Ich lächle Jensen freundlich an, als er den Stuhl für mich vom Tisch abrückt.

»Du siehst großartig aus wie immer.«

»Danke.«

Jensen beginnt augenblicklich, mich zu unterhalten. Erstaunlicherweise macht er das sehr gut. Er ist witzig und klug, und die Zeit vergeht wie im Flug. Ich lache oft und amüsiere mich alles im allem prächtig.

Bis ich aufblicke und Nash an der Tür des Restaurants stehen sehe. Er beobachtet mich.

Mein Herz setzt einen Schlag aus, dann beginnt es zu rasen. Mir wird plötzlich warm, und ich weiß, dass es nie einen schöneren, einen willkommeneren Anblick gegeben hat.

Er bewegt sich nicht. Lächelt nicht, nickt nicht, winkt mir nicht. Er macht keine Anstalten, an unseren Tisch zu kommen. Er starrt mich nur mit diesen dunklen, unergründlichen Augen an.

»Nashs Bruder, richtig? Der, dem du helfen willst?«, fragt Jensen und holt mich wieder zu ihm zurück.

»Ähm, ja, tut mir leid. Würdest du mich bitte eine Minute entschuldigen?«

»Selbstverständlich.« Er erhebt sich ebenfalls, als ich aufstehe. Ganz der Gentleman. Wie ein rücksichtsvoller Freund. Wie einer, den ich nicht will.

Auf zittrigen Beinen durchquere ich das Restaurant. Je näher ich Nash komme, umso wärmer wird mir. Er hat heute etwas an sich, das mich noch sehnsüchtiger macht als sonst. Noch hungriger.

Etwas nagt am Rand meines Unterbewusstseins. Es ist, als ob man alte Knochen aus einem tiefen Grab ausgräbt. Ich zerre es an die Oberfläche, bis ich benennen kann, was mich verunsichert.

»Deine Haare ...«, sage ich wie betäubt, als ich vor ihm stehen bleibe.

Nash fährt sich mit den Fingern durch die Strähnen. Er trägt das Haar offen, und es fällt an den Seiten herab. Bisher habe ich es immer nur zu einem Pferdeschwanz zusammengefasst oder hinter die Ohren geschoben gesehen. Nie offen wie jetzt.

Und doch ist es mir vertraut.

»Es war noch nass, als ich ging«, sagt er tonlos.

»Was machst du hier?«

»Ich habe dich gesucht. Du warst nicht in der Wohnung und bist nicht ans Telefon gegangen, also habe ich Olivia angerufen, um zu fragen, ob sie etwas wüsste. Sie hat mir den Laden genannt und mir gesagt, dass du hier zu Mittag isst. Sie hat mir allerdings verschwiegen, dass du in Begleitung bist.«

Ein Muskel in seinem Kiefer zuckt, als er über meine Schulter hinweg zu Jensen blickt. Aber ich achte nicht groß darauf. Ich bin immer noch beschäftigt, alte Knochen auszugraben. Alte Knochen, die noch nie wirklich das Licht des Tages gesehen haben.

Bis jetzt.

Bis heute.

Heute sind sie durch die Oberfläche gestoßen und dringen in Splittern in mein Herz und geradewegs in meine Seele.

Ich schnappe nach Luft. Mein Herz hämmert ohrenbetäubend laut. Ich bekomme keine Luft mehr.

»Du warst das. Damals in New Orleans. Du«, flüstere ich niedergeschmettert.

Nash zieht die Brauen zusammen, stellt aber keine Frage.

Leugnet nichts. Still wartet er ab. Wartet ab, dass ich endlich eins und eins zusammenzähle.

Und mit einem Mal kommt alles, jede Einzelheit zurück. Ich hatte das Geschehen als Fantasie abgetan, als Ergebnis von viel zu viel Alkohol, vor allem als Nash (der in Wahrheit Cash war) beteuerte, dass er an diesem Wochenende nicht in New Orleans gewesen war. Es musste sich um einen erotischen Traum oder eine Halluzination im Vollrausch gehandelt haben. Dachte ich.

Aber das war es nicht.

Und nun, da ich hier stehe und den Mann anstarre, zu dem ich eine tiefe innere Verbundenheit fühle, weiß ich, warum es mir damals ebenso ergangen ist. Warum ich mich dem Mann, der in jener Nacht am Mardi Gras zu mir auf den Balkon kam und meine ganze Welt auf den Kopf stellte, dem Mann, den ich für meinen Freund hielt, so nah fühlte wie nie zuvor und nie danach. Der Mann, der dafür sorgte, dass anschließend jeder Kuss mit seinem Bruder irgendwie ... schal schmeckte. Nach jener Nacht war mir, als fehlte etwas, wenn ich mit dem Nash, den ich kannte, zusammen war. Ich konnte nicht verhindern, dass ich insgeheim immer nach mehr suchte. Aber ich fand nichts. Er und ich konnten diese Verbindung nicht wieder herstellen.

Und jetzt weiß ich auch, warum.

Es war niemals Cash, mit dem ich die Verbindung eingehen wollte. Er war nicht der Mensch, nach dem ich mich sehnte. Nicht er war es gewesen, der mir beibrachte, was echte Hingabe bedeutet.

Es war sein Bruder.

Von dem Moment an, als der echte Nash mir nach der Rettung im Auto die Augenbinde abnahm und ich ihn zum ersten

Mal sah, fühlte ich mich zu ihm hingezogen. Ich wusste nicht warum und glaubte, es müsste daran liegen, dass er mich gerettet hatte, aber die Anziehungskraft war da. Und sie war stark. Jetzt weiß ich warum. Nun, da sein Haar offen an seinen Schläfen herabhängt und sein Gesicht einrahmt, erkenne ich, was die Erinnerung vor mir verborgen hat.

Ich erinnere mich an alles.

In jener Nacht habe ich mich hoffnungslos verliebt. Auf einem Balkon in New Orleans. In einen Fremden. Ich verliebte mich in einen Geist.

Und während sich alle Einzelteile wie die Stücke eines großen Puzzles zusammenfügen, kommt die unvermeidliche Frage auf. Und mit ihr die Wut.

»Aber warum? Warum hast du das getan?«

Nash hat den Anstand, beschämt zur Seite zu blicken. Doch das ist mir egal. Ich will das Messer umdrehen. Ich will ihm wehtun. So wie er mir wehtun wollte. Wie er mir wehgetan hat. Und es immer noch tut. »Hast du mich so verabscheut?«

Zu meinem Entsetzen spüre ich Tränen in meinen Augen. Ich hatte schon vorher geglaubt, dass es mir das Herz brechen würde, aber nichts ist vergleichbar mit dem Schmerz, den ich nun empfinde. Er hat mich benutzt genau wie mein Vater. Wie für meinen Vater war ich für ihn bloß ein Bauer in einem großen Spiel, das er genau wie mein Vater sorgfältig kontrollierte. Anscheinend habe ich mich von einem Mistkerl direkt in die Hände des nächsten begeben.

»Das hatte nichts mit dir zu tun«, sagt Nash leise.

»Und wie es was mit mir zu tun hatte! Du ... du hast mich angefasst. Geküsst. Und du hast ...« Ich breche ab. Mir schießt vor Verlegenheit das Blut in die Wangen, als ich daran denke, was er damals getan hat. Und was ich unbestreitbar genossen habe. »O Gott. Du ... du ... hast ...«

Instinktiv schaue ich mich um. Ich will weglaufen, mich irgendwo verstecken, denn ich bin noch nie so gekränkt und gedemütigt worden.

Aber Nash spürt es, nimmt meinen Arm, bevor ich verschwinden kann, und führt mich durch die Tür hinaus auf den Gehweg. Draußen reiße ich mich von ihm los. »Fass mich nicht an.«

Er wirkt verletzt, und ich empfinde einen Hauch Befriedigung, dass er nicht vollständig immun gegen Schmerz ist. Doch das bisschen Schuldgefühle, das ich ihm zu machen in der Lage bin, ist nur ein Regentropfen im Ozean verglichen mit dem, was er mir angetan hat.

Mein Magen krampft sich, und ich beuge mich leicht vor, um nicht gänzlich zusammenzuklappen, um meine inneren Organe irgendwie vor dem unerträglichen Schmerz, der sich in mir ausbreitet, zu schützen. »O Gott, o mein Gott. Was du alles mit mir gemacht hast ... und ich habe es erlaubt!«

Plötzlich wird mir schlecht.

»Ich kann's dir erklären.«

»Was willst du da erklären? Ich hab's schon kapiert. Du hast deinen Bruder gehasst. Du wolltest ihm wehtun und dachtest, seine Freundin zu missbrauchen, wäre nahezu ideal dafür. Dich kümmert nur du selbst und deine dumme Rache. Was muss ich sonst noch wissen? Oder begreifen?«

»Zum größten Teil hast du recht. Als ich dich damals auf dem Balkon sah, dachte ich nur, dass du die Freundin meines Bruders warst, einen schöne Frau, die eigentlich zu mir hätte gehören müssen. Aber du gehörtest zu ihm.

Und ja, ich kam hoch, weil ich vorhatte, mich an ihm zu

rächen und ihn – oder euch beide – zu demütigen. Das leugne ich gar nicht. Aber in dem Augenblick, als wir uns küssten, dachte ich nicht mehr an meinen Bruder. Oder an meine Rache. Oder an etwas anderes. Ich dachte nur noch an dich. Ich bin ein Mistkerl, dass ich vorgehabt habe, dich zu benutzen, ja. Und das ich es auch getan habe. Aber du kannst mir glauben, dass ich derjenige war, der dafür bezahlt hat.«

»Ach nein – sag bloß. Und wie genau hast du dafür bezahlt, meinst du?«

»Neben der Wut und der Verbitterung, die Teil von mir sind, gibt es noch etwas anderes, das immer am Rand meines Bewusstseins lauert. Etwas, was ich niemals habe vergessen können, auch wenn ich es noch so verzweifelt versuchte. Jene Nacht mit dir. Du. Ich habe dich niemals vergessen können.«

Die Wunde ist zu frisch, zu tief, als dass ich ein weiteres Wort hören will. Die Aufrichtigkeit in seinem Blick kann die Wolke aus Eisensplittern, die mein Herz einhüllt, nicht durchdringen.

Ich schüttele den Kopf und kneife die Augen zu – ich will ihn nicht sehen, will ihn nicht hören, will nicht die Liebe spüren, die nicht einmal unter solchem Verrat verenden will. »Mir reicht's. Ich kann nicht mehr. Du hast mich gewarnt, aber ich wollte ja nicht hören. Das kann ich nur mir selbst zuschreiben. Aber wenigstens kann ich dafür sorgen, dass mir so was kein zweites Mal passiert.«

»Marissa, bitte!«

Diese Worte geben mir einen weiteren tiefen Stich. Diese wahnsinnige Liebe, die ich für ihn empfinde, raubt mir fast den Atem. Sie fühlt sich so richtig an und ist doch so abgrundtief falsch.

Ich wende mich ab und ringe mir, ohne ihn anzusehen, die härtesten Worte ab, die ich je gesprochen habe. »Lass mich in Ruhe, Nash. Geh weg und komm nie wieder.«

Ich straffe die Schultern, hebe das Kinn, marschiere zurück ins Restaurant und tue so, als wäre ich immer noch dieselbe Person wie die, die gerade von Nash zerfetzt worden ist.

Alles Fassade.

Ich weiß, dass ich nie wieder so sein werde wie noch ein paar Minuten zuvor.

27
NASH

Zum ersten Mal seit sieben Jahren muss ich mich anstrengen, den Zorn zu empfinden, der mich so lange Zeit jeden Tag aufs Neue angetrieben hat. Er ist unter dem, was immer ich für Marissa fühle, und meinem schlechten Gewissen wegen jener Nacht damals in New Orleans vergraben.

Ich weiß, dass ich ihr wehgetan habe. Sehr. Ich spüre es in meiner Brust, in meinen Knochen, in meinen Eingeweiden. Es ist ein tiefer, unablässiger, bohrender Schmerz. Als hätte mir ein hasserfüllter Boxer einen Hieb in die Magengrube versetzt. Mit nur wenigen Worten und dem Nachhall der Verwüstung, der von ihr ausging, hat sie mir die Prügel meines Lebens verpasst und mir ganz nebenbei das Einzige genommen, das mir all die Jahre etwas bedeutet und mich bis heute am Leben gehalten hat – den Zorn! Sie stahl ihn mir in der Nacht, in der sie mich im Spiegel ansah, während ich mich von hinten in sie rammte. Sie hat es mir gestohlen, und ich habe es nicht einmal bemerkt.

Bis jetzt.

Ich kann genügend Wut und Entschlossenheit aufbringen, um diese Sache zu Ende zu bringen, doch die treibende Kraft meines Lebens ist ausgelöscht. Und womit in aller Welt ich sie ersetzen soll, ist mir ein Rätsel. Nun, wahrscheinlich bleibt mir genug trostlose Zeit, um mir darüber Gedanken zu machen.

Aber zuerst muss ich mich um ein paar Dinge kümmern. Es gibt noch einiges zu erledigen.

Während ich mich auf der Autobahn in hohem Tempo von Atlanta entferne, wähle ich Cashs Nummer. Er geht sofort dran.

»Wo bist du?«, frage ich ihn.

»Wir haben zum Tanken angehalten. Auf dem Weg zurück zum Club. Warum?«

»Ich komme dahin. Ich muss dir ein paar wichtige Dinge erzählen. Und ich bringe diese Sache ein für alle Mal zu Ende.«

Er stellt keine Fragen, obwohl sie ihm bestimmt unter den Nägeln brennen. Aber wer telefoniert – und dazu noch mit einem Handy –, sollte nicht allzu sehr ins Detail gehen.

»Okay. Wir sind ungefähr in einer halben Stunde da.«

»Ich werde länger brauchen. Ich muss zuerst noch anderswo hin.«

»Ich warte auf dich«, erwidert er.

Zum ersten Mal, seit wir uns wiederbegegnet sind, habe ich das Bedürfnis, meinen Bruder an mich zu drücken. Und ihm in die Augen zu sehen, sodass er erkennen kann, dass ich ihn wirklich vermisst habe und nicht hasse.

Vielleicht habe ich ja noch Zeit dazu, bevor ich gehe.

Wir legen auf, und ich lenke den Wagen auf die mir vertraute Straße zum Gefängnis. Um meinem Vater einen letzten Besuch abzustatten. Und dann bin ich weg.

Die Szenerie ist dieses Mal ein wenig anders. Es ist ganz wie der Gefängnisbesuch, den man aus dem Kino kennt: zwei lange Reihen Verschläge, die in der Mitte durch eine Glaswand getrennt sind, an der auf beiden Seiten schmierige schwarze Telefone hängen.

Falls mein erster Besuch mir noch nicht klargemacht hat, welche Konsequenzen eine kriminelle Existenz haben kann, dann gibt es jetzt keine Zweifel mehr.

Man bringt Dad herein. Er ist an Hand- und Fußgelenken gefesselt wie ein Schwerverbrecher, für den sie ihn ja auch halten, und sieht älter aus als noch vor ein paar Tagen. Ich weiß, dass das eigentlich nicht möglich ist, aber so kommt er mir vor. Vielleicht fordert seine Bitte an uns, unsere Befreiungsversuche zu beenden, ja doch seinen Tribut.

Er kennt mich anscheinend nicht besonders gut. Andernfalls wüsste er, dass ich niemals aufgebe. Nicht solange ich atme. Ich werde dafür sorgen, dass diese Bastarde, die unser Leben zerstört haben, büßen. Und wenn es das Letzte ist, was ich tue.

Aber noch während ich an die Mission meines Lebens denke, merke ich, dass das Feuer etwas weniger hell lodert als üblich. Anscheinend hat sich in der Leere, die Moms Tod in meinem Inneren hinterlassen hat, endlich doch noch etwas anderes festgesetzt als Hass und der Wunsch nach Rache.

Dad setzt sich in die Nische vor mir und nimmt den Hörer. Ich tue dasselbe.

Er lächelt. »Es tut immer noch unendlich gut, dich zu sehen. Ich komme nur nicht darüber hinweg, wie sehr du dich verändert hast.«

»Und nicht nur zum Guten.«

Obwohl es durch die dicke Scheibe nicht möglich ist, glaube ich, sein Seufzen spüren zu können. »Du bist stark, Junge. Du warst schon immer so. Du bist stärker, als du glaubst, und du wirst auch das überwinden, das weiß ich.«

Ich nicke. »Zum ersten Mal seit langer, langer Zeit glaube ich das auch. Ich denke, ich habe letztendlich begriffen, dass es Dinge gibt, die noch wichtiger als Rache sind. Selbst für jemanden wie mich.«

»Sag das nicht so, als seist du eine Art Monster. Tief in deinem Inneren bist du noch immer mein guter Junge. Klug, freundlich, ehrgeizig. Ich glaube, du hattest einfach doch ein bisschen mehr von deinem Bruder in dir, als wir alle dachten. Und er hatte mehr von dir, als ich ihm zutrauen wollte. Das macht euch in meinen Augen nur umso wunderbarer. Wichtig ist, dass ihr lernt, beide Seiten im Gleichgewicht zu halten.«

»Ach, ich denke, das ist gar nicht die Schwierigkeit. Viel härter ist es, jemanden zu finden, der damit leben kann.«

Dad legt die Stirn in Falten. »Was meinst du damit?«

Ich schüttele den Kopf und wünsche mir einen Moment, ich könnte die Gedanken an Marissa loswerden, hoffe jedoch gleichzeitig, dass mir das niemals gelingen wird. Denn lösche ich sie aus meinem Bewusstsein, werde ich bereits im nächsten Atemzug jemand sein, der ich nie wieder sein will, das weiß ich genau.

»Nichts, schon gut.« Dads scharfer Blick ist mir so unangenehm, dass ich wegsehen muss. »Hör zu. Weswegen ich heute gekommen bin ...«

»Lass mich eins sagen, bevor du fortfährst. Ich weiß nicht, was du an dir so falsch hältst, mein Junge, aber es ist keinesfalls etwas, was die Liebe einer Frau nicht wieder ausgleichen kann. Und wenn sie gut genug und stark genug und deiner Liebe wert ist, dann bleibt sie bei dir. Du hast in deinem Leben schon viel Schlimmes erleben müssen. Und das werde ich mir nie verzeihen. Aber du darfst auf keinen Fall immer wieder die Vergangenheit heraufbeschwören und dir von ihr deine Zukunft vernichten lassen. Du darfst dich nicht allein und verbittert zurückziehen.«

»Hör zu, nur weil deine Zukunft im Moment nicht mehr so aussieht, wie du sie dir auf der Highschool vorgestellt hast, ist sie doch nicht zwingend kalt und trostlos. Such dir einen neuen Traum. Und reite in einen anderen Sonnenuntergang. Du musst dafür keinen Abschluss haben und Anzüge tragen, obwohl auch das möglich ist, wenn du es noch willst. Du bist jung, du bist verdammt klug. Du kannst alles sein, wenn du es versuchst. Die einzige Voraussetzung dazu besteht darin, mit deiner Vergangenheit Frieden zu schließen. Und mit dir selbst. Lass los und schau nach vorne. Das ist noch immer der beste Rat, den ich dir geben kann. Die Vergangenheit ist wie Treibsand. Sie verschluckt und erstickt dich, wenn du nicht aufpasst.«

»Aber wenn ich nicht weiß, wie man nach vorne schaut? Wenn ich nicht weiß, in welche Richtung ich gehen soll?«

Oder wenn die Richtung nichts von mir wissen will? Wenn ich nicht gut genug für sie bin?

»Du findest eine. Es gibt eine. Du musst nur danach suchen.«

Ich will nicht mehr über das Thema reden oder auch nur nachdenken. Ich bin aus einem bestimmten Grund hergekommen. Ich will das Ding jetzt durchziehen und dann endlich von hier verschwinden. Atlanta verlassen. Wieder hinaus auf See gehen.

Ich hole tief Luft und sage dann, was ich zu sagen habe. Ich weiß, dass Dad meine Taktik nicht gefallen wird – wir Davenports können es nicht leiden, erpresst zu werden, aber genau das werde ich im Grunde genommen hiermit tun. Falls es denn als Erpressung gilt, jemandem Schuldgefühle zu machen, um ihn zum Handeln zu bewegen.

»Wir alle haben Opfer gebracht, Dad, ich denke, dem wirst du zustimmen.« Mein Vater nickt. Er wirkt zerknirscht, und ich habe schon jetzt ein schlechtes Gewissen. »Und du wirst mir bestimmt auch zustimmen, wenn ich sage, dass ich ein paar extreme Situationen durchstehen musste.« Er nickt wieder und schlägt die Augen nieder. »Ich möchte dich im Gegenzug um etwas bitten.« Nun hebt er den Blick und verengt die Augen. »Du wirst sehr bald mehr Besuch bekommen. Versprich mir, dass du genau das tust, was man von dir verlangt. Versprich mir, mir so viel Vertrauen entgegenzubringen, dass du es einfach tust. Deine Söhne sind erwachsen. Lass uns handeln.«

Ich sehe ihm lange in die Augen, ohne zu blinzeln. Wenn ich ihm per Gedankenübertragung eine Nachricht ins Hirn pflanzen könnte, würde ich es tun. Aber das geht nicht. Ich kann nur hoffen, dass ich ihn so lange hier drinnen am Leben halten kann, bis Cash genügend Beweismaterial zusammengetragen hat, um die Mitglieder der *Bratva* vor Gericht zu bringen und Dad hier herauszuholen.

Ich habe getan, was ich konnte. Ich habe zwei von drei Zeugen, die diese Männer ins Gefängnis bringen können, zur Aussage bewegt. Dmitry wird sich außerdem darum kümmern, die richtigen und führungswilligen Leute innerhalb der *Bratva* anzusprechen: Im Austausch dafür, dass wir Slava und seine Leute hinter Gitter bringen und sie nachrücken können, sollen sie Dad und meiner Familie Sicherheit zusagen. Nun liegt alles in Cashs Hand. Und vielleicht in Marissas. Und natürlich in Dads. Er muss aussagen, sonst kann dieses RICO-Ding nicht funktionieren.

Er hat noch immer kein Wort gesagt. Er versucht offensichtlich, sich einen Reim auf meine vage Botschaft zu machen.

Also fahre ich fort. »Du brauchst noch nicht alles zu verstehen. Du musst mir nur versprechen, dass du tust, was erforderlich ist. Tu es für mich. Für uns. Für uns alle.« Viel mehr kann ich nicht sagen. Wer immer uns möglicherweise zuhört, darf nicht auf die richtige Fährte gebracht werden. Ich will das Leben meines Vaters nicht noch zusätzlich gefährden. »Beweis mir, dass du wirklich an die Eigenschaften glaubst, die ich deiner Meinung nach besitze. Beweis mir, dass du immer noch Vertrauen in mich setzt. Dann glaube ich dir vielleicht auch.«

Das war mies. Aber nötig.

Und es funktioniert.

Das sehe ich seiner Miene an.

Er nickt. »Okay.« Ein Zögern, dann ein Seufzen. »Okay.«

Ich spüre ein dumpfes Loch in meiner Magengrube, eine Leere, die ich gewöhnlich nicht empfinde. Vielleicht liegt es daran, dass ich etwas Zeit mit meinem Vater verbringen konnte, aber doch wieder gehen muss. Vielleicht auch daran, dass ich nach so vielen Jahren wieder mit meinem Zwillingsbruder vereint bin und mich doch wieder von ihm trennen werde. Vielleicht geht es um den Abschied im Allgemeinen.

Ich gehe. Ich verlasse meine Familie. Erneut. Ich verlasse die Stadt. Erneut.

Ich könnte vermutlich auch bleiben.

Aber eigentlich nicht. Dies ist nicht mein Leben; hier gibt es keinen Platz für mich, noch nicht jedenfalls. Vielleicht irgendwann einmal, vielleicht eines Tages. Aber nicht jetzt.

Eine leise Stimme in meinem Kopf behauptet, ich würde einen möglichen Grund für meine deprimierte Stimmung unterschlagen.

Marissa. Vielleicht fühle ich mich so elend, weil ich sie verlassen muss.

Ich knirsche mit den Zähnen.

Falls dem so ist, tue ich genau das Richtige. Es ist das Beste, was ich für sie tun kann. Mich von ihr fernhalten, sie in Ruhe lassen. Und es gibt darüber hinaus nichts, womit ich Dad oder Cash noch helfen kann. Ich habe getan, was ich konnte, ich habe meine Aufgabe erfüllt. Und ich kann Mom endlich ein wenig Gerechtigkeit verschaffen. Eigentlich sollte ich in Hochstimmung sein.

Tja, nur schmeckt der Sieg weitaus schaler, als ich es erwartet hätte. Als er geschmeckt hätte, bevor ich sie getroffen habe.

Marissa.

Ich schiebe sie mindestens zum tausendsten Mal aus meinem Bewusstsein, als ich in Cashs Garage fahre. Das ist der letzte Zwischenhalt, bevor ich mich auf den Weg zur Küste mache.

Das tue ich für Dmitry. Er hat mich als Gegenleistung für seine Zeugenaussage darum gebeten, und selbstverständlich habe ich eingewilligt. Es erschien mir ein geringer Preis dafür, dass wir durch seine Hilfe die Mörder meiner Mutter ins Gefängnis und Dad womöglich freibekommen können. Aber zunächst will ich meinem Bruder eine gute Nachricht überbringen. Endlich.

Obwohl Cash das Garagentor hören muss, klopfe ich an, ehe ich eintrete. Es wäre wenig hilfreich, dieses Gespräch unter den falschen Vorzeichen zu beginnen.

Er kommt rasch an die Tür. Vollkommen angezogen.

Ich reiche ihm als Erstes seinen Autoschlüssel. Er runzelt die Stirn, als er ihn nimmt.

»Danke für die Leihgabe. Ich brauche ihn nicht mehr.«
»Hast du dir einen eigenen fahrbaren Untersatz besorgt?«
»Nein. Ich haue noch heute ab.«

So pervers es klingt, es tut mir gut, dass er betroffen wirkt.
»Was? Einfach so?«

Ich nicke. »Einfach so.«

»Also doch keine Gerechtigkeit für Mom? Das war alles nur Gerede? Du verschwindest ganz einfach und kehrst zurück in den kriminellen Sumpf, der dein Leben sein soll?«

»Oh, es wird Gerechtigkeit für Mom geben, aber ich habe meinen Teil getan. Der Rest ist dein Ding.«

»Was soll das heißen?«

Ich weiß, dass mein Lächeln selbstzufrieden ist. »Ich serviere dir deinen RICO-Act hübsch verpackt auf dem Silbertablett. Du musst nur noch ein Schleifchen drumbinden.«

Wenn es ein mimisches Äquivalent zum Luftschnappen gibt, dann ist es das, was ich gerade in Cashs Gesicht sehe. »Was?«, flüstert er fast ehrfurchtsvoll, und ich muss noch breiter grinsen.

»Duffy hat eingewilligt, vor Gericht auszusagen. Dafür habe ich ihn am Leben gelassen.« Cash will etwas einwenden, aber da ich zu wissen glaube was, halte ich meine Hand abwehrend hoch. »Er war vor allem sehr viel williger, als ihm klar wurde, dass die drei Top-Leute der hiesigen *Bratva*-Zelle bald ihres Amtes enthoben und die Nachfolger uns ... zugetan sein werden.« Ich sehe, dass Cashs innere Anspannung sich ein wenig legt. »Er wird zu dem Auftragsmord aussagen. Gegen Immunität natürlich. Anschließend geht er ins Zeugenschutzprogramm für den Fall, dass Slavas Arm auch im Gefängnis noch lang genug ist. Ich denke jedoch, dass die neue Führung seinen Einfluss stark beschneiden wird.« Ich hole tief Luft. »Außerdem hat Dmitry, Dads alter Kumpel und jemand, dem ich vertraue, versprochen, gegen den Mann auszusagen, der die Schmuggeloperationen leitet. Das müsste unter Terrorismus verhandelt werden können, da die Leute, an die die *Bratva* Waffen verkauft, Feinde der USA sind. Dmitry kennt außerdem den Vierten in der Befehlskette, der wahrscheinlich aufrücken wird, um die Führung zu übernehmen. Er glaubt, er kann ihn zur Mitarbeit bewegen, wenn er ihm die Chance aufzeigt, die Nummer eins zu werden. Ich halte das für nicht unwahrscheinlich. Dmitry kann sehr überzeugend sein.«

»Wie zum Geier –«

»Du brauchst nicht jede Einzelheit zu wissen. Überlass den unappetitlichen Teil ruhig mir.«

»Nash, ich –«

»Ich weiß. Wirklich.«

»Nein, ich glaube nicht. Ich habe deine Existenz niemals haben wollen. Ich wollte das alles nicht. Und zu wissen, was du zu tun gezwungen warst, wie du meinetwegen hast leben müssen …«

Es ist ihm anzusehen, dass er es ernst meint. Reue und Pein zeichnen sich in seinem Gesicht ab. Ich glaube ihm. Wir sind beide gegen unseren Willen in diese Rollen gestoßen worden. Wir beide haben mit minimaler Unterstützung unseres Vaters unser Bestes gegeben, um weiterzuleben. Und langsam erkenne ich, wie weise es ist, was Dad mir gesagt hat. All das hinter mir zu lassen und vorauszublicken ist tatsächlich das Beste, was ich tun kann. Was wir beide tun können. Und das werden wir auch. Bald.

»Die Vergangenheit lässt sich nicht mehr ändern. Schauen wir nach vorne.«

Ich weiß, dass er mehr sagen will, dass es ihm ungemein wichtig ist, mich dazu zu bringen, seine Sicht der Dinge zu verstehen, und ich lege ihm meine Hand auf die Schulter, sehe ihm in die Augen und nicke.

In den vergangenen Jahren ist vieles in unserer Familie unausgesprochen geblieben. Wir mussten einander glauben, uns vertrauen, selbst wenn es eigentlich nicht klug erschien. Wir mussten auch Dinge glauben, die wir nicht mit eigenen Augen sehen konnten, mussten das Unwahrscheinliche hoffen.

Und nun, da ich direkt vor Cash stehe, weiß ich, dass er sehen kann, was ich denke. Dass ich ihn tatsächlich verstehe und ihm nichts nachtrage.

Endlich nickt auch er. Ja. Er weiß es.

»Ihr müsst jetzt eigentlich nur noch die einzelnen Aussagen koordinieren, sie in den Fall einfügen und Dad so lange beschützen, bis auch er seine Aussage macht. Geldwäscherei und eine gefälschte Buchhaltung sollte der letzte Nagel in Slavas Sarg sein. Er und seine beiden Helfer sind zwar alle in verschiedenen Bereichen tätig gewesen, aber dass sie in ein und derselben Show spielen, ist ja allgemein bekannt. Das werden die Zeugenaussagen untermauern.«

Cash braucht einen Moment, um zu verdauen, was ich gesagt habe, dann lacht er. Es ist ein fröhliches, fast erfreutes Lachen. »Ich glaub's nicht. Du hast es geschafft!«

Er klingt, als wollte er zu jubeln beginnen, und plötzlich muss auch ich grinsen.

»Ich habe nur meinen Teil erledigt. Jetzt bist du dran und wen immer du dazu brauchst, damit diese Sache wirklich glatt über die Bühne geht. Du bist der Rechtsguru von uns. Ich überlasse es dir.«

»Weiß Marissa schon Bescheid? Sie hat Kontakte, die uns weiterbringen werden.«

»Nein. Ich habe ihr nichts gesagt. Mach du das. Ich habe noch andere Dinge zu erledigen.«

Nun zu gehen, da sich alles gut zu fügen scheint, fühlt sich mehr nach Exil an als damals vor sieben Jahren. Im Augenblick ist mir, als würde ich mich eher von persönlichem Glück abwenden, statt um eine Zukunft zu kämpfen.

»Ich wünschte, du würdest bleiben.«

»Das wünschte ich auch, aber ich ... ich kann nicht.«

Cash nickt. »Kommst du wieder? Irgendwann?«

»Ja. Irgendwann. Hoffe ich.«

»Sag wenigstens, dass du an dem Tag kommst, an dem Dad entlassen wird. Das ist ein guter Zeitpunkt, meinst du nicht?«

Er hat recht. »Okay. Ich denke, das kriege ich hin.«

Und tatsächlich empfinde ich Erleichterung bei der Aussicht, zurückkommen zu können.

»Aber vergiss nicht, was du mir versprochen hast.«

Ich lächle.

Die Hochzeit.

»Nie und nimmer.«

»Wie kommst du jetzt dorthin, wo du hinwillst? Ich kann dich fahren.«

»Nein, lass gut sein. Ich verschwinde, wie ich gekommen bin. In einem verdammt teuren Taxi.«

Cash schüttelt grinsend den Kopf. »Was für Taxifahrer machen denn solche Touren?«

»Die richtig verzweifelten.«

»Genau so hört es sich an.«

»Die verdienen aber nicht schlecht.«

»Manchmal zahlt sich die Verzweiflung eben aus.«

Und manchmal nicht.

Visionen von Marissa hüllen mich ein wie eine Wolke. Der gekränkte Ausdruck in ihrer Miene, als sie sich an New Orleans erinnerte, wird mich vermutlich ewig verfolgen.

»Verabschiedest du dich noch von Olivia?«, fragt Cash.

Ich nicke. Es ist wohl besser. Sie wird ja vermutlich in absehbarer Zeit meine Schwägerin sein. Ich sollte mich also gut mit ihr stellen.

»Ich gebe dir irgendwann eine Nummer durch, unter der du mich erreichen kannst. Auf jeden Fall will ich in allen peinlichen Einzelheiten hören, wie du den Antrag verbockt hast.«

»Pssst«, macht Cash hastig und wirft einen Blick über die Schulter zu. »Die hört alles, also pass auf, was du sagst.«

»Wer hört alles?«, fragt Olivia wie aufs Stichwort. Cash und ich brechen in Gelächter aus. »Was?«, fragt sie verwirrt von der Tür aus.

»Nichts, Süße«, antwortet Cash und streckt die Hand aus, um sie zu uns zu ziehen. Das gibt mir einen Stich, aber ich weigere mich, ihn wahrzunehmen. Schluss mit dem Neid auf meinen Bruder und sein Leben. Es ist Zeit, mein eigenes Glück zu finden, worin auch immer das bestehen mag.

28
Marissa

Ich sitze wie vom Donner gerührt da und starre auf das Telefon in meinen Händen. Das scheine ich in letzter Zeit oft zu tun.

Ich weiß nicht, was genau mir den Atem raubt – was Nash laut Cash alles getan hat, um uns das nötige Rüstzeug für den Prozess zu verschaffen, die Tatsache, dass ich in naher Zukunft ein paar knallharte Entscheidungen mit einschneidenden Auswirkungen für mein Privat- und Arbeitsleben treffen muss, oder dass Nash weg ist.

Weg.

Ohne sich zu verabschieden.

Ohne eine Nachricht zu hinterlassen.

Einfach weg.

Er ist aus meinem Leben verschwunden.

Ganz, wie ich es ihm befohlen habe.

Ich weiß nicht, was ich gerne noch von ihm gehört oder ob es überhaupt noch etwas zu sagen gegeben hätte. Dennoch wünschte ich, er hätte es wenigstens versucht. Hätte gekämpft. Um mich. Um uns.

Hat er aber nicht. Er hat meinen Wunsch respektiert und ist

gegangen. Nun ist er weg. Für immer. Keine Chance mehr, Teil meines Lebens zu werden. Nie mehr.

Ich bin nicht davon ausgegangen, dass es so endet. Ich meine, ich bin ja nicht vollkommen verblödet. Nach allem, was in den vergangenen ein, zwei Tagen geschehen ist, war mir klar, dass es nicht von Dauer sein würde, dass wir beide ohnehin keine Chance haben – und daran hat auch unsere eine wunderschön surreale Nacht nichts geändert. Aber wahrscheinlich habe ich mir mehr Zeit oder mehr Worte oder … sonst was erhofft. Doch stattdessen gab es nichts.

An diesem Punkt bin ich jetzt. Hier. Mit nichts.

Nash ist weg.

Ich schließe die Augen. Tränen quellen durch meine Wimpern und rinnen mir über die Wangen. Ich versuche nicht einmal, sie aufzuhalten, denn es hätte keinen Sinn. Es sind nur die ersten einer ganzen Flut, dessen bin ich mir sicher.

Zweifellos steht mein Leben gerade in den Startlöchern zu einer verdammt schwierigen Phase. Zweifellos ist der Weg, der vor mir liegt, steinig. Zweifellos wird mein Alltag sich bald dramatisch von dem unterscheiden, was ich bisher gewohnt war. Dennoch werde ich deswegen nicht weinen. Ich empfinde es nicht als Verlust, ich habe nur Angst vor dem, was kommt.

Natürlich liegt das auch daran, dass ich diesen Weg zum größten Teil allein gehen werde. Klar, Olivias Unterstützung habe ich bestimmt. Und daher auch Cashs, wie immer sie aussehen wird. Vielleicht noch die von ein, zwei anderen Leuten, aber letztendlich bin ich allein. Wenn sich der Staub legt und ich all die oberflächlichen Menschen, mit denen ich bisher zu tun hatte, verschreckt und mir die Karriere, wie sie bisher geplant gewesen ist, verbaut habe, muss ich mich allein mit den Folgen auseinandersetzen.

Vielleicht wird eines Tages ein großartiger Kerl in meinem Leben auftauchen, aber ich denke, selbst dann werde ich allein bleiben. Denn es wird nicht Nash sein, und mit weniger kann ich mich nicht mehr abfinden. In mir wird immer eine Leere bleiben, die kein anderer ausfüllen kann.

Und das ist die bittere Wahrheit. Die bittere Realität, der man sich stellen muss, wenn man einen Mann liebt, der sich nicht binden will und der nicht gezähmt werden kann.

Allerdings wollte ich ihn auch niemals zähmen. Im Gegenteil: Ich wollte an seiner Freiheit teilhaben, mit ihm davonfliegen. Ich wollte mehr wie er sein und nicht versuchen, ihn mir anzugleichen. Ich will mir selbst entkommen und nicht andere in meine persönliche Hölle zerren.

Aber vielleicht habe ich genau das trotzdem getan, indem ich ihn zu einer Art Fluchtwerkzeug gemacht habe. Ich habe ihn in meine private Schlacht verwickelt.

Wahrscheinlich habe ich sogar erwartet, dass er mich rettet. Gewünscht habe ich es mir jedenfalls. Doch für ihn war es Rettung genug, mich aus den Klauen der Russenmafia zu befreien. Mit Recht. Alles andere hätte von ihm ausgehen müssen, hätte ihm von seinem Herzen dirigiert werden müssen. Nash zu etwas zu zwingen, zu überreden oder zu verleiten, ist ein Ding der Unmöglichkeit. Er hat seinen eigenen Kopf. Durch und durch.

Vielleicht habe ich das eines Tages auch.

Und den ersten Schritt dazu kann ich ebenso gut heute schon unternehmen.

Cash will nicht vor Gericht auftreten, weil er dann erneut Nashs Identität annehmen müsste, was er aus verschiedenen Gründen nicht mehr möchte, aber natürlich auch, weil es hier um seinen Vater geht. Dennoch möchte er nicht außen vor stehen, daher hat er mich gebeten, einen Antrag zu stellen, bei diesem Fall als Sonderankläger auftreten zu können, sodass ich in der Verhandlung dabei bin und in jeden Schritt involviert sein werde.

Ich denke, ihm ist klar, worum er mich bittet. Er kennt meinen Vater und weiß, was für ein Leben ich bisher geführt habe. Er weiß, dass die Übernahme eines Falls im Strafgesetz für meinen Vater gleichzusetzen ist mit einem gesellschaftlichen Abstieg ins Ghetto. Niemand aus meinen Kreisen wird mir das je vergessen, geschweige denn vergeben, und falls ich es tue, ändert sich die Richtung meiner Karriere unwiderruflich.

Aber es ist auch genau das, was ich brauche.

Und ich glaube das, was ich will.

In meinem ehemaligen Dasein gibt es nichts mehr, was mich reizt. Ich kann noch nicht einmal mehr mit Sicherheit behaupten, dass Jura meine Sparte ist. Aber diese Sache ist wichtig, und es wäre die persönlich mutigste und drastischste Sache, die ich je getan habe. Und mutig muss ich unbedingt sein. Ich muss mein neues Ich auf die Probe stellen. Und mich hineinfinden. Und ich muss es richtig tun. Öffentlich. Mit Stolz. Sollte ich das nicht schaffen, wird mein neues Ich verwelken, noch bevor es richtig erblüht ist. Dann bliebe mir nur eine Rückkehr in mein altes Leben.

Und das – das ist keine Option.

Ich denke an Nash. Er hat mich immer provoziert, als glaubte er nicht daran, dass ich es tun könnte. Oder wollte. Aber ich glaube, dass er mich vielleicht auch angetrieben hat, weil er sich gefreut hätte, wenn ich mein neues Ich tatsächlich auslebte. Wenn ich Erfolg hätte und mich wirklich ändern würde. Und wäre er noch hier, dann wäre er vielleicht sogar ein bisschen stolz darauf, dass ich es in Angriff nehme und Stärke zeige. Vielleicht mehr Stärke, als er mir je zugetraut hat.

Mein Puls beschleunigt sich.

Ich tue es wirklich. Ich werde mich wirklich in den Menschen verwandeln, den ich morgens im Spiegel sehen will – in eine Frau, mit der ich leben kann und auf die ich stolz bin.

Vor mir liegt eine einmalige Gelegenheit, drei wichtige Mitglieder einer kriminellen russischen Organisation, die von Georgia aus operiert, vor Gericht zu bringen. Darüber hinaus habe ich die Chance, die Leute wegzusperren, die mich entführt haben. Zumindest hoffe ich, dass wir sie dadurch fassen können, denn schließlich weiß ich nicht mal, wer es gewesen ist. Doch mit dem Prozess komme ich ihnen näher, und in jedem Fall kriegen wir den Kerl, der den Auftrag dazu gegeben hat. Cash hat mir versichert, dass der Verantwortliche einer der drei Männer ist, um die es geht. Und allein das verschafft mir eine gewisse Genugtuung.

Und noch während ich darüber nachdenke, was juristisch auf mich zukommt, bin ich froh über das Ausmaß der Arbeit, denn sie wird all meine Konzentration fordern, sodass ich kaum Zeit haben werde, an etwas anderes zu denken. An Nash zu denken. Allerdings muss ich auch zugeben, dass ich mich etwas erschlagen fühle. Ich bin klug genug, um zu erkennen, wann etwas mein Können übersteigt. Ich bin schlichtweg überfordert.

Während ich überlege, wie ich am besten vorgehe, scrolle ich durch die Anruferliste auf meinem Handy. Bei Jensen Strongs Nummer verharre ich. Er arbeitet für die Staatsanwaltschaft, was ihn zu einer idealen Anlaufstelle für meine Fragen macht.

Ich drücke auf die Wahltaste und nehme das Telefon ans Ohr, um dem Tuten zu lauschen. Dann huscht ein Schatten der Furcht über meine Entschlossenheit. Ich weiß, dass ich nach diesem Gespräch mit Jensen jemand anderen anrufen muss.

Daddy.

29
NASH

Ich habe in der Nacht nicht besonders viel geschlafen, deshalb bin ich noch etwas groggy, als ich ein paar Scheine abzähle, um den Taxifahrer zu bezahlen, der mich vom Motel zum Hafen gebracht hat. Der Preis ist nicht so exorbitant hoch wie das, was ich gestern dem Kerl bezahlt habe, der mich von Atlanta nach Savannah gebracht hat, aber das ist ja nur logisch.

Die gestrige Strecke hatte es in sich.

Der Wagen fährt davon, und ich blicke erneut auf den Umschlag, bevor ich meine Suche beginne. Der Name des Bootes, den Dmitry auf das Papier gekritzelt hat, ist alles, was ich habe. *Budushcheye Mudrost*. Mein Russisch ist nicht perfekt, doch ich weiß, dass man es ungefähr mit »Zukünftige Weisheit« übersetzen kann.

Dmitry sagte, ich könne das Schiff hier im Hafen von Savannah finden. Der Brief in meiner Hand ist für den Captain, den er Drago nannte. Er wollte, dass ich ihn persönlich abgebe. Das ist alles. Das ist das Einzige, was er von mir verlangt hat. Er hat so viel aufgegeben, um mir, meinem Vater, meiner ganzen Familie zu helfen, aber als Gegenleistung soll ich nur diesen Brief ausliefern.

Selbstverständlich habe ich zugesagt.

Er kann es nicht mehr selbst tun. Er verlässt das Motel nur noch, um Konstantin zu treffen, den Mann, der sich hoffentlich in der ortsansässigen *Bratva* zur Nummer eins aufschwingen wird. Darüber hinaus wird Dmitry mit Duffy im Hotel bleiben, bis Cash und Marissa die Vorarbeiten erledigt, Anklagen erhoben und den Stein ins Rollen gebracht haben. Anschließend werden Duffy und Dmitry unter Eid aussagen und ins Zeugenschutzprogramm aufgenommen. Zumindest glaube ich, dass es so funktioniert. Genau kann ich es nicht sagen, denn ich war ja schließlich nicht der Nash, der Jura studiert hat.

Ich brauche fast eine geschlagene Stunde, um das Boot zu finden. Ich hatte irgendein Handelsschiff erwartet, einen Kahn wie die, auf denen Dmitry und ich gearbeitet hatten, nicht die private Jacht, vor der ich nun stehe. Die verdammt schicke private Jacht, vor der ich stehe.

Ich sehe jemanden an Deck, rufe ihn und bitte um Erlaubnis, an Bord kommen zu dürfen. Der Mann schenkt mir keinen Gruß, kein Lächeln, nur ein sehr knappes »Ja«.

Ich klettere die Leiter hinauf an Deck und warte. Weniger als eine Minute später ist der Mann bei mir. Er blickt finster und verärgert, als betrachte er mich als unerwünschte Störung. Er sieht aus wie eine ausgeblichene, unscheinbare Version Dmitrys.

»Ich suche nach Drago.«

»Ich bin Drago«, sagt er barsch. Er spricht mit starkem Akzent, und sein Gebaren ist bestenfalls als mürrisch zu bezeichnen.

»Ich habe einen Brief von Dmitry«, sage ich und halte den Umschlag hoch.

Sein Stirnrunzeln verstärkt sich, und er rupft mir den Brief aus den Fingern. Ich sehe zu, wie er mit dem Daumen unter die Klebelasche fährt und das Blatt aus dem Umschlag zieht. Er faltet es auf und holte ein zweites Blatt hervor. Dieses hält er mit in der anderen Hand, während er das erste zu lesen beginnt.

Zwischendurch sieht er immer wieder zu mir auf. Keine Ahnung warum, aber ich könnte mir denken, dass Dmitry in dem Brief erklärt hat, wer ich bin und warum er mich geschickt hat. Oder er erzählt dem anderen Russen etwas, das dem gar nicht gefällt.

Hoffen wir, dass es keine schlechte Nachrichten sind und der Kerl sich am Boten rächen will.

Als Drago fertig ist, sieht er wieder auf und mustert mich mit verengten Augen. Das tut er verdammt lange, als müsste er genau überlegen, dann reicht er mir schließlich das zweite Blatt Papier, das im ersten eingefaltet war.

Das überrascht mich, wie ich zugeben muss. Wenn Dmitry mir etwas sagen wollte, dann hätte er es doch gestern persönlich tun können. Aber ein Blick auf das Blatt mit den tiefen Kniffen und welligen Kanten macht mir klar, dass diese Nachricht schon vor einiger Zeit verfasst worden ist.

Ich falte das Blatt auseinander und lese.

Nikolai,
vor vielen Jahren lernte ich einen Jungen kennen. Er war der Sohn eines Freundes und einer der stärksten jungen Männer, die mir je begegnet sind. Er gab sein Leben, seine Zukunft und seine Familie auf, um dem Vater Ehre zu machen und der toten Mutter Gerechtigkeit zu verschaffen.

Ich schloss den Jungen in mein Herz. Ich liebte ihn wie meinen eigenen Sohn und beobachtete, wie er heranwuchs und zu einem Mann wurde, auf den jeder Vater stolz gewesen wäre.

Du hast harte Zeiten durchmachen müssen, Nikolai, und dabei habe ich eine Rolle gespielt, wenn auch nur indirekt. Ich wünsche mir mehr als alles andere, dass Du Frieden und Glück findest.

Ich bete darum, dass der Tag kommen wird, an dem Du dem jetzigen Dasein entfliehen kannst. Wenn Du diesen Brief liest, dann ist heute dieser Tag. Wahrscheinlich gibt Drago Dir diese Nachricht, die in meinen Anweisungen für ihn verborgen ist. Ich weiß nicht, wie viele Jahre vergangen sein werden, bis Du liest, was ich heute schreibe, aber Du sollst wissen, dass ich das hier schon seit langer Zeit plane.

Ich habe das Boot gekauft, damit ich mich eines Tages irgendwo weit weg zur Ruhe setzen kann, aber ich möchte Dir ein Jahr Freiheit darauf schenken. Freiheit, Dich selbst, einen Platz im Leben, Dein Glück und vor allen Dingen Frieden zu finden. Bei Gott, ich hoffe, Du findest Frieden, mein Sohn.

Die Crew und der Captain werden im Jahresrhythmus bezahlt. Das geschieht über ein gesondertes Konto. Die Leute betreiben ein kleines legales In- und Exportunternehmen für mich, doch in diesem einen Jahr, in Deinem Jahr, brauchst Du ihnen nur zu sagen, wohin Du willst, und sie bringen Dich dorthin. Ich vermute, ich kenne Dein erstes Ziel, und ich habe es auch Drago bereits in diesem Brief erzählt. Falls Du hinfährst, richte Yusufs Frau meine besten Wünsche aus. Und sag ihr, dass ich ihren Verlust zutiefst betraure.

Geh, Nikolai. Nimm mein Geschenk und gib Deinem Leben eine neue Wendung. Du hast eine zweite Chance verdient. Mehr als jeder andere, den ich kenne.

Sem'ya
Dmitry

Wie vom Donner gerührt blicke ich auf. Drago mustert mich misstrauisch, wird aber Dmitrys Anweisungen Folge leisten, ohne sie infrage zu stellen. Das weiß ich. Diejenigen, die Dmitry kennen, sind ihm immer treu ergeben.

»Wir legen in zwei Tagen ab. Bis morgen früh muss ich wissen, wohin die erste Fahrt geht. Wir müssen Proviant einkaufen.«

Und damit macht er kehrt und geht.

Ein paar Sekunden lang stehe ich wie angewurzelt da und blicke ihm nach, bis ich die Schockstarre abschütteln kann und mich in Bewegung setze.

»Wär schön, wenn Sie mir sagen könnten, wo meine Kajüte ist«, sage ich laut, bevor er außer Hörweite ist.

Drago bleibt stehen und wendet den Kopf gerade weit genug, um mir zu erkennen zu geben, dass er mich gehört hat. Er stößt einen grunzenden Laut aus und schlägt eine andere Richtung ein. Ich folge ihm hinein und durchquere einen luxuriösen Wohnraum bis zu einer Treppe, die unter Deck führt. Unten wendet er sich nach links in einen kurzen Flur, hält vor einer Tür an, öffnet sie und tritt beiseite.

»Die ist sauber«, stößt er knurrend hervor und geht.

Zumindest muss ich mir keine Sorgen machen, dass er mich während der Reise zutextet.

Die Reise.

Ich gebe zu, dass es eine Erleichterung ist, diese Option zu haben. Als ich gestern das Restaurant verließ, wusste ich nur, dass ich fortmusste von Marissa, weil sie einen besseren Mann als mich in ihrem Leben verdient hatte. Ich hatte keine Vorstellung davon, wohin ich gehen sollte oder was ich machen würde. Ich meine, ich wäre nie freiwillig wieder in den Waffenschmuggel eingestiegen. Aber in Atlanta zu bleiben war auch keine Lösung, denn ich wäre immer versucht gewesen, Marissa einen Besuch abzustatten. Nun weiß ich wenigstens, wo ich unterkommen kann. Das kommende Jahr jedenfalls.

Es ist nicht gerade das, was ich mir erträumt habe. Ich hatte immer gedacht, dass ich bei meiner Familie in Atlanta bleiben würde, wenn diese ganze elende Geschichte einmal vorbei sein sollte. Was genau ich dort anstellen würde, wusste ich nicht – vielleicht wie Cash einen Club eröffnen oder ... oder ... Ach, keine Ahnung, ich habe nie ernsthaft darüber nachgedacht. Wahrscheinlich weil ich in gewisser Hinsicht nicht geglaubt habe, dass es jemals vorbei sein würde. Dieser Zorn, dieser Wunsch nach Rache, der mich seit Jahren antreibt ... Im Augenblick kann ich nicht sagen, wie ich ohne diese Energie planen soll. So lange Zeit war dies mein Lebenszweck, dass ich mir regelrecht verloren vorkomme.

Aber nun habe ich das. Dieses Geschenk von Dmitry. Ich muss nur in zwei Tagen hier auf dem Boot sein und kann alle Sorgen hinter mir lassen.

Doch ich würde auch Marissa hinter mir lassen.

Verdammt! Wie habe ich es nur zulassen können, dass sie sich in mein Herz stiehlt?

Nach ein paar Minuten kehre ich an Deck zurück. Ich muss eine Weile suchen, bis ich Drago finde. Er sitzt mit zwei anderen Männern in der Kombüse.

»Ich komme wieder. Ich muss ein paar Dinge erledigen, bevor wir ablegen können.«

Ich warte keine Reaktion ab. Ich bin ihnen keine Erklärung schuldig. Aus Dmitrys Brief geht hervor, dass die Männer alle angestellt sind, also tun sie, wofür sie bezahlt werden.

Ich verlasse die Jacht und mache mich in Richtung Innenstadt auf den Weg. Da ich meistens hier in Savannah an Land gegangen bin, habe ich auch ein Konto bei einer hiesigen Bank. Ich brauche Geld, bevor ich abreise.

Falls ich abreise.

Ich schiebe den Gedanken beiseite. Im Grunde habe ich keine Wahl. Es ist das Einzige, was ich tun kann, wenn ich kein egoistischer Mistkerl sein will. Und ich denke, ich werde wohl langsam damit aufhören müssen, ein egoistischer Mistkerl zu sein, wenn ich mich wirklich irgendwann wieder in eine normale Gesellschaft mit gewissen Verhaltensregeln integrieren will.

Das gibt mir Hoffnung, dass es vielleicht eines Tages klappt. Eines Tages. Vielleicht in einem Jahr.

30
Marissa

In der Hoffnung, dass Daddy nicht zu beschäftigt ist, um sich ein paar Minuten Zeit freizuschaufeln, fahre ich zur Firma. Am liebsten hätte ich den feigen Weg des geringsten Widerstands gewählt und einfach angerufen, und fast hätte ich das auch getan. Hätte ich nicht die SMS bekommen.

Als die Fahrstuhltüren unten im Bürogebäude sich schließen, drücke ich auf den Knopf zur Etage meines Vaters und hole wohl gut zum hundertsten Mal mein Handy hervor. Mit der Displaybeleuchtung erscheint auch die Nachricht. Ich schätze, sie wird auf nicht absehbare Zeit die am häufigsten aufgerufene Seite auf meinem Telefon sein.

Die Nummer, von der sie abgeschickt worden ist, ist mir nicht bekannt, doch das hindert mich nicht daran, den Absender zu identifizieren. Sie ist von Nash.

Vielleicht gab es mal eine Zeit, als ich Dich nicht ausstehen konnte, aber das hatte nur damit zu tun, dass Du mit meinem Bruder zusammen warst, der sich als mich ausgegeben hat. Und all das änderte sich, als ich Dich auf dem Balkon in den Armen hielt. Ich wusste, dass mehr in Dir steckte, als andere sahen. Und das glaube ich immer noch. Du bist mutiger und stärker als die meisten Menschen, und Du sollst wissen, dass es mindestens einen Menschen auf dieser Welt gibt, der an Dich glaubt. Das ist das Letzte, was ich Dir zu sagen habe, und dann noch dies: Ich hätte mich auf meine Art mit Duffy auseinandersetzen können. Die Möglichkeit war da. Ich habe es Deinetwegen nicht getan.

Jedes Mal wenn ich das lese, bin ich hin und her gerissen zwischen dem Gefühl, als könnte ich die Welt erobern, und tiefem Kummer. Cash hatte mir ja schon gesagt, dass sein Bruder fortgegangen war, und das war schlimm genug. Aber dann von ihm zu hören und so etwas zu lesen, nachdem er sich einfach in Luft aufgelöst hat …

Ich antwortete sofort auf die Nachricht, weil ich hoffte, ich könnte vielleicht noch einmal mit ihm reden, doch ich bekam nur eine Fehlermeldung, in der mir mitgeteilt wurde, dass dieser Anschluss nicht mehr zur Verfügung stünde. Er muss ein Wegwerfhandy benutzt haben. Und auch in dieser Hinsicht hatte Cash mich vorgewarnt: Nash wolle sein Handy loswerden, würde aber Kontakt mit uns aufnehmen. Das hat er getan. Und ist dann auch dieses Handy losgeworden. So schnell geht das.

Einfach so.

Nash hat vom ersten Augenblick an, als wir uns begegneten, meine Welt in ihren Grundfesten erschüttert. Und als alles eingestürzt war, ist er verschwunden und hat mich auf den Trümmern sitzen lassen.

Doch wenigstens hat er mir etwas Kostbares hinterlassen: Seine Unterstützung. Ich kenne ihn inzwischen gut genug, um zu wissen, dass er nicht freigiebig damit ist, genauso wenig wie er schnell Komplimente macht. Und deswegen bedeuten mir seine Worte so viel. Wenn ich die Augen zumache, sehe ich die Nachricht vor mir, als hätte er sie in mein Hirn gefräst und nicht auf einem Bildschirm geschrieben. In meinem Kopf und tief in meiner Seele steht sie unauslöschlich wie eine Tätowierung und wird für mich immer von immenser Bedeutung sein.

Die Fahrstuhltüren öffnen sich mit einem gedämpften »Pling«.

Nash ist der Grund, warum ich jetzt hier bin und mich bereit mache, dem Feuer speienden Drachen gegenüberzutreten. Es wird Zeit, dass ich erwachsen werde und mein Leben selbst in die Hand nehme. Es wird Zeit, ein paar Bande zu kappen, ob Dad es nun gefällt oder nicht. Und ich bin gekommen, um ihm in die Augen zu sehen, während ich es ihm mitteile.

Ich streiche meine Kostümjacke glatt und trete an den Tisch der Sekretärin. Als sie aufblickt, schenke ich ihr ein Lächeln.

»Ist er da?«, frage ich.

»Er ist in einer Konferenzschaltung, aber er hat bestimmt kurz Zeit für Sie, wenn es Ihnen nichts ausmacht, einen Moment zu warten. Möchten Sie einen Kaffee, oder soll ich gleich in Ihrem Büro Bescheid geben?«

Ich möchte eigentlich keine Fragen beantworten oder mit jemandem reden müssen, bevor ich nicht mit Dad gesprochen habe, also beschließe ich zu warten.

»Ich hätte gerne einen Kaffee, danke. Es dauert bestimmt nicht lange.«

Sie lächelt, nickt und erhebt sich. »Zucker und Milch?«

»Schwarz, danke.«

Sie nickt wieder und geht zur Pantryküche hinter ihrem Tisch. Zwei Minuten später bekomme ich eine Tasse heißen, sehr teuren Kaffee. Mir läuft das Wasser im Mund zusammen, als ich den Duft einatme.

»Danke, Juliette.«

»Gern geschehen.«

Sie setzt sich und widmet sich wieder ihrer Arbeit, sodass ich jede Menge Zeit habe, mich auf meine Nervosität zu konzentrieren. Ich denke, es ist eine Bestätigung dafür, wie sehr ich mich schon geändert habe, dass ich nicht versuche, mir mein Vorhaben wieder auszureden. Mich ernsthaft mit meinem Vater auseinanderzusetzen oder etwas zu tun, was ihm missfällt, wäre mir vorher niemals in den Sinn gekommen. Ich war ein blindes, gut dressiertes Äffchen, das zufrieden damit war zu tun, was man mir aufgetragen hatte. Es verursacht mir fast Übelkeit, wenn ich überlege, dass ich durchaus den Rest meines Lebens auf diese Art hätte verbringen können, wenn ich nicht wachgerüttelt worden wäre.

Ich bin so in meine Gedanken versunken, dass ich erschreckt zusammenfahre, als Juliette mich anspricht.

»Das Telefonat ist beendet. Ich sage ihm rasch, dass Sie da sind.«

Sie steht auf, geht zur breiten Doppeltür aus Mahagoni, öffnet eine und schlüpft hindurch. Ein paar Sekunden später erscheint sie wieder, winkt mir, hält mir die Tür auf, bis ich drin bin, und schließt sie lautlos hinter mir wieder.

Dad blickt kurz auf, richtet seine Aufmerksamkeit dann aber wieder auf seinen Tisch. »Schön, dich wieder hier zu sehen. Ich hatte schon angefangen, mir Sorgen zu machen.«

Schwachsinn, ertönt Nashs Stimme in meinem Kopf. Darüber muss ich lächeln. Er hat ja so recht.

Ich räuspere mich. Es bringt nichts, sich mit den üblichen, nichtssagenden Nettigkeiten aufzuhalten. Sie sind nicht aufrichtig gemeint und bringen mich nicht weiter. Ich habe sein Spiel längst durchschaut. Und da es immer nur darum ging, mich einzulullen, umgehe ich diesen ganzen Unsinn und komme direkt zur Sache.

»Daddy, ich möchte mit Jensen Strong von der Staatsanwaltschaft an einem Fall arbeiten.«

Das alarmiert ihn. Plötzlich habe ich seine Aufmerksamkeit. Er schaut auf, nimmt seine Lesebrille ab und betrachtet mich mit verengten Augen. »Du machst Witze, oder?« Als ich darauf nicht reagiere, fährt er fort. »Warum?«

Na, das hätte schlimmer kommen können.

»Es hat etwas mit Nashs Vater zu tun«, sage ich schlicht. Ich will ihm weder Einzelheiten der Davenport-Täuschung verraten, noch etwas von meiner Entführung erzählen.

»Ich dachte, du hättest gesagt, die Sache sei vorbei.«

»Ist sie auch. Aber helfen will ich ihm noch immer. Das schulde ich ihm.«

»Du schuldest ihm deine Karriere?«

»Das habe ich nicht gesagt.«

»O doch. Du hast mir kurz zuvor erzählt, du wolltest die Staatsanwaltschaft bei einem Strafrechtsfall unterstützen. Da das normalerweise nicht dein Bereich ist, gehe ich davon aus, dass du deine Stelle hier aufgeben willst.«

»Ich rede nicht von einer dauerhaften Veränderung. Nur bis der Prozess zu Ende ist.«

»Es ist nicht der Zeitaufwand, um den ich mir Gedanken mache. Marissa, du weißt genauso gut wie ich, dass die Leute, die wir vertreten, von uns einen einwandfreien Ruf verlangen. Das ist bedauerlich, aber Tatsache.«

Schwachsinn, ertönt die Stimme erneut. Er findet das ganz und gar nicht bedauerlich. Es ist nur ein Standardsatz, den er sich für Leute wie mich zurechtgelegt hat, um eine bestimmte Reaktion zu erwirken.

»Das ist bedauerlich, weil dies etwas ist, was ich wirklich tun will.«

»Marissa, Liebling, sei nicht albern. Lass das die Profis machen. Hier steht das Leben eines Mannes auf dem Spiel.«

»Ich bin ein Profi, Daddy. Oder hast du vergessen, dass ich meinen Juraabschluss summa cum laude bekommen habe?«

»Das meinte ich nicht, und das weißt du. Wie auch immer – ich kann dir das nicht erlauben.«

Ich straffe den Rücken und hebe das Kinn ein Stück an. Gut dass ich mich nicht gesetzt habe, als ich eingetreten bin. Ich will stark und groß wirken. Er soll sehen, dass ich nicht nur buchstäblich, sondern auch im übertragenen Sinne auf meinen eigenen Füßen stehe.

»Ich bin nicht gekommen, um dich um Erlaubnis zu bitten. Ich wollte es dir nur aus Respekt und Höflichkeit mitteilen.«

Er rammt seine Faust auf den Tisch, und sein Gesicht färbt sich zornig rot. »Das nennst du Respekt? Dass du mir alles, was ich dir gegeben habe, alles, wofür ich lange und hart gearbeitet habe, vor die Füße wirfst, als würde es dir nichts bedeuten?«

Ich hole tief Luft und versuche im Angesicht seiner Wut ruhig zu bleiben. »Ich bin dir für alles, was du für mich getan hast, sehr dankbar, Daddy. Aber ich muss tun, was ich mir vorgenommen habe. Vielleicht ist es einfach an der Zeit, dass ich mein Leben selbst in die Hand nehme.«

Mein Vater erhebt sich. »Du willst das tun, weil du es Nash schuldest? Ihm schuldest du gar nichts. Aber mir!«

»Ich habe immer alles getan, was du von mir wolltest, Daddy. Ich habe nichts infrage gestellt, nie gezögert, sondern immer gehorcht. Kannst du mir dieses Mal nicht mein eigenes Vorhaben zugestehen?«

Ich weiß schon, was er antworten wird, noch bevor er zu reden beginnt. Hier geht es weniger darum, dass ich mich beruflich verändern will, sondern um etwas sehr Persönliches, und dies wird unser Verhältnis für immer und unwiderruflich verändern. »Frauen von wichtigen Führungspersönlichkeiten dilettieren nicht im Strafgesetz, und sie paktieren auch nicht mit Normalbürgern und Verbrechern. Du machst alles zunichte, wozu ich dich erzogen habe.«

Und da haben wir sie. Die ungeschminkte Wahrheit.

»Eine Politikerehefrau. Dazu hast du mich erzogen, nicht wahr, Daddy?« Er antwortet nicht. »Das Jurastudium war nur eine Formalität, sozusagen ein gesellschaftliches Experiment. Du hast nie vorgehabt, mir in deiner Firma eine Stelle mit Verantwortung zu geben. Du wolltest mir den richtigen Ehemann suchen, dem ich dann ab und zu zuarbeiten kann, ist es nicht so?« Sein andauerndes Schweigen ärgert mich fast so sehr, wie es mich kränkt. Anzunehmen, dass man dem eigenen Vater nicht viel bedeutet, ist nicht dasselbe, wie es von eben diesem Vater bestätigt zu bekommen. »Tja, tut mir leid, dass ich dich enttäuschen muss, Dad, aber dies ist eine Sache, die ich tun muss. Für mich. Für Freunde. Für Menschen, die mich mögen und sich um mich sorgen. Und zwar um mich, wie ich wirklich bin und nicht wie du mich haben willst. Vielleicht wirst du diese Person ja eines Tages kennenlernen und stolz auf sie sein, und das hoffe ich wirklich. Aber wenn nicht, dann eben nicht. Denn zum ersten Mal kann ich über den Tellerrand hinausschauen. Bisher dachte ich immer, dass alles, was außerhalb unserer Familie, unserer Kreise existiert, hässlich ist und wir ein großartiges Leben führen würden.« Langsam gehe ich zum Tisch meines Vaters und stelle meine Kaffeetasse auf die Ecke, bevor ich aufblicke. Er sieht noch immer sehr gut aus. »Aber ich habe mich geirrt.«

Innerlich heftig zitternd drehe ich mich um und gehe zur Tür. Die Stimme meines Vaters stoppt mich, doch ich sehe nicht zurück.

»Wenn du jetzt gehst und tust, was du vorhast, gehörst du nicht mehr in diese Firma.« Die Pause, die nun entsteht, ist voll mit unausgesprochenen Drohungen, zum Beispiel, dass ich auch nicht länger zur Familie gehören werde. Und obwohl es furchtbar wehtut, dass er so reagiert, überrascht es mich nicht. Das ist der Grund, warum ich ihn bisher niemals herausgefordert habe. Wer sich nicht nach ihm richtet, kann gehen, so ist es immer schon gewesen, ob beruflich oder privat. Wenn ich mich entscheide, einen eigenen Weg zu gehen, dann muss ich das allein tun.

Und wie um seinen Beschluss zu unterstreichen und mir die Endgültigkeit klarzumachen, fügt er hinzu: »Was immer bei Büroschluss noch in deinem Zimmer ist, kommt in den Müll, dafür sorge ich.«

Ich nicke und greife nach dem Türknauf.

Er entsorgt mich. Mit dem Müll.

Und so öffne ich die Tür und kehre allem, was mir bisher vertraut gewesen ist, den Rücken. Und schaue kein einziges Mal zurück.

31
NASH

Vom Heck aus beobachte ich, wie die Skyline von Savannah am Horizont verblasst. Ich kann mich nicht erinnern, jemals solches Heimweh gehabt zu haben, seit ich vor sieben Jahren gezwungen gewesen war unterzutauchen.

Dabei muss ich dieses Mal nicht um mein Leben laufen oder mich verstecken. Dieses Mal segele ich nicht ins Ungewisse. Ich weiß, wie lange ich fort sein werde und dass ich auf dieser luxuriösen Jacht in Sicherheit bin. Ich komme mir vor wie ein Millionär auf Urlaub. Der Traum jeden Mannes.

Wenn ich nur nicht eine solche Leere empfinden würde.

Und da sich bei mir nicht viel geändert hat, ist es nicht allzu schwer zu erraten, was mich so beschäftigt. Oder vielmehr wer.

Natürlich Marissa.

Ich hasse es, sie verlassen zu müssen, zumal zwischen uns nichts geregelt ist. Ich hasse den Gedanken, dass ich in ihren Augen als ein derart mieser Kerl dastehe. Ich meine – klar, ich bin nicht der beste und rücksichtsvollste aller Männer, aber ganz sicher auch nicht das Ungeheuer, das sie neulich im Restaurant vor sich gesehen zu haben glaubte. Das bin ich nicht mehr, seit ich sie getroffen habe – nicht mehr durch und durch jedenfalls.

Schritt für Schritt hat sie mir wieder zu fühlen beigebracht, und Ungeheuer fühlen nichts. Sie verwüsten und zerstören nur und richten überall Chaos an. Aus diesem Grund bin ich gegangen – um nicht mehr zu verwüsten und zu zerstören, um kein Chaos mehr anzurichten. Sie hat etwas Besseres, sie hat einen Besseren verdient.

Aber trotzdem fühle ich mich abscheulich, als die Küste und damit auch die Chance, sie wiederzusehen, vor meinen Augen verschwindet.

Ich schlucke das Gefühl herunter, wodurch es wie ein Sack voll Steine in meiner Magengrube liegt, kehre der Reling den Rücken zu und gehe weg.

Weg von ihr.

32
Marissa

Zwei Wochen später

»Also ist alles bereit? Die Termine für die Vernehmungen stehen?«, fragt Cash.

»Ja. Danach gehen Duffy und Dmitry beide mit einem Zeugenschutzteam in ein sicheres Haus, bis unser Prozess beginnt. Zum Glück hat Jensen den Generalstaatsanwalt bekniet, die Vorgänge zu beschleunigen, da es sich um eine so große Sache handelt. Wir hatten Angst, dass das FBI sich den Fall unter den Nagel reißt, weil es unter anderem um Terrorismus geht, aber er hat uns zugesichert, dass wir ihn verhandeln können. Mein ›spezielles Wissen‹ hat dabei geholfen.« Ich grinse.

»Ich hatte zumindest gehofft, dass man darin keinen Konflikt sehen würde.«

»Wenn ich hätte aussagen müssen, hätten wir ein Problem gehabt, aber zum Glück reicht Duffys Aussage, die anderen beiden, die an meiner Entführung beteiligt waren, festzusetzen, sodass ich in aller Seelenruhe auf der anderen Seite des Zeugenstands sitzen bleiben darf.«

Allein es auszusprechen weckt erneut Wut und Verbitterung in mir.

»Schau, ich weiß, dass dich das ärgert, und auch mich macht es fuchsteufelswild, dass Duffy nicht ins Gefängnis gehen wird, glaub mir. Er hat uns beiden Schlimmes angetan – uns allen. Aber sein Leben ist so oder so gelaufen, nur auf andere Art. Vielleicht muss er nicht ins Gefängnis und bezahlt auch nicht mit dem Tod, aber er wird auch kein wirklich freier Mensch mehr sein. Selbst mit Zeugenschutz und irgendwo weit weg von alldem hier wird er immer noch ständig auf der Hut sein und sich fragen müssen, ob ihn nicht doch jemand aufgestöbert hat.«

»Aber dann sind all die großen Fische doch hinter Gittern.«

»Trotzdem wird Duffy immer fürchten, dass sie selbst aus dem Knast jemanden anheuern und einen Polizisten bestechen, der ihnen den Aufenthaltsort verrät.«

Eine Angst, die in den vergangenen zwei Wochen stetig angeschwollen ist, regt sich erneut. »Theoretisch müssen wir uns doch alle dieselben Sorgen machen.«

»Nein. Weil die neue Führungsspitze dieser *Bratva*-Zelle uns Schutz zugesichert hat. Nicht einmal Slava und seine Kumpels sind dumm genug, sich der gesamten Russenmafia entgegenzustellen. Sie mögen ihre Verbindungen haben, sind aber im Vergleich zu einem offiziell anerkannten Mafiaboss ziemlich machtlos.«

»Gott, ich kann nur hoffen, dass du recht hast.« Allein das Gespräch verursacht mir schwitzige Hände.

»Im Übrigen hat mein Bruder sich anscheinend während seiner Zeit auf See einen Namen gemacht. Nach dem, was ich gehört habe, hat er verkünden lassen, dass jeder, der dir auch nur ein Haar krümmt, von diesem Moment an in dreihundertfünfundsechzig Tagen tot sein wird.«

Mein Verstand braucht einen Moment, um den Satz zu verstehen, und ich lache, aber es geschieht eher aus Reflex. Meine Gedanken bleiben an der Tatsache hängen, dass Nash zu meinem Schutz eine Warnung ausgegeben hat.

Dann kann ich wieder logisch denken.

»Nun, natürlich will er die Leute schützen, die ihm die Gerechtigkeit verschaffen können, auf die er so viele Jahre hingearbeitet hat.« Es gelingt mir nicht, die Enttäuschung aus meiner Stimme herauszuhalten.

»Ja, das will er sicher auch. Aber nicht deswegen hat er es getan.« Nach einer Pause räuspert Cash sich. »Hör zu, Marissa. Ich habe dich falsch beurteilt. Ich habe ein Weilchen gebraucht, bis ich gesehen habe, was in dir steckt, aber Nash nicht. Er hat es sofort erkannt, denke ich.«

»Danke, Cash«, presse ich an meinen belegten Stimmbändern vorbei.

Mein Herz tut mir weh. Ich würde so gerne glauben, dass Nash so viel für mich empfunden hat wie ich für ihn, wie ich immer noch für ihn empfinde. Aber wenn dem so wäre, dann müsste er hier sein. Bei mir. Wohin er gehört.

Doch das ist er nicht. Er ist gegangen. Hat sich aus meinem Leben verabschiedet. Und über kurz oder lang werde ich ihn ziehen lassen müssen.

33
NASH

Zwei Monate später

Die warme karibische Brise weht durch meine Haare, als ich über die unendliche Weite des Meeres sehe. Nichts, so weit das Auge reicht. Ich sollte diese Ruhe genießen, mich entspannen und mich freuen, denn von Cash habe ich nur gute Nachrichten gehört: Alles läuft wie geplant und bewegt sich in die richtige Richtung, und Marissa zeigt allen, wo es langgeht. Mit der Hilfe dieses Warmduschers Jensen natürlich.

Meine Oberlippe kräuselt sich bei dem Gedanken, dass er sich beim gemeinsamen Studium juristischer Fachwälzer womöglich an sie ranmacht. Sobald ich sie mir mit jemand anderem vorstelle, packt mich kalte Wut. Ich schließe die Augen und visualisiere ein paar Sekunden lang, wie ich Jensen am Kragen packe, ihn zu Boden schleudere und dann auf ihn einprügele, bis sein Gesicht nicht mehr als solches zu erkennen und meine Fingerknöchel blutig und aufgescheuert sind.

Ich schlage die Lider wieder auf und betrachte das Satellitentelefon, das zu meiner Rechten auf dem Glastisch neben meinem Liegestuhl liegt. Es ist nur für Notfälle – ich telefoniere von den Häfen aus, wenn ich mich bei jemandem melden will –, aber jeder Tag, der verstreicht, ohne dass ich Marissa anrufe und sage, dass ich zurückkomme, dass ich ein Teil ihres Lebens sein will, ob es ihr nun passt oder nicht, kommt mir inzwischen wie ein Notfall vor. Als würde ich auf offener See ohne Kompass und Rettungsring orientierungslos dahintreiben.

Marissa fühlt sich für mich immer mehr wie ein Anker an, wie der Nordstern vielleicht. Wie mein Nordstern. Mit jeder Woche, die vergeht, erscheint mir die Richtung, die ich eingeschlagen habe ... einfach falsch. Es kommt mir vor, als ob ich den verkehrten Weg nehme. Als würde ich flüchten, während ich doch mit wehenden Fahnen zu ihr laufen sollte.

Marissa.

34
Marissa

Es besteht kein Zweifel, dass der Mann, der in den Saal geführt wird, Greg Davenport ist. Das ist das erste Mal, dass ich ihn tatsächlich sehe. Jensen hat im Gefängnis allein mit ihm gesprochen.

Wenn ich ihm auf der Straße begegnen würde, würde ich ihn bestimmt wiedererkennen. Seine Söhne sehen ihm verblüffend ähnlich. Greg hat helleres Haar und weichere braune Augen als die Zwillinge, und er ist natürlich älter, aber wenn man es nicht besser wüsste, könnte man ihn auch für einen Bruder halten statt für den Vater.

Sein Blick huscht zu mir, und er lächelt. Es ist ein nettes Lächeln, aber auch ein müdes und besorgtes. Ich frage mich, ob er wohl überhaupt schläft. Wäre ich an seiner Stelle, würde mir das wohl ausgesprochen schwerfallen.

Wir haben alle Vorkehrungen getroffen, um so wenig wie möglich nach außen dringen zu lassen, bis Slava und die anderen beiden in Gewahrsam genommen sind. Dadurch ist Gregs Sicherheit zwar auch nicht garantiert, aber schaden kann es auch nicht.

Seine erste Frage verrät mir, dass er sich nicht um sich selbst sorgt, falls er nachts nicht schlafen kann. »Wie geht es meinen Söhnen?«

Jensen wirft mir einen Blick zu. Er steht nicht in regelmäßigem Kontakt mit Cash wie ich. Aus offensichtlichen Gründen.

Ich räuspere mich und schenke Mr. Davenport ein freundliches Lächeln. »Es geht ihnen beiden gut, Sir.«

Er lacht, und ich kann mir plötzlich vorstellen, wie Nash in sorglosen Zeiten ausgesehen haben muss – atemberaubend auf jeden Fall. Nun ist nur noch Bitterkeit und Wut zu spüren. Dennoch ist er noch immer der bestaussehende Mann, den ich kenne.

Oder kannte.

»Und wer sind Sie?«

»Oh, verzeihen Sie. Ich bin Marissa Townsend. Ich helfe Jensen bei diesem Fall als Sonderermittlerin.«

Er schüttelt den Kopf und mustert mich beeindruckt. Weder Greg noch Jensen kennen den wahren Grund, warum ich an dem Prozess beteiligt bin. Wahrscheinlich denken beide, dass mein reicher Vater bei jemandem einen Gefallen eingefordert hat. Das ist allerdings ganz und gar nicht der Fall. Um mitarbeiten zu können, musste ich dem Generalstaatsanwalt erklären, was genau ich mit der Sache zu tun habe, und ihn davon überzeugen, dass mein Wissen aus erster Hand in Bezug auf bestimmte Ereignisse und involvierte Personen in der Verhandlung von Nutzen sein würde. Dazu erzählte ich ihm, dass ich entführt wurde und in der Folge eine Weile mit einigen der Verdächtigen zusammen war und ihnen zuhören konnte. Zum Glück verlangte er keine besonderen Einzelheiten. Andernfalls hätte sich wohl herausgestellt, dass meine Rolle bei diesem Fall nicht annähernd so bedeutend ist, wie ich ihn glauben machen wollte. Was ich vor allem in den Fall mit einbringe, ist mein

Herz. Und was der Generalstaatsanwalt vermutlich nicht begreifen würde, ist die Tatsache, dass genau das der wertvolle Beitrag ist.

Gregs Stimme holt mich in die Gegenwart zurück.

»Sie müssen die Person sein, die Nash kennt.«

»Ja. Ich kenne Nash.«

Er nickt und lächelt wieder. »Dann sind Sie also die Eine.«

Ich ziehe die Brauen zusammen, und was ich in seinem Blick, in seinem Lächeln zu erkennen glaube, verursacht mir ein starkes Kribbeln im Magen.

»Ich bin nicht sicher, ob ich weiß, was Sie meinen.«

»Für jeden Mann kommt einmal der Moment im Leben, in dem er die Frau trifft, die alles verändert – die ihn verändert. Sie sind diese Frau für Nash.« Ich spüre, wie meine Wangen zu glühen beginnen. Verlegen schaue ich auf meine verschränkten Finger auf der Tischplatte. Mir ist bewusst, dass Jensen mich neugierig betrachtet, aber ich ignoriere ihn. Er weiß nicht, dass der Nash, über den wir hier reden, nicht der ist, den er zu kennen glaubt. Zumal Jensen denkt, dass die Beziehung vorbei ist. Sehr, sehr vorbei ist. Was sie ja auch ist. Ich wünschte bloß, er wäre anders.

»Ich fürchte, Sie irren sich.«

»O nein, ich irre mich bestimmt nicht. Und ich bin überhaupt nicht überrascht, dass es eine Frau wie Sie ist. Sie erinnern mich an Lizzie. In jeder Hinsicht, auf die es ankommt.«

Sein Blick wird traurig.

»Sie vermissen Sie, nicht wahr? Das hier wird sie Ihnen nicht zurückbringen, aber vielleicht lindert es Ihren Schmerz, ihr Gerechtigkeit zu verschaffen und Ihren Sohn alt werden zu sehen.«

»Nichts kann den Schmerz, den Partner verloren zu haben,

wirklich lindern. Sie sind nicht so clever, wie Sie aussehen, wenn Sie das glauben.«

Er hat das nicht als Beleidigung gedacht. Das sehe ich seinem ernsten Blick an. Er will mir etwas damit sagen. Etwas, das ich bereits weiß.

Er versucht mir zu sagen, dass ich ohne Nash nie mehr ganz ich sein werde. Nie mehr.

Doch das wusste ich schon.

35
NASH

Drei Monate später

Ich sehe mich ein letztes Mal in der winzigen Wohnung um, bevor ich Sharifa und Jamilla Lebewohl sage. Die Behausung ist nicht großartig, aber verglichen mit der Bretterbude, in der sie in ihrem Heimatdorf gelebt haben, ist das hier das Ritz.

Die Wände sind in einem fröhlichen Gelb gestrichen, und die hellgrünen Möbel, wenn auch nicht nagelneu, sind gut in Schuss. Die Küche mit den Weißgeräten blitzt sauber, und es gibt sogar eine Mikrowelle, die Sharifa als den ultimativen Luxus betrachtet.

Jamilla sieht das anders. Ich bin mir sicher, sie freut sich am meisten über ihr Spielhaus.

Es besteht aus einer Kinderküche aus dickem Kunststoff mit einem kleinen Tisch und vier Stühlen, auf denen verschiedene Stofftiere sitzen. Sie serviert ihnen das Essen, das sie gerade in ihrer Plastikpfanne zubereitet hat. Die Sonne strömt durchs Fenster und lässt ihr rabenschwarzes Haar wie Seide glänzen.

Es ist erst drei Wochen her, dass ich sie nach Savannah geholt habe, aber die veränderte Ernährung macht sich schon jetzt deutlich bemerkbar. Haut und Haare sehen gesund aus, und der Husten ist fast verschwunden.

Sich nicht ständig sorgen zu müssen, dass jemand durch die Tür platzt und einen niederschießt, hat ebenfalls einen ausgesprochen positiven Effekt auf die beiden. Außerdem ist Geld für Essen da, wodurch Sharifa sehr viel entspannter sein kann, und ihre Ruhe färbt auf Jamilla ab, die plötzlich viel öfter lächelt und lacht. Vielleicht wird die Erinnerung an den brutalen Mord des Vaters eines Tages zu verschwommenen Bildern verblassen.

Ich bezweifle, dass Sharifa Yusufs Tod jemals gänzlich verarbeiten wird, aber dieser Umzug hilft ihr sicher mehr, als alles andere es könnte. Jedes Mal wenn Jamilla kichert, muss Sharifa lächeln. Und das gibt ein wenig den Glauben an das Gute in der Welt zurück.

Ich ehre das Andenken meines Freundes, indem ich seiner Frau und seinem Kind eine Freiheit ermögliche, die sie nie zuvor erlebt haben – Freiheit und Stabilität. Für die grundlegenden Dinge ist gesorgt: Ich habe ihnen ein Konto eingerichtet, das aus meinen beträchtlichen, sich kontinuierlich vermehrenden Rücklagen gespeist wird. Der größte Anteil der Dividende geht auf Sharifas Girokonto, ein kleinerer Teil fließt in einen College-Fonds für Jamilla, ein weiterer kleiner Teil auf ein Sparkonto für Notfälle. Ich habe außerdem einen Fachanwalt für Einwanderungen mit ihrer Einbürgerung betraut, damit sie bald hier arbeiten und auf eigenen Füßen stehen kann. Alles in allem, denke ich, ist für die nächsten Jahre vorgesorgt.

»Mein Taxi ist da. Ich muss jetzt gehen. Meine Nummer habt ihr, nicht wahr?«

Ich habe mir ein Telefon gekauft. Eins, das ich behalten werde. Sharifa und Jamilla sollen eine Notfallnummer besitzen. Eine, die sich nicht von Monat zu Monat ändert. Das ist mein erster Schritt zu einer Art von Sesshaftigkeit. Vielleicht ist es einfach an der Zeit.

»Ja. Aber ich rufe nur an, wenn Notfall ist«, sagt sie in ihrem hölzernen Englisch.

»Wie ich dir schon sagte – du kannst mich immer anrufen. Ich bin vielleicht nicht immer in der Nähe, aber ich werde jemanden finden, der dir hilft, wenn es nötig ist.«

Sie schüttelt heftig den Kopf. »Schon viel zu viel. Ich kann nicht genug Danke sagen.«

»Das musst du auch nicht. Yusuf hätte es so gewollt. Glaub mir, dass ihr mir niemals zu viel werden könnt. Bitte ruf an, wann immer du willst.«

Sharifa tritt zu mir und legt mir eine Hand an die Wange. »Gott schütze dich, Nikolai. Soll jeder Tag für deine Frau und Kinder gesegnet sein. Friede sei mit dir.«

Ihre Worte erzeugen einen dumpfen Schmerz in meiner Brust. Ich habe keine Frau. Oder Kinder. Vielleicht werde ich nie welche haben. Und wenn doch, habe ich sie dann mit einer Frau, die ich liebe? Oder gebe ich mich auch mit ... weniger zufrieden? »Danke, Sharifa. Ich wünsche dir dasselbe.«

Ich verabschiede mich von Jamilla und drücke ihre zarte Schulter. Sie wirft sich an meine Brust und schlingt mir die Arme um den Hals. Dann drückt sie mir einen dicken Kuss auf die Wange und sieht mich an. Ihr Lächeln ist strahlend.

Schweren Herzens verlasse ich die Wohnung und gehe die Treppe hinunter. Ich wünschte, Yusuf hätte seine Familie lächeln sehen und erleben können, dass sie hier in den USA glücklich und sicher untergebracht sind.

Ich bin tief in Gedanken, als das Taxi mich zum Hotel zurückbringt. Als ich mir heute Morgen einen Kaffee besorgen wollte, sah ich in den Nachrichten, dass die Verhandlung gegen Atlantas Abteilung der russischen Mafia in vollem Gang ist. Weil der Fall ein großes Sensationspotenzial hat, findet der Prozess inzwischen unter Ausschluss der Medien statt. Es gibt keine aktuellen Berichte, keine Fotos, nichts eigentlich. Die Presse wird nur ab und zu mit den neusten Informationen versorgt, die sich ohne Gefährdung von Beteiligten veröffentlichen lassen. Und die sind natürlich vage und schwammig und extrem allgemein gehalten; keine Einzelheiten, keine Erläuterungen, keine wichtigen Fakten.

Doch anschließend wurde eine kurze Pressekonferenz gesendet, in der die gesetzlichen Vertreter sich äußern konnten. Der kahl werdende Anwalt, der die *Bratva* vertrat, gab die üblichen nichtssagenden Floskeln von sich und verkündete, er sei nach dieser Woche umso zuversichtlicher, die Unschuld seiner Mandanten beweisen zu können. Anschließend gab die Anklage eine Erklärung ab.

Und es war Marissa, die ans Mikrofon trat.

In ihrem dunkelblauen Kostüm mit der zartrosa Bluse schien sie praktisch zu strahlen. Ihre Stimme klang kräftig und selbstbewusst.

»In Anbetracht der unwiderlegbaren Beweise, die unser Team dem Richter vorlegen kann, und der Aussagen verschiedener Augenzeugen haben wir keinen Zweifel, dass der Gerechtigkeit Genüge getan wird.«

Sie gestand der Presse Fragen zu und beantwortete sie sicher und geschickt, als hätte sie so was schon immer getan. Es steht außer Frage, dass sie für diese Arbeit geboren ist und sie ihr Spaß macht. Und ich habe genug Größe, um mir einzugestehen, dass das bittersüß schmeckt.

Es geht ihr blendend. Sie ist glücklich und engagiert, und sie hat ihren Platz im Leben gefunden. Ihren Frieden. Sie hat sich den Herausforderungen gestellt und sich durchgebissen. Und ich gönne es ihr von ganzem Herzen.

Ich wünschte bloß, wir hätten es gemeinsam erreichen können.

Ich habe zwei Monate gebraucht, um zu begreifen, dass ich mich in sie verliebt habe. Na ja, vielleicht nicht, um es zu begreifen – vielmehr, um es mir einzugestehen. Und seit ich es getan habe, bin ich umso überzeugter davon, dass ich mich von ihr fernhalten muss. Ich liebe sie genug, um ihr Glück, Zufriedenheit, Erfolg und all den anderen Bockmist zu wünschen. Sie soll alles bekommen, was sie sich in ihrem Leben wünscht.

Aber das kann sie nicht, solange ich bei ihr bin. Ich bin ein Verbrecher. Oder war einer. Wie auch immer – ich bin ihrer nicht wert. Und würde wahrscheinlich nur ihre Karriere ruinieren. Vor allem nach dem hier. Bis der Prozess zu Ende ist, müsste Marissa zum Star der Juristenszene aufgestiegen sein. Alle werden ihr zu Füßen liegen.

Und ich werde immer nur aus der Ferne zusehen können.

Aber so ist es eben.

Ich schließe die Augen, damit ich sie deutlicher vor mir sehe. Ich stelle sie mir zuerst so vor, wie ich sie heute Morgen im Fernsehen gesehen habe. In dem dunkelblauen Kostüm. Lächelnd. Selbstbewusst. Glücklich.

Aber rasch verschwinden ihre Kleider, und ich sehe sie, wie sie in der Nacht, bevor ich ging, ausgesehen hat. Sie sieht sich über ihre Schulter nach mir um und stöhnt mit leicht geöffneten Lippen, während ich mich in ihr bewege.

Verdammt, warum musste es alles so kommen? Warum konnte es nicht anders sein? Warum konnte ich nicht anders sein?

Als ich die Tür zu meinem Hotelzimmer aufschließe, bin

ich extrem mies drauf. Ich fühle mich einsam und allein, und tatsächlich ist jeder, der mir etwas bedeutet, im Augenblick weit entfernt. Das gefällt mir nicht. Und macht mich wütend.

Ich drücke die Taste meines neuen Handys, und der Bildschirm leuchtet auf. Ich hämmere Cashs Nummer ein. Das Display benötigt nur ein sanftes Fingertippen, aber meine Laune hat mit Sanftheit nichts am Hut. Am liebsten würde ich den Touchscreen zertrümmern, und mein Kiefer schmerzt, weil ich die Zähne so fest zusammenbeiße.

»Ja?«, ertönt Cashs Stimme.

»Ich bin's«, sage ich.

»Wo bist du?« Nur drei kleine Wörter, und doch höre ich, dass sich sein Tonfall verändert hat. Wenn ich es nicht besser wüsste, würde ich sagen, dass er froh ist, von mir zu hören.

»In Savannah. Wir legen morgen ab.«

Meine Lippen bilden einen dünnen Strich. Eigentlich sollte ich mich darauf freuen, auf der Jacht zu sein und die Welt zu bereisen, aber ich bin es nicht. Es gibt nur einen Ort, wo ich sein will. Und ausgerechnet das ist der einzige Ort, wohin ich nicht gehen kann. Und auch nicht hinwollen sollte.

»Bist du immer noch auf Dmitrys Schleppkahn?«, fragt er trocken. Ich rief ihn ein paar Wochen nach meiner Abreise an und erzählte ihm, wo ich war und was ich vorhatte. Ich beschrieb ihm die Jacht; er weiß sehr gut, dass sie schicker ist als die meisten Villen.

»Ja.«

»Hast du die Verhandlung verfolgen können?«

»Halbwegs. Scheint gut zu laufen, oder?«

»O Mann, und ob. Ich glaube wirklich, dass wir das diesmal hinkriegen.«

Seine Begeisterung ist echt. Was meine Laune nur noch verdüstert.

»Wenn man bedenkt, was wir alle geopfert haben, damit das geschieht, kann ich das verdammt noch mal auch nur hoffen.«

Cash schweigt einen Moment. Dann: »Dir ist aber klar, dass du zurückkommen kannst, oder? Niemand zwingt dich, Abstand zu halten.«

»Glaubst du, das weiß ich nicht?«, fahre ich ihn an und bereue es sofort. Seufzend kneife ich mir den Nasenrücken. Scheinbar aus dem Nichts haben sich pochende Kopfschmerzen eingestellt. »Tut mir leid, Bruderherz. Ich bin heute etwas gereizt.«

»Schon okay. Ich wollte dir nur sagen, dass du willkommen bist. Wir würden uns alle freuen. Vor allem Dad.«

»Dad, ja?«

»Nicht nur Dad, aber ja. Dad auf jeden Fall.«

»Hm«, mache ich, weil ich nicht speziell nach Marissa fragen will.

»Und Marissa bestimmt auch. Sie vermisst dich.«

»Das glaube ich nicht. Ich habe sie auf der Pressekonferenz gesehen. Sie macht den Eindruck, als ginge es ihr prächtig.«

»So ist es auch. Ich meine, was den Prozess angeht. Sie macht ihren Job wirklich gut. Aber sie ... sie ist einfach nicht ... ach, ich weiß nicht. Vielleicht täusche ich mich ja auch. Was weiß ich schon von Frauen?«

»Wohl wahr«, gebe ich zurück.

»Das sagt der Richtige.«

»Ich weiß mehr über Frauen, als du je in Erfahrung bringen wirst.«

»Und wovon träumst du nachts?«, pariert er. »Wo wir gerade von Frauen sprechen. Bist du immer noch mein Trauzeuge?«

»Klar. Hast du sie schon gefragt?«

»Noch nicht, aber ich tue es bald. Wenn die Verhandlung vorbei ist, und das sollte spätestens in einem Monat sein. Wenn diese ganze Geschichte hinter uns liegt, ist sie sicher bereit für einen Neustart. Sind wir ja alle, schätze ich.«

»Sag mir einfach, wann es so weit ist.«

»Wie lange kann man dich noch unter der Nummer erreichen?«

»Ich hatte vor, die hier zu behalten.«

»Ernsthaft?«

»Ja. Ich baue darauf, dass der Prozess zu unseren Gunsten ausgeht, sodass wir uns nie mehr verstecken müssen.«

»Das tue ich auch, Mann, das tu ich auch.«

»Halt mich auf dem Laufenden, okay? Es ist ein Satellitentelefon, du müsstest mich also meistens erreichen können, selbst wenn ich auf See bin.«

»Wohin geht's diesmal?«

Ich zucke die Achseln. Was albern ist, da Cash mich nicht sehen kann. Vermutlich fühle ich mich einfach grundsätzlich antriebslos.

»Europa wahrscheinlich. Ich war in der Karibik, in Mittel- und Südamerika, und natürlich in Afrika. Es kann nicht schaden, ein paar Euro auszugeben.«

»O Mann, du hast wirklich ein schweres Leben«, bemerkt Cash trocken.

»Hey, falls du *Meiner ist am längsten* spielen willst – lass es!« Ich lache, um meinen Worten die Schärfe zu nehmen. Ich habe es zwar ernst gemeint, aber es sollte nicht so nach Arschloch klingen.

»Ich weiß, Kumpel. Es kann nicht leicht sein«, sagt er aufrichtig.

Ich gebe ein Grunzen von mir. Was soll ich auch sagen? Ich fürchte, dass ich jammere wie ein liebeskranker Vollpfosten, wenn ich erst einmal anfange, mich über die Ungerechtigkeiten meines Daseins zu beschweren.

»Es kann ja nur besser werden, richtig?«

»Das wird es auch. Hauptsache, du weißt, dass du hier immer willkommen bist. Und dass ich dich zur Hochzeit erwarte. Und natürlich zu dem ganzen Kram vorher und nachher. Wenn ich das schon machen muss, dann kannst du gefälligst mit mir leiden.«

»Tu nicht so, als wärst du nicht auf Wolke sieben, weil du das Mädchen deiner Träume heiratest.«

Cash lacht. »Ja, wem will ich eigentlich was vormachen? Das wird der beste Tag oder die beste Woche meines Lebens. Zumindest bis zu den Flitterwochen. Und all die Zeit, die danach kommt.«

»Okay, okay, ist ja schon gut, ich hab's kapiert«, sage ich gespielt abwehrend. Er weiß, wie ich es meine.

»Melde dich, wenn du Zeit hast«, erwidert er.

»Mach ich.«

»Und hör mal, ich, ähm... vermisse dich irgendwie. Ist schon lange her, dass ich einen Bruder hatte.«

Plötzlich ist mir zum Lächeln zumute, was nicht gerade typisch für mich ist. »So ähnlich geht's mir auch.«

Nachdem wir Schluss gemacht haben, erlaube ich mir einen Moment lang, mir vorzustellen, wie es wohl wäre, in Cashs Position zu sein und ein Leben voller Möglichkeiten vor mir zu haben. Doch schon nach ein paar Sekunden verwerfe ich den Gedanken. Ohne das Mädchen in meinen Armen funktioniert es einfach nicht.

36
Marissa

Ich kreise die Schultern, so gut es angeschnallt auf dem Autositz eben geht. Die Anspannung des Tages hat sich noch nicht gelegt. Manchmal muss ich erst ein paar Stunden zu Hause sein, um wirklich zur Ruhe zu kommen. Manchmal brauche ich auch ein, zwei Gläser Wein. Und manchmal hilft nur die Kombination aus Zeit, einem heißem Bad und Wein. Heute Abend dürften diese extremeren Maßnahmen nötig sein.

Die Verhandlung läuft gut und nach Plan, doch sie ist jeden Tag aufs Neue höllisch anstrengend. Sehr viel mehr, als ich es erwartet hätte. Anfangs ging es vor allem um Formalien, was ziemlich langweilig war und nicht annähernd so spannend wie das, was man immer im Fernsehen sieht. Aber nun, da wir bei den Zeugenaussagen und Kreuzverhören angekommen sind, ist es nicht nur sehr viel aufregender, sondern erfordert auch weit mehr Geschick und Erfahrung.

Es ist klar, dass ich Jensen den größten Teil der Arbeit überlasse.

Er macht seinen Job wirklich gut. Es ist leicht nachvollziehbar, wie er bei der Staatsanwaltschaft so schnell so weit aufsteigen konnte. Er hat einen außergewöhnlich scharfen Verstand und weiß mit intuitiver Sicherheit, wie er mit Zeugen umgehen muss, und ihm zuzusehen, ist ein echtes Vergnügen.

Ich stelle den Wagen ab, ziehe müde meine Aktentasche vom Beifahrersitz und schleppe mich zur Haustür. Ich schließe auf und drücke die Tür auf. Ein kleiner Schauder Angst rinnt mir über den Rücken. Sie ist längst nicht mehr so lähmend wie vor ein paar Wochen noch, aber nichtsdestoweniger da. Ob es wohl den Rest meines Lebens so sein wird?

Es gibt zwei Dinge, die ich seit der Zeit meiner Entführung einfach nicht mehr abschütteln kann. Der Nachhall der Angst ist Nummer eins. Nash ist Nummer zwei. Die Reihenfolge ist dabei nicht zwingend.

Die Furcht, man könnte mich noch einmal überwältigen, lässt nach, sobald ich zu Hause angekommen bin und die Stille mich durchdringt. Die Erinnerung an Nash – sein Gesicht, seine Stimme, sein sauberer, maskuliner Geruch – verfolgt mich manchmal die ganze Nacht. Wenn ich hier bin, wo wir beide uns so nahgekommen sind, kommen meine Gedanken kaum zur Ruhe. Ich denke permanent an ihn und alles, was zwischen uns gewesen ist. Das ist einer der vielen Gründe, warum dieser Prozess mir so guttut. In gewisser Hinsicht fürchte ich mich vor der Zeit danach. Aber natürlich muss er irgendwann zu Ende gehen.

Mit einem Seufzen setze ich mich in Richtung Schlafzimmer in Bewegung und fange im Gehen an, mir die Kleidung vom Leib zu schälen. Ich bin gerade in eine seidene Pyjama-Shorts geschlüpft, als es an der Tür klingelt.

Mein Herzschlag beschleunigt sich, und ich ziehe hastig ein passendes T-Shirt über und greife nach meinem Morgenrock. Dann laufe ich zur Tür, um zu sehen, wer zu dieser Stunde noch bei mir klingelt.

Ein paar von uns haben sich heute nach dem Gericht noch zu einem Drink getroffen. Es ist jetzt weit nach neun und eine merkwürdige Zeit, um unangekündigt Besuche abzustatten.

Ich schaue durch den Spion und sehe Jensens Gesicht, das durch die Fischaugenperspektive komisch verzerrt ist.

Ich schiebe die Kette zur Seite und öffne die Verriegelung.

»Was machst du denn hier? Alles in Ordnung?«

Jensen grinst breit. Vielleicht ein bisschen zu breit.

»Mir ist nur was eingefallen. Darf ich reinkommen?«

»Klar.«

Ich ziehe meinen Morgenrock enger um mich, trete zurück und lasse ihn durch, dann schließe ich die Tür. Er geht nur wenige Schritte, wodurch ich praktisch gegen ihn stoße, als ich mich wieder zu ihm umwende.

Ich lehne mich an die Tür zurück, um etwas Abstand zwischen uns zu bekommen. »Was ist los?«

»Dir ist doch klar, dass wir dieses Ding gewinnen werden, richtig? Und dass wir dann richtig Karriere machen? Und dass Georgias Gerichtsbarkeit – ach, Quatsch: die Weltgerichtsbarkeit – uns zu Füßen liegen wird?«

Ich lächle. »Wie viel hast du getrunken?«

»Ich bin nicht besoffen«, sagt er fröhlich. »Na gut, ein bisschen vielleicht, aber nicht schlimm.« Jensen kommt einen Schritt auf mich zu, und sein Blick verändert sich. Dummerweise ist mir der Ausdruck seiner Augen sehr vertraut. So sieht jemand aus, der kein Nein als Antwort akzeptiert.

»Jensen –«

»Sch«, macht er und schneidet mir das Wort ab, indem er mir den Zeigefinger auf die Lippen legt. »Lass mich dir zeigen, wie gut wir beide auch außerhalb des Gerichtssaals zusammenpassen.« Er streicht mir das Haar aus der Stirn und sieht mir in die Augen. »Ich weiß, dass du es auch fühlst. Zwischen uns stimmt die Chemie.«

»Beruflich, ja.«

»Nicht nur beruflich. Ich finde dich unfassbar schön, Marissa. Du bist klug und lustig und so sexy.«

Um seine Worte zu unterstreichen, fährt er mir mit dem Zeigefinger von der Lippe über das Kinn und abwärts zu meinen Brüsten.

»Also, ähm ... ich denke, du solltest jetzt gehen«, murmele ich, bemüht, meine Fassung zu bewahren. Ich will nicht riskieren, den Verlauf der Verhandlung zu stören oder sogar zu gefährden, indem ich mich mit Jensen streite. Er hat recht. Wir sind zusammen wirklich gut im Gerichtssaal. Und das müssen wir auch bleiben, bis die Sache vorbei ist. Es hängt zu viel daran.

»Ein Kuss. Gib mir nur einen Kuss, und wenn du dann noch sagst, dass du nichts fühlst, gehe ich.« Eigentlich will ich nicht, zumal ich fürchte, dass ein Kuss ihn nur noch mehr aufheizt. Aber da er üblicherweise selbst angetrunken ein netter Typ ist, wird er sich vielleicht wirklich daran halten und einfach gehen. Ohne weiteren Aufstand.

Also wage ich es.

Die Sache ist es wert.

Für Nash.

Ich nicke, und Jensen lächelt wieder. Langsam fährt er mir mit den Händen ins Haar und beugte sich vor.

Wie ein hartnäckiger Geist taucht Nash vor meinem inneren Auge auf, als meine Lider zufallen. Wenn der Kuss eines anderen mich doch nur vergessen lassen könnte!

Jensens Lippen sind warm und fest. Er küsst mich weder zu aggressiv noch zu nass, noch zu ... sonst was. Es fühlt sich sogar gut an. Doch gut oder nicht, es macht keinen Unterschied. Der Funke springt nicht über, es gibt keinen Knall, kein Feuerwerk. Denn es gibt nur einen Mund, der das bewirken kann. Und das ist nicht Jensens.

Schon spüre ich seine Zunge, die sich zwischen meine Lippen zwängen will. Ich widerstehe, aber er wird hartnäckiger. Schließlich öffne ich meine Lippen ein Stück, um ihn einzulassen, doch dann drehe ich den Kopf weg.

Nein. Das ist mir viel zu viel.

»Jensen, ich denke, das reicht jetzt. Fahr nach Hause und schlaf dich aus, und am Montag tun wir einfach so, als sei nichts gewesen, okay?«

Aus den Augenwinkeln sehe ich, dass er sich ein Stück zurückzieht, und ich wende meinen Kopf gerade weit genug, um ihm in die Augen zu sehen. Sie sind dunkel vor Leidenschaft, die Pupillen geweitet. Er scheint mit sich zu ringen, möchte mich drängen, möchte mich überzeugen. Aber etwas hält ihn zurück.

»Du kannst wunderbar küssen, Jensen, wirklich. Daran liegt es nicht. Und es liegt auch nicht an dir. Es ... es liegt an jemand anderem.«

Das macht ihn hellwach. Er zieht den Kopf noch weiter zurück und blickt mich stirnrunzelnd an. »An wem? Nash?«

»N-nein«, sage ich, aber nur, weil es sich nicht um den Nash handelt, den er meint.

»An wem dann?«

Mir fällt auf die Schnelle keine überzeugende Lüge ein, deshalb sage ich einfach die Wahrheit. »An seinem Bruder.«

»Das ist doch ein Witz, oder?« Als ich nicht reagiere, lacht er, aber es klingt verbittert. »Ach du Schande. Dieser Kerl, der aussieht, als hätte er länger gesessen als sein Vater?«

»Jensen, sei nicht gemein.«

»Ich habe aber doch recht. Er sieht aus wie ein Berufskrimineller.«

Das macht mich wütend. Ich drücke gegen seine Brust, bis er zurückweicht und mir endlich mehr Raum gibt. »Er ist aber keiner, also solltest du deine sehr oberflächliche Ansicht für dich behalten.«

Ich löse mich von der Tür, entwische ihm, gehe ins Wohnzimmer und drehe mich dort wieder zu ihm um.

»Du kannst so viel bessere Männer haben als den. Herrgott, Marissa, denk doch mal nach.«

Jetzt muss ich lachen. »Weißt du was, Jensen? Du irrst dich. Er ist ein großartiger Mensch, ob er nun lange Haar hat oder nicht. Warum, glaubst du wohl, gebe ich mir solche Mühe mit diesem Fall?«

»Ich hatte schon gehört, dass du persönliches Interesse daran hast, und zwar echtes persönliches Interesse. Aber es wurde immer nur vage getuschelt, und ich dachte, du würdest es mir irgendwann schon selbst sagen.«

Und ich bin so froh, dass ich es nicht getan habe.

»Ja, es ist persönlich – und wie«, sage ich und lasse meine Worte mit Absicht mehrdeutig klingen, da ich hoffe, dass ihn das abschreckt. Wenn er glaubt, dass ich auf das »einfache Volk« stehe, dann hält er sich vielleicht für etwas Besseres und lässt mich in Frieden. »Ich mag zufällig Männer mit Dreitagebart und schwieligen Händen.«

Innerlich ziehe ich den Kopf ein. Okay, das war vielleicht ein bisschen dick aufgetragen ...

Jensen schüttelt den Kopf und mustert mich abschätzend. Dann geht er rückwärts zur Tür.

»Du wirst wohl recht haben. Wahrscheinlich stimmt die Chemie zwischen uns wirklich nur am Gericht.«

Ich hebe mein Kinn ein Stück, sage aber nichts.

»Gute Nacht, Marissa.«

»Gute Nacht, Jensen.« Ich warte, bis ich seine Schritte auf dem Gehweg draußen höre, dann schiebe ich die Riegel vor. »Auf Nimmerwiedersehen«, flüstere ich, mache das Licht aus und gehe wieder in mein Schlafzimmer.

Als ich mich zwanzig Minuten später hinlege, kommt mir mein Bett größer denn je vor. Und kälter. Und leerer.

Genau wie mein Herz.

37
NASH

Noch einen Monat später

Sie ist wirklich süß, die Kleine, die vor mir tanzt. Und sie will ganz eindeutig was von mir. Italienische Clubs sind nicht viel anders als Clubs und Bars anderswo auf der Welt.

Das Mädchen ist blond, was in diesem Land nicht so häufig vorkommt. Was wahrscheinlich der Grund ist, warum ich sie weiterhin beobachte. Sie erinnert mich an das, was mir am meisten fehlt. An die Person, die mir am meisten fehlt.

Ich gäbe alles, um nicht mehr an Marissa denken zu müssen. Unzählige Male habe ich bereits versucht, die Erinnerung an sie durch eine andere Frau zu löschen. Bisher hat es noch nicht geklappt. Und nach der halbherzigen Reaktion in meiner Jeans zu schließen, wird es diesmal auch nicht klappen.

Es ist nicht so, als könnte ich nicht. Ich bin ein Kerl – normalerweise ist das kein Problem, sofern nicht zu viel Alkohol im Spiel ist. Nein, es ist keine körperliche Unfähigkeit, sondern eine emotionale. Alles andere steht mir im Weg – mein Kopf, mein Herz und die Tatsache, dass ich einfach keine Lust habe.

Bewusst richte ich meine Aufmerksamkeit wieder auf das Treiben auf der Tanzfläche. Die Blonde, die ich beobachtet habe, streicht, ohne mich aus den Augen zu lassen, ihrer Freundin die Hand über den Arm und hält lange genug an ihrer Brust an, um mir ihre Botschaft klarzumachen. Ich kann sie beide haben, wahrscheinlich brauche ich nur einmal knapp zu nicken. Ich seufze in meinen Drink.

Ich werde es nicht tun. Ich werde ihnen nicht bedeuten, mit mir zu kommen, wenn ich gehe. Und es macht mir auch nichts, wenn sie aufgeben und einen anderen antanzen. Nein, die heutige Nacht verbringe ich höchstens in Gesellschaft einer Flasche Schnaps.

38
Marissa

Olivia reißt überrascht die Augen auf. »Machst du Witze? Das ist ja fantastisch. Warum freust du dich nicht mehr?«

Ich zucke die Achseln. Ich sitze mit ihr im Club. Es ist Samstag und noch mitten am Tag, daher ist der Laden leer. »Na ja, ich bin nur ...«

Da ich nicht weiterspreche, streckt sie den Arm aus und nimmt meine Hand. »Du bist nur was?«

Zu meinem Entsetzen beginnt mein Kinn zu zittern. »Ich weiß einfach nicht, was ich ab jetzt tun soll. Es ist fast vorbei.«

»Und das ist großartig, denn nun können wir die Sache bald ein für alle Mal vergessen und nach vorne blicken. Du auch. Dir wird man die Bude einrennen mit Angeboten.«

»Ich weiß. Und das ist auch toll. Ich bin mir nur nicht sicher, dass es das ist, was ich machen will.«

»Was? Bedeutende Fälle vor Gericht bringen und die Welt ein Stückchen besser machen? Oder Jura an sich?«

Wieder zucke ich die Achseln. Eigentlich will ich das gar nicht – es kommt fast automatisch, als würde mein Körper unbedingt außen zeigen wollen, wie zerrissen ich mich innerlich fühle.

»Beides vermutlich. Aber das ist nicht alles.«

»Was noch? Ist noch mal was mit deinem Vater gewesen?«

Olivia ist über das Drama mit meinem Vater auf dem Laufenden, ich habe ihr alles erzählt. Er hat mich förmlich enterbt, als er erkannte, dass es mir ernst war mit der Anklagevertretung. Aber als wir erste Ergebnisse erzielten, als plötzlich die Presse Interesse zeigte und die Öffentlichkeit sah, wie geschickt wir uns dabei anstellten, diese Verbrecher festzusetzen, änderte er seine Strategie. Plötzlich nahm er sich Zeit für mich. Plötzlich sah er eine leuchtende politische Zukunft für mich.

Und an dem Punkt hörte ich auf, seine Anrufe anzunehmen. Er wird mich niemals einfach als Person akzeptieren. Er wird mich immer nur als ein Mittel zum Zweck oder vielleicht als eine Art Projekt betrachten. Bestenfalls noch als Familientrophäe, wer weiß?

Außerdem könnte ich ihm auch jederzeit wieder Schande bereiten.

»Nein. Ich habe schon länger nicht mehr mit ihm gesprochen. Es ist ja auch nur ... Es ist so, dass ...«

Meine Augen brennen, als die Tränen aufsteigen. Ich blicke auf meine Hand, die noch immer in Olivias liegt, und blinzele schnell, damit ich keinen hysterischen Heulkrampf bekomme.

»Na, komm, spuck's aus.«

»Es ist fast so, als sei das der letzte Rest von Nash, den ich habe. Und wenn es vorbei ist, dann ist er komplett aus meinem Leben verschwunden. Für immer. Ich denke, ich habe das vor allem für ihn getan, weil ich wollte, dass er keinen Grund mehr zur Bitterkeit hat. Ich wollte, dass er endlich in die Zukunft blicken und sich wieder freuen kann.«

Und bevor ich fortfahren kann, beendet Olivia, die anscheinend Gedanken lesen kann, meine Erklärung.

»Und du dachtest, er würde in eine Zukunft mit dir blicken.«

Die Hoffnung ausgesprochen zu hören und zu wissen, dass sie jeden Tag geringer wird, ist fast mehr, als ich ertragen kann. Es macht alles zu real, zu endgültig.

Und schon brechen die Deiche, und all die Trauer, und der Schmerz über Nashs Verschwinden strömt mit einer Tränenflut und verzweifeltem Schluchzen aus mir heraus.

»Ich ... dachte, er würde wiederkommen«, stammele ich, als Olivia von ihrem Barhocker rutscht und die Arme um mich schlingt. Ich lege meinen Kopf an ihre Schulter und weine. Und weine. Und weine, bis nichts mehr kommt.

Olivia regt sich nicht, sagt nichts, streichelt mir nur übers Haar, bis ich mich schließlich von ihr losmache und nach meiner Tasche greife, um mir ein Taschentuch zu holen.

»Entschuldige«, schniefe ich, bevor ich mir die Nase putze. »Ich glaube, das war schon lange überfällig.«

Olivia setzt sich wieder auf den Hocker und sieht mich traurig an. »Um ehrlich zu sein, habe ich auch gedacht, dass er zurückkommen würde. Wirklich. Es war eindeutig, dass er Gefühle für dich hatte. Wahrscheinlich hat er keine Ahnung, wie er damit umgehen soll.«

»Wir hatten einfach nicht genug Zeit. Und jetzt ist es zu spät. Ich dachte bloß ... ich hatte gehofft ...« Ich kämpfe das Schluchzen nieder, das sich schon wieder aufbauen will. Für heute habe ich mich bei Olivia genug ausgeheult – buchstäblich. »Aber ich bin ja schon ein großes Mädchen«, sage ich und setze mich aufrechter hin. Ich muss mich unbedingt zusammenreißen und die Sache vergessen. Zumindest äußerlich. Auf emotionaler Ebene wird mir das vielleicht nie gelingen – zumindest nicht gänzlich. »Ich muss mir langsam überlegen, was ich mit meinem Leben anstellen will. Ich werde schließlich nicht jünger.«

Olivia verdreht die Augen. »Weil siebenundzwanzig ja auch schon so alt ist.«

»Achtundzwanzig«, verbessere ich sie automatisch.

»Was? Achtundzwanzig? Aber ich dachte ...« Sie legt die Stirn in Falten, als sie rechnet, und reißt plötzlich die Augen auf. »O nein, o Gott. Wir haben deinen Geburtstag vergessen!«

Sie schlägt sich die Hand vor den Mund, als hätte sie in Gegenwart eines Priesters geflucht. Ich muss grinsen. Mir macht es nicht viel, aber Olivia scheint zu meinen, sie hätte ebenso gut mein Haus niederbrennen können.

»Ist nicht schlimm.«

»Und ob das schlimm ist! Wie konnte mir das nur passieren? Wie habe ich das vergessen können?«

Ich zucke wieder die Achseln. Das scheint in letzter Zeit der ultimative Ausdruck meines Daseins zu sein: ein einziges ambivalentes Achselzucken. »Keine Ahnung, aber es ist kein Drama. Mein ganzes Leben lang ist um einen Geburtstag ein Riesentheater veranstaltet worden. Du weißt schon – der Schein muss gewahrt werden und so.« Jetzt verdrehe ich die Augen. »Es war sogar ziemlich nett, an dem Tag in Ruhe gelassen zu werden. Mir war auch nicht nach Feiern zumute.«

Und das entspricht den Tatsachen. Das Einzige, was ich mir wirklich wünschte, war Nashs Rückkehr. Es hätte auch gereicht, wenn er mich angerufen und mir gesagt hätte, dass ich ihm fehle. Aber natürlich geschah das nicht. Und keine Party, keine guten Wünsche und kein noch so großes Geschenk hätte mir den Tag retten können. Daher fand ich, dass es das Beste war, wenn niemand etwas wusste.

Olivias Gesichtsausdruck sagt mir, dass sie mich versteht –

auch das, was ich nicht ausgesprochen habe. Sie drückt meine Schulter. »Es wird besser, glaub mir das.«

Ja, ich glaube es ihr. Wenigstens versuche ich es. Nur kommt es mir im Moment so vor, als würde der dumpfe Schmerz in meiner Brust nie mehr weggehen.

39
NASH

Weitere drei Wochen später

Es ist ein merkwürdiges Gefühl, mir um Besitztümer Sorgen machen zu müssen. Ich habe eine Ewigkeit nichts von Wert mehr gehabt, zumindest nichts von materiellem Wert. Und nun macht es mich nervös, das Boot im Hafen von Savannah zu lassen, während ich mich nach Atlanta begebe. Ich wäre verdammt sauer, wenn irgendwas geschähe. Ein dicker Klumpen meiner Ersparnisse steckt in diesem Ding.

Ich muss lächeln, als ich daran denke, wie alles begann.

Am Morgen nach der Begegnung mit den zwei Ladys in jenem Club in Neapel wollte ich ein bisschen früher als sonst ablegen, aber es war nicht so einfach, meine Crew aufzutreiben. Während ich auf Dmitrys Boot im Hafen auf sie wartete, näherte sich ein Mann, der eine private Jacht chartern wollte, um mit seiner Frau zu ihrem Hochzeitstag eine zweiwöchige Reise zu unternehmen. Ich erklärte ihm, dass es sich bei diesem Boot nicht um mein Eigentum handelte, doch er gab nicht nach. Vielleicht dachte er, ich wolle nur den Preis hochtreiben, vielleicht glaubte er mir aus Prinzip nicht – jedenfalls verhandelte er zäh mit mir. Der Geldbetrag, den er mir bot, war verblüffend hoch. Nicht hoch genug, dass ich eingeknickt wäre und ihn und seine Frau an Bord genommen hätte – ich wollte keine solche Verpflichtung eingehen, bevor der Prozess in Atlanta nicht endgültig vorbei war –, aber mehr als genug, um mich zum Nachdenken zu bringen.

Nun, nur drei Wochen darauf, fühlt sich mein Dasein bereits anders an. Ich habe plötzlich Wurzeln. Na ja, so was in der Art zumindest. Und ich habe einen Beruf. So was in der Art zumindest. Und eine Zukunft.

Okay, vielleicht ist es nicht die Zukunft, die ich mir als Kind immer erträumt habe, aber sie passt zu dem, was aus meinem Leben geworden ist, und sie passt zu dem, was aus mir geworden ist. Und vielleicht reicht das ja sogar, um die quälende Leere in meinem Inneren zu füllen.

Tja, vielleicht.

Wie immer, wenn Marissa mir in den Sinn kommt, übernimmt sie für eine Weile ganz. An manchen Tagen fällt es mir schwerer als üblich, sie wieder zu verdrängen, und je näher ich ihr komme, umso schwieriger wird es. Als wäre es nicht schon vorher verdammt hart gewesen!

Der Prozess ist in die Zielgerade gegangen. Cash hat angerufen, um mir zu sagen, dass Marissa und Kollegen sich auf das Schlussplädoyer vorbereiten. Danach ziehen sich die Geschworenen zur Beratung zurück. Niemand weiß, wie lange sie brauchen werden, also soll ich, wie Cash sagt, zusehen, dass ich meinen Hintern so schnell wie möglich in die Staaten zurückschaffe. Dad und er wollen mich bei der Urteilsverkündung dabeihaben. Also bin ich gekommen.

Ich werde wohl gerade noch rechtzeitig eintreffen. Die Geschworenen haben sich heute Morgen zurückgezogen. Ich hätte es nicht mehr geschafft, hätte die Jury nicht beschlossen, eine Pause einzulegen, zu Abend zu essen und danach weiter zu beraten.

Ich gebe mir Mühe, das nicht als schlechtes Zeichen zu sehen – wieso können sie sich nicht schneller entscheiden? –, sondern mich darüber zu freuen, dass ich durch die Unterbrechung Zeit gewonnen habe, und vielleicht pünktlich eintreffen werde, um Cash und Dad moralische Unterstützung geben zu können.

Mein Glück, dass ich, als der Anruf kam, bereits auf dem Weg zurück war. Ich hatte vorgehabt, Cash und Olivia eine Reise anzubieten, sie sozusagen als meine Testkunden auf mein neues Boot einzuladen. Anschließend können sie dann entspannt in den Hafen der Ehe einlaufen.

Ich schnaube, als ich mir vorstelle, wie Cash bei meinem schwachen Wortspiel die Augen verdreht. Der Taxifahrer wirft mir einen Blick über die Schulter zu, und ich schaue finster zurück, bis er sich abwendet. Dann muss ich grinsen. Mein Zorn ist nicht mehr das, was er einmal war, aber ich schaffe es immer noch, Leute einzuschüchtern. Und manchmal tut es mir verdammt gut. Der arme Bursche hält mich wahrscheinlich für einen Berufskiller oder so was, und ich tue nichts, um ihn von diesem Gedanken abzubringen. Eine alte Angewohnheit, nehme ich an. In dem Berufsfeld, in dem ich bislang tätig gewesen war, kann es einem das Leben retten, wenn man für einen gefährlichen Mann gehalten wird. Und wenn man lang genug dabei ist, wird man zu diesem gefährlichen Mann. Wahrscheinlich verlässt einen das Aussehen niemals ganz.

Daran solltest du unbedingt arbeiten, wenn du ein Charterunternehmen aufziehen willst. Es wird wohl niemand mit einem Kerl auf See gehen, der aussieht, als würde er die Passagiere im Schlaf abstechen und ihr Geld einsacken.

Und da kommt sie wieder.

Marissa.

Sobald ich an meine Zukunft denke, denke ich an sie. Und daran, dass sie nicht dazugehören wird. Und warum ich mir das überhaupt wünsche. Manchmal kämpfe ich gar nicht erst gegen das Bild an. Ich lasse ihr einfach für ein Weilchen den Willen. Oft tue ich es allerdings nicht, denn am Ende sehne ich mich entweder hoffnungslos nach ihrem appetitlichen schlanken Körper oder nach etwas, was tief in meinem Inneren brennt und mit dem ich nicht umgehen kann. Aber hin und wieder kann ich der Versuchung, an sie zu denken, einfach nicht widerstehen. Und dann male ich mir aus, wie eine Zukunft mit ihr zusammen aussehen könnte.

Wenn die Dinge doch anders stünden ...

Mein Handy weckt mich. Ich bin mit dem Gedanken an Marissa eingeschlafen, und nun taste ich hektisch in meiner Jacke nach dem lärmigen Ding. Endlich habe ich es herausgefischt und blicke aufs Display. Cash.

»Ich bin auf dem Weg«, sage ich sofort.

»Die Geschworenen haben eine Entscheidung getroffen. Sie kommen direkt nach dem Dinner zurück.«

»O Scheiße.« Ich setze mich kerzengerade auf und sehe mich nach einem Hinweis um, wo wir inzwischen sein könnten. Dann entdecke ich einen Meilenstein. »Ich bin noch gute zwei Stunden weit weg, Mann. Was denkst du, wann sie zum Gericht kommen?«

»Die Leute werden gerade alle zurückgerufen.«

Ich seufze.

Verdammt!

»Vielleicht trödeln sie ja lange genug herum, bis ich eintreffe. Halt mich auf dem Laufenden.«

»Klar.«

Natürlich kann ich nach dem Gespräch kaum noch ruhig sitzen. Eine nervöse Energie erfüllt mich, und ich möchte etwas tun, um dieses elende Taxi anzutreiben, irgendwas. Aber es gibt nichts, was ich tun kann. Ich weiß allerdings ganz sicher, dass ich nicht die geringste Chance habe, noch einmal einzunicken.

Eine Stunde und dreiundzwanzig Minuten später klingelt mein Telefon erneut. Wieder Cash.

»Was ist los?«

»Schuldig. In allen Punkten.« Er platzt fast vor Begeisterung. Ich höre es seiner Stimme an. Ich gönne mir ein paar Sekunden, um seine Worte wirken zu lassen. Und dann pendele ich zwischen dem Hochgefühl, dass wir gewonnen haben, und dem Ärger, dass ich beim Urteil nicht bei ihnen habe sein können, hin und her.

»Ich glaub's nicht, Mann! Das ist ja großartig! Das ist einfach ... wow!«

Cash stößt einen Jubelschrei aus, und seine Aufregung ist anstrengend und lässt mich fast meinen Ärger vergessen. Heute Abend wird gefeiert! Und wie!

Ich höre ihn lachen. Und dann höre ich weibliche Stimmen im Hintergrund. Mehr Lachen. Sie feiern schon.

»Und was geschieht als Nächstes?«

Cash reißt sich weit genug zusammen, um mir zu antworten. »Jetzt wird das Urteil verkündet. Wann genau weiß ich noch nicht, aber in Georgia steht auf organisierte Kriminalität ein Maximum von zwanzig Jahren. Ich hoffe, sie müssen jeden einzelnen Tag davon absitzen. Wir reden auch schon über Zivilprozesse. Außerdem geht Dad in Berufung, da Duffy gestanden hat, unsere ... na ja, du weißt schon. Ich brauche von Duffy noch eine beeidigte Erklärung, dann fangen wir sofort an.«

Ich weiß, wie Cash sich fühlt. Manchmal bekommt man einfach nicht über die Lippen, dass die eigene Mutter ermordet worden ist. Am wenigsten an einem Tag, der so viel Gutes bringt wie der heutige.

Und plötzlich wirkt Cash in Eile und unwillig. Ich weiß, warum. Aus demselben Grund, warum er nicht so gerne über Mom sprechen will. Heute ist ein Tag zum Feiern. Das war ein gigantischer Sieg. Morgen ist noch genug Zeit ... für alles andere.

»Okay, lass uns später drüber reden. Jetzt sollten wir es uns einfach gut gehen lassen. Wo seid ihr gleich?«

»Komm einfach in den Club. Wir belegen heute den VIP-Room.«

Das gefällt mir. »Hört sich gut an, Mann. Wir sehen uns ungefähr in einer Stunde.«

40
Marissa

Ich muss zugeben, dass ich langsam verstehen kann, warum Strafverfolger manchmal von ihrem Job besessen sind. Allein die Vorarbeit und die Verhandlung selbst sind eine kräftezehrende und erfüllende Angelegenheit, aber die Urteilsverkündung ... O Gott. Nur zu wenigen Gelegenheiten habe ich mich besser gefühlt als in diesem Moment, und diese Gelegenheiten haben nicht im Gerichtssaal stattgefunden.

Schwarze Augen blitzen in meinem Kopf auf, und ich schiebe sie beiseite.

Nicht heute. Bitte nicht. Heute will ich nur Freude und Spaß und feiern.

Es war hart genug, dass ich ihn nicht bei der Urteilsverkündung gesehen habe. Olivia hatte mir gesagt, dass er kommen würde, und die Enttäuschung, als er dann doch nicht auftauchte, war bitter. Aber das habe ich jetzt hinter mir. Nun versuche ich, mich in der Strahlkraft des Siegs zu sonnen. Ich weiß, dass mir ohne ihn immer etwas fehlen wird, doch daran werde ich mich gewöhnen müssen. Ich bezweifle, dass es funktioniert, aber ich hoffe es. Ich hoffe es wirklich sehr.

Ich biege die nächste Straße links ab. Ich wollte nicht im

Business-Kostüm ins Dual gehen, daher bin ich erst nach Hause gefahren, um mich umzuziehen. Ich habe das dumpfe Gefühl, dass die Party heute bis tief in die Nacht gehen könnte, und dafür wollte ich lieber etwas Bequemes tragen. Die Jeans und das langärmelige T-Shirt – mein Tribut an die milde Luft als ersten Frühlingsboten – haben bereits einiges für meine Entspannung getan.

Ich betrete den Club durch den Haupteingang, an dem Gavin steht.

»Bist du heute der Türsteher?«

»Ja. Oben findet anscheinend eine Spontanparty statt, durch die wir plötzlich etwas knapp an Personal sind. Vielleicht habe ich hier unten ja Glück und es kommen ein paar Jungbullen, denen ich in den Hintern treten kann. Oder vielleicht braucht später eine wunderschöne Anwältin eine Mitfahrgelegenheit.«

Sein Zwinkern verrät mir, dass er nur Spaß macht. Er flirtet für sein Leben gern.

»Wenn es ruhig ist, kannst du doch bestimmt auf einen Drink hochkommen, oder? Wir haben heute wirklich viel zu feiern.«

»Ich hab's gehört. Glückwunsch übrigens. Du hast einen verdammt überzeugenden Auftritt hingelegt, wie man sich so erzählt.«

Ich zucke geschmeichelt die Achseln. »Na ja, ich hab das ja nicht allein gemacht. Es waren ein Menge Leute an dem Sieg von heute beteiligt.«

»Nichts ist schärfer als eine umwerfende Frau, die ein Kompliment nicht annehmen kann.«

Ich lache.

Hoffnungslos.

»Okay, dann danke ich dir und gehe mal rein, okay?«

»Na, na, du musst nicht gleich fliehen.«

»Und was, wenn Cash mich einen Kopf kürzer macht, weil ich dich von der Arbeit abhalte?«

»Ach, um Cash mach dir mal keine Sorgen, Zuckerschnecke. Um den kümmere ich mich schon.«

Sein Lächeln ist teuflisch, und er wackelt mit den Augenbrauen. Wieder muss ich lachen. »Das könnte gefährlich werden«, sage ich kopfschüttelnd und wende mich der Treppe zu.

»Auf gewisse Art bestimmt«, ruft er mir noch hinterher, bevor der Lärm des Clubs seine Stimme übertönt.

Vor der Tür auf der obersten Stufe bleibe ich lächelnd stehen. Den Partylärm im VIP-Room kann ich sogar über die Musik, die von unten heraufdringt, hören, was ziemlich bezeichnend ist.

Ich mache die Tür auf und trete ins fröhliche Chaos. Mein Blick streift flüchtig alle Anwesenden. Bis auf den Barkeeper kenne ich jeden. Jeder einzelne Partygast war auf die eine oder andere Art und Weise an der Verhandlung beteiligt – von Cindy, der Anwaltsgehilfin, deren zäher Recherche wir viele wertvolle Informationen verdanken, bis hin zu Stephen, dem Gerichtsreporter, den wir in den vergangenen Monaten recht gut kennengelernt haben.

Im Laufe einer Verhandlung, wie wir sie heute gewonnen haben, wächst man mit seiner Mannschaft zusammen, bis man nahezu ein Familiengefühl hat. Ich habe gelernt, diesen Leuten zu vertrauen und mich auf sie zu verlassen, wie ich es mit den Menschen, die ich bisher kannte – Familie oder sogenannte Freunde –, niemals tun konnte. Alles in allem war diese Zeit, dieses Projekt die wertvollste und erfüllendste Erfahrung meines Lebens.

Aber was nun?

Der Gedanke stiehlt sich in meine Euphorie, ehe ich ihn unterdrücken kann, und dämpft mein Lächeln für eine Sekunde. Aber bevor ich anfangen kann, existenzielle Fragen zu stellen, ruft Jensen mir von der Bar aus zu.

Er greift nach zwei Schnapsgläsern und setzt sich in meine Richtung in Bewegung. Alle Blicke richten sich auf mich, und mein Lächeln kehrt zurück. Wenigstens heute Abend will ich über nichts anderes nachdenken müssen als über die Frage, was ich als Nächstes trinken werde.

Jensen bleibt vor mir stehen, und es wird still. Zumindest so still, wie ein Raum gedrängt voll mit Leuten eben werden kann. Jensen räuspert sich.

»Auf die Frau der Stunde, ohne die wir vermutlich keinen Sieg eingefahren hätten.« Er hebt sein Glas, und die anderen tun es ihm nach. »Auf Marissa.«

Unter den allgemeinen Hochrufen bildet sich ein dicker Klumpen in meiner Kehle. Ich kippe den Drink herunter und hoffe, dass ich überhaupt schlucken kann. Aber es klappt, und der Alkohol brennt sich bis hinunter in meinen Magen und treibt mir die Tränen in die Augen.

»Marissa!«, johlt die Menge.

Ich spüre ein Lachen in mir blubbern, als Jensen mich um die Taille packt und herumschwingt. Ich lasse ihn machen und stelle fest, dass ich mich zum ersten Mal seit vielen, vielen Monaten zumindest annähernd glücklich fühle.

Bis er mich auf den Boden abstellt und mein Blick mit Nashs kollidiert.

41
NASH

Ich weiß nicht genau, was ich zu sehen erwartet habe, wenn ich den Raum betrete, aber das stand garantiert nicht auf der Liste der Möglichkeiten. Jensens Arm um Marissas Taille und sie, die sich lachend an ihn klammert. Um sie herum applaudierende und jubelnde Freunde. Ein Raum voller Menschen, mit denen ich nichts zu tun habe.

Und ich stelle wieder einmal fest, dass ich in diese Welt nicht mehr passe. Und ich werde mich auch nie wieder einfügen können. Das Boot zu kaufen und mein zukünftiges Dasein auf See zu planen, war klug. Aber ich habe wahrscheinlich gedacht, dass ich eines Tages vielleicht ... vielleicht ...

Marissas Lächeln erstirbt, während ich sie ansehe. Jensen stellt sie auf die Füße und betrachtet mich. Ich muss das Bedürfnis niederkämpfen, zu ihm zu gehen, ihn zu packen und ihm den Hals umzudrehen.

Ich blicke mich um. Alle Anwesenden starren mich an. Ich erkenne nur wenige von den Gästen, aber selbst wenn ich sie alle kennen würde, änderte es nichts. Das hier sind nicht meine Leute. Das hier ist nicht meine Welt. Ihre aber umso mehr, und das wird uns ewig voneinander trennen. Wie eine Kluft. Ein Abgrund. Eine unüberwindliche Schlucht.

Ich wende mich von ihr ab und entdecke Cash. Er grinst von einem Ohr zum anderen. Und das rückt meine Abwesenheit hier wieder in die richtige Perspektive. Wir haben letztendlich bekommen, was wir wollten. Die Männer, die den Tod meiner Mutter und die Gefängnisstrafe meines Vaters zu verantworten haben, werden für lange, lange Zeit hinter Gittern sein. Und Duffy, der den Auftrag ausführte und eigentlich den Tod verdient hat, muss wenigstens sein ganzes restliches Leben über die Rache seiner Leute fürchten. Er wird das Land verlassen dürfen, wenn er den Zeugenschutz nicht will, und in jedem Fall ist alles, was er sich hier aufgebaut haben mag, null und nichtig. Vielleicht ist das sogar die bessere Strafe. Jedenfalls habe ich beschlossen, es so zu sehen. Mir bleibt nichts anderes übrig.

Denn ich muss diese Sache ein für alle Mal abschließen und weiterziehen.

Und wohin?

Ich verdränge die Frage, indem ich mich daran erinnere, dass ich bereits einen Plan habe. Ich ignoriere die blauen Augen, die in meinem Bewusstsein auftauchen, obwohl ihr eindringlicher Blick sich förmlich in mich brennt.

Ich setze mich in Bewegung, bleibe vor meinem Bruder stehen und strecke ihm die Hand entgegen. Er nimmt sie und drückt ein paarmal, während wir uns angrinsen, und impulsiv ziehe ich ihn in meine Arme. Wir klopfen uns gegenseitig auf den Rücken.

Dann mache ich mich los. Noch immer lächelt er breit.

»Es ist vorbei, Mann. Es ist endlich vorbei«, sagt er sichtlich erleichtert.

Ich nicke. »Endlich.«

Eigentlich müsste es der glücklichste Tag meines Lebens sein, aber ich fühle mich leer. Und feiern ist das Letzte, wonach mir der Sinn steht. Aber ich will nicht, dass jemand mitbekommt, wie es mir geht. »Kann ich vielleicht kurz in deine Wohnung?«, frage ich Cash leise. »Ich könnte eine Dusche gebrauchen.«

Ich sehe eine kleine Falte auf seiner Stirn erscheinen, doch dann ist sie auch schon wieder weg. »Klar.«

Ich nicke, drehe mich um und verlasse den Raum, ohne noch einmal zurückzublicken.

Was hast du denn erwartet?

Ich schimpfe mit mir selbst, während ich die Treppe hinuntergehe und mich durch den überfüllten Club dränge. Irgendwie habe ich wohl gedacht, dass Marissa mich vermisst hätte. Dass sie sich über mein Erscheinen freuen, mir um den Hals fallen und mir gestehen würde, dass sie sich danach sehne, mit mir zusammen in den Sonnenuntergang zu segeln. So dämlich, wie es sich anhört – das war im Grunde das Szenario, das ich tief in meinem Inneren abgespeichert hatte.

Du bist ein verfi-… ein Vollidiot.

Es macht mich fuchsteufelswild, dass ich mich tatsächlich immer noch zensiere, als könne sie mich hören. Als würde es sie interessieren. Als würde es sie einen feuchten Kehricht kümmern. Ich presse einen Schwall schmutziger Flüche hervor, während ich die Tür zu Cashs Büro aufreiße, hineinmarschiere und sie mit Schwung hinter mir zuknalle.

Ich durchquere sein Büro bis zu seiner Wohnung, knalle auch diese Tür und fühle mich ein winziges bisschen besser, wenigstens etwas Dampf abgelassen zu haben. Wirklich hilfreich aber wäre, diesen Warmduscher zu verprügeln, der eben an Marissa klebte. Aber da mir das in der Partygemeinde wohl keine Sympathiepunkte einbringen und mich dazu wahrscheinlich gradewegs in den Knast führen würde, schleudere ich stattdessen meine Tasche durch den Raum und betrete das Bad.

Ich drehe kaum den Kaltwasserhahn auf. Das heiße Wasser tötet mit seinem Brennen ein Weilchen jedes andere Gefühl. Als ich aus der Dusche trete, glüht meine Haut, beruhigt sich aber schnell wieder, sodass ich in null Komma nichts wieder fit bin.

Bevor ich mich anziehe, strecke ich mich einen Moment auf dem Bett aus, damit meine Haut an der Luft trocknen kann. Ich konzentriere mich auf das Wummern der Musik, die aus dem Club dringt, und zwinge meinen Zorn zurück.

Das funktioniert halbwegs, indem ich an Dinge denke, die ich unter Kontrolle habe oder die mir ein wenig Genugtuung verschaffen. Zum Beispiel die Tatsache, dass Dad bald freigelassen werden wird, oder die Freude auf einen tiefroten Sonnenuntergang über dem glasklaren karibischen Wasser.

Ich weiß nicht, wie lange ich dort liege. Der Lärm aus dem Club zwei geschlossene Türen entfernt klingt leiser, aber ich sehe keine Uhr in dem dunklen Zimmer, die mir die Zeit sagen könnte.

Ich stehe auf und ziehe mich an, dann spähe ich ins Büro auf die Uhr an der Wand. Ich war fast zwei Stunden hier unten.

Wie zum Teufel ist denn das passiert?

Ich kehre in den Club zurück. Die Menge hat sich beträchtlich ausgedünnt. Anscheinend geht die Partynacht langsam zu Ende, aber wir haben ja auch einen normalen Wochentag.

Ich blicke hinauf zum verspiegelten Fenster des VIP-Rooms. Ich habe keine Ahnung, ob noch alle da sind, aber ich schätze, ich sollte mich wenigstens blicken lassen, ehe ich Cash bitte, mir seinen Wagen zu leihen, um endlich von hier zu verschwinden. Die Stille seiner anderen Wohnung wird mir bestimmt guttun. Hauptsache, ich kann von hier weg. Ich kann von ihr weg.

Ich nehme zwei Stufen auf einmal. Bevor ich oben ankomme, geht die Tür auf, und Jensen taucht auf. Er schiebt eine eindeutig nicht mehr nüchterne Marissa vor sich her.

»Ich sag doch, ich kann fahren«, lallt sie.

»Und ich habe dir gesagt, dass ich dich unter keinen Umständen hinters Steuer lasse.«

»Aber du bist auch betrunken. Wer soll denn fahren?«

»So betrunken bin ich nicht«, sagt er.

Ich bleibe mitten auf der Treppe stehen und verschränke die Arme vor der Brust. »Wollt ihr schon gehen?«

»Ja. Die Dame hier will nach Hause, aber sie hat zu viel getrunken, um noch zu fahren.«

»Und du nicht?«

»Nicht so viel, dass ich nicht mehr fahren könnte.«

»Das sehe ich anders. Ich fahre sie.«

»Schon okay, Cash. Ich mach das schon.«

Er setzt an, Marissa um mich herumzusteuern. Ich weiß nicht, was mich wütender macht – dass er mich Cash nennt oder dass er sie schon wieder anfasst.

Jetzt mach dir doch selbst nichts vor. Du weißt ganz genau, was dich so wütend macht!

»Ich muss darauf bestehen«, bringe ich durch zusammengepresste Zähne hervor. Ich will keinen Aufstand machen. Nicht weil es mir etwas ausmacht, diesem dämlichen Lappen in den Hintern zu treten, sondern weil es Cash und Marissa wahrscheinlich in Verlegenheit bringen würde. Die beiden sind mir wichtig. Dieser selbstherrliche Vollpfosten dagegen ist es nicht.

»Besteh so viel du willst, ich bringe sie nach Hause.«

Seine hellen Augen sehen mich herausfordernd an. Aus irgendeinem Grund finde ich das plötzlich ziemlich lustig. Er hat nicht die geringste Ahnung, was mit ihm geschieht, wenn ich mich an ihm austobe. Nicht die geringste.

»Nein, willst du nicht, kleiner Anwalt. Vertrau mir.«

»Vielleicht will ich doch«, erwidert er. Anscheinend hat der Alkohol seinen Mut beflügelt.

»Hey«, meldet sich Marissa laut zu Wort. »Jungs, bitte, hört auf damit. Ich fahre selbst nach Hause, also stopft eure besten Stücke wieder in die Hose zurück.« Sie kichert über ihre Wortwahl und macht sich mit ausladenden Gesten aus Jensens Griff los.

Dann versucht sie, an mir vorbeizugehen, stolpert und plumpst gegen mich. Ich halte sie fest, und sie schmilzt förmlich an meiner Seite. Mit einem Lächeln sieht sie zu mir auf. »Tut mir leid.«

»Lass mich dich nach Hause bringen«, sage ich leise.

Sie starrt mir in die Augen, als würde sie nach etwas suchen. Was immer es ist, anscheinend findet sie es. Sie nickt. »Okay.«

»Marissa, ich ...«, beginnt Jensen, aber ich schneide ihm das Wort ab, indem ich ihm die flache Hand auf die Brust lege, als er einen Schritt auf sie zu machen will. Ich mache mir nicht einmal die Mühe, ihn dabei anzusehen, sondern konzentriere mich auf Marissas funkelnde blaue Augen.

»Letzte Chance«, sage ich warnend.

Marissa sieht nach links. »Jensen, lass gut sein. Es ist lieb, dass du mich fahren willst, aber wir haben beide zu viel getrunken.«

Ich höre sein Seufzen und bin gemein genug, darauf zu hoffen, dass er sich weiter ziert. Ich habe solche Lust, diesem Arschloch eine Lektion zu erteilen. Andererseits wünschte ich, er würde endlich die Klappe halten und abziehen. Denn was ich im Moment noch aufregender finde, als dem kleinen Anwalt die Fresse zu polieren, ist Marissa. Nur Marissa. Und das, was ich in ihren ach so blauen Augen sehe.

Aus den Augenwinkeln sehe ich, wie er sich umdreht und wütend die Treppe hinauf abzieht. Als er weg ist, gehört meine Aufmerksamkeit endlich ganz ihr. Meine Seele tut das schon lange.

»Meinst du, du schaffst die Treppe?«

Sie nickt, will die nächste Stufe in Angriff nehmen und taumelt. Ich halte sie fest.

»Himmel«, murmelt sie.

Ohne sie zu fragen, hebe ich sie hoch und trage sie hinunter. Unten angekommen könnte ich sie wahrscheinlich wieder absetzen. Tue ich aber nicht. Ich trage sie hinaus in die kühle Nacht.

»Wo steht dein Auto?«

»Da drüben«, sagt sie, zeigt es mir und legt ihren Kopf an meine Schulter. Sie schlingt einen Arm locker um meinen Nacken und schmiegt sich an mich. Ich ziehe sie fester an meine Brust. Es fühlt sich an, als ob sie dorthin gehörte. Sie passt perfekt in meine Arme.

Du lieber Himmel, Mädchen. Was hast du nur mit mir gemacht?

Als wir ihren Wagen erreichen, sucht sie den Schlüssel aus ihrer Tasche heraus und gibt ihn mir. Ich drücke auf die Taste, und ein sanfter Klack öffnet die Zentralverriegelung. Ich stelle Marissa gerade lange genug ab, um die Beifahrertür zu öffnen, dann hebe ich sie wieder hoch und setze sie behutsam hinein, damit sie sich nicht den Kopf anstößt.

Auf der Fahrt nach Hause sagt keiner von uns ein Wort. Ich werfe ihr immer wieder einen Blick zu, um zu sehen, ob sie eingeschlafen ist, aber sie bleibt wach. Jedes Mal erwidert sie meinen Blick, spricht aber nicht.

Die Spannung im Wagen verdichtet sich, bis ich es fast schmecken kann. Und bald bin ich eisenhart in meiner Jeans.

Ich stelle den Wagen vor Marissas Haus ab und gehe um den Wagen herum, um ihr die Tür zu öffnen. Sie will zum Haus gehen, aber ich hindere sie daran, hebe sie wieder hoch und trage sie zum Eingang.

»Ich kann gehen«, sagt sie, vergräbt ihr Gesicht aber dennoch an meinem Hals. Wahrscheinlich kann sie wirklich gehen, aber sie will es eigentlich gar nicht. Und ich will sie auch nicht gehen lassen.

Ich sage nichts, trage sie zur Tür, gebe ihr den Schlüssel und bücke mich leicht, damit sie aufschließen kann.

Im Inneren trete ich die Tür hinter mir zu und stelle sie auf die Füße. Ich will nicht zu dreist sein, daher warte ich ab, was sie sagen oder tun wird.

In dem dämmrigen Licht, das durch die Glasscheibe oberhalb der Tür eindringt, betrachten wir einander stumm. Nachdenklich. Es gibt vieles, das ich gerne sagen würde, aber ich kann nicht. Darf nicht. Werde nicht. Es besteht kein Grund dazu. Es würde nichts ändern. Und wenn sie für mich nicht dasselbe empfinden würde, brächte es mich um. Aber falls doch, wäre es wohl noch schlimmer.

Ich hebe die Hand und streiche ihr mit den Fingerknöcheln über die seidige Wange. Sie neigt mir den Kopf entgegen. Als ich den Kopf senke und ihre Lippen in Besitz nehme, ist der

Kuss nicht so fieberhaft und verzweifelt, wie ich es vermutet hätte. Er hat etwas Trauriges und Endgültiges an sich. Ich weiß nicht, wer von uns beiden dafür verantwortlich ist, aber der Kuss schmeckt definitiv nach Abschied.

Zum ersten Mal in meinem Leben mache ich mit einer Frau Liebe. Ich hatte unzählige Male Sex mit mehr Frauen, als ich mir hätte merken können. Ich habe unanständige, verdorbene Dinge mit ihnen angestellt. Verdammt, ich habe verdorbene Dinge mit Marissa angestellt! Und ich würde noch gerne viel mehr davon anstellen. Aber heute Nacht geht es darum nicht. Und ich will es auch nicht. Heute Nacht lasse ich ihr das letzte Stück von meiner Seele da, das sie nicht bereits besitzt.

Mit jedem Kleidungsstück, das ich ihr ausziehe, wird mir ihr Duft, das Gefühl ihrer Haut bewusster. All meine Sinne sind geschärft und voll auf sie ausgerichtet. Jede Stelle ihres Körpers, jedes Seufzen, jeder Schauder wird für immer in meine Erinnerung eingebrannt sein. Ich bin mir nicht sicher, ob das eine gute Sache ist, doch das zählt nicht. Keine noch so beängstigende Konsequenz kann mich zurückhalten.

Vom ersten Mal, als ich in ihren warmen Körper eindringe, bis zum letzten Beben ihres Orgasmus ist mir klar, dass wir einander auf bittersüße, wortlose Art Lebewohl sagen. Für diese wenigen Minuten bin ich glücklicher, als ich es je gewesen bin. Und nie war ich trauriger. Ich weiß, dass ich für immer ein besserer Mensch sein werde, nur weil ich Marissa gekannt habe. Sie hat Wunden in mir geheilt, mit denen ich sterben zu müssen geglaubt habe, die ich für unheilbar gehalten habe. Durch sie habe ich in der Zukunft ein Dasein, für das es sich zu leben lohnt.

Mein Atem normalisiert sich gerade, als ich die ersten Tropfen auf meiner Haut spüre. Marissa liegt halb auf mir, ein Bein über meinem, den Kopf auf meiner Brust. Und sie weint. Ich spüre jede Träne einzeln. Sie sind nur lauwarm, brennen aber wie Feuer.

»Wirst du weg sein, wenn ich aufwache?«, flüstert sie, und beim letzten Wort bricht ihre Stimme.

Ich denke über die Frage nach, bevor ich antworte. Ich habe keinen echten Plan in meinem Kopf gehabt, aber jetzt weiß ich, was ich tun muss. »Ja.«

Ich spüre ihre Schultern beben, als sie zu schluchzen beginnt. Und mir ist, als würde eine Faust mein Herz zerquetschen.

Plötzlich bewegt sie sich. Sie hebt sich von mir und steigt vom Bett. Sie dreht sich nicht um, um mich anzusehen, sondern strafft die Schultern und geht kerzengerade aufgerichtet und stolz durch den Raum. »Leb wohl, Nash«, sagt sie leise. Dann verschwindet sie im Bad, zieht die Tür zu, schließt sie ab. Ich setze mich verdattert auf und starre auf die Tür, bis ich das Rauschen der Dusche höre.

Ein Satz kreist in meinem Kopf, als ich mich anziehe und ein Taxi rufe. *Es ist am besten so. Es ist am besten so.*

Als das Taxi vor der Tür steht, ist sie immer noch nicht aus dem Bad gekommen. Ich weiß, dass sie die letzten Worte schon gesagt hat.

42
Marissa

Keine Ahnung, warum ich immer noch im Bett liege. Ich weiß sehr gut, dass ich heute Nacht ohnehin nicht mehr schlafen werde. Sosehr ich mir wünsche, die Wirklichkeit wenigstens für wenige Stunden ausblenden zu können, ist der Schmerz über Nashs erneutes Verschwinden zu groß. Und ich habe ihn gehen lassen.

Mindestens zum zehnten Mal drehe ich mein Gesicht ins Kissen und inhaliere tief. Ich rieche Nash – seinen natürlichen Duft, vermischt mit Seife. Der Stoff unter meiner Wange ist nass, und meine Tränen vergrößern die Stelle stetig.

Ich wusste im Grunde von vornherein, dass diese Nacht einen Abschied bedeutete, und allein aus Selbstschutz hätte ich mich nie im Leben noch einmal auf ihn einlassen dürfen. Doch ich habe es getan. Und in gewisser Hinsicht bereue ich es nicht. So furchtbar es sich anfühlt, ihn erneut zu verlieren, war es so wunderschön, ihn noch einmal in den Armen zu halten, wenn auch nur für eine kurze Weile.

Wieder fange ich an zu schluchzen, und es klingt laut in der Stille meines Schlafzimmers und hallt in der Leere meines Herzens wider. Das Hämmern an meiner Tür hätte ich in meinem Elend fast überhört.

Mein Herz setzt einen Schlag aus, bevor es seine Arbeit beschleunigt wieder aufnimmt. Ein winziges Stimmchen in mir warnt mich, es könnte sich um einen Verbrecher handeln, der mir etwas antun will, doch die Furcht wird überlagert von der Hoffnung, der verzweifelten Hoffnung, dass es Nash ist.

Bitte, lieber Gott, bitte, bitte, ertönt es in meinem Kopf, während ich mich auf dem Weg zur Tür hastig abmühe, in die Ärmel meines Morgenrocks zu kommen.

Ich schaue durch den Spion und halte den Atem an. Nash.

Ich mache die Tür auf, und er packt mein Gesicht mit beiden Händen und drückt mir fast wütend einen Kuss auf die Lippen.

»Was zum Teufel hast du nur mit mir gemacht?«, murmelt er an meinem Mund. Mir ist egal, was er sagt, und ich gebe keine Antwort; ich bin nur froh, dass er wieder da ist. Wenigstens für eine Weile noch.

Er zieht eine Spur aus Küssen über meine Wange, über mein Kinn und den Hals herab, dann zieht er mich an sich und hält mich fest.

»Ich kann dich nicht noch einmal verlassen. Nicht so. Bitte mich zu bleiben«, flüstert er in mein Haar. »Ich werde sein, wie du mich haben willst, wer immer ich für dich sein muss. Ich weiß, ich bin nicht perfekt, aber für dich will ich es sein. Gib mir nur eine Chance.«

Ich versuche, den Kopf zurückzuziehen, um ihn anzusehen, aber er lässt mich nicht. »Nash«, sage ich und drücke gegen seine Brust.

Endlich gibt er gerade weit genug nach, dass ich den Kopf zurücknehmen und ihm ins Gesicht sehen kann. Als ich etwas sagen will, legt er mir den Finger auf die Lippen. »Ich habe die ganze Welt umsegelt, weil ich von dir fortkommen wollte, von dir und den Gefühlen, die du in mir geweckt hast. Aber ich habe feststellen müssen, dass kein Meer weit und tief genug ist, um die Gedanken an dich zu ertränken, dass ich mich deiner Anziehungskraft nirgendwo entziehen kann. Du findest mich. Du wirst mich immer finden. Als ich auf See verloren war, hast du mich gefunden. Als ich in diesem Dasein verloren war, hast du mich gefunden. Du hast mich gefunden und gerettet. Und ich weiß, dass ich nirgendwo glücklich sein kann, wenn ich vor dir fliehe. Das Beste von mir bist du. Das einzige Stück Nash, das etwas bedeutet, ist das, was du besitzt.«

»Du würdest bleiben? Hierbleiben? Für mich?«

»Ich würde alles für dich tun.«

»Aber was ist mit dem Boot? Nash hat gesagt, du hättest eine Jacht gekauft, die du vermieten willst.«

»Ich verkaufe sie wieder. Ich gebe die Idee auf. Ich gebe alles für dich auf. Alles und jeden. Alles für uns. Wenn ich dich nur so bei mir halten kann und es dich glücklich macht, tue ich es. Was du willst. Du musst es nur sagen.«

Mein Herz scheint bersten zu wollen. Zunächst fehlen mir die Worte. Ich frage mich, plötzlich verwirrt, ob ich das Ganze vielleicht nur träume. Aber wenn dem so ist, wenn ich mich gerade in einem Traum befinde, dann möchte ich nie mehr aufwachen. Nie mehr.

»Und wenn ich das nicht will?«

Er verharrt plötzlich vollkommen reglos und sieht mich einige Sekunden nur stumm an. Dann: »Wenn du was nicht willst?«

Ich weiß, was er denkt. Ich sehe es seinem vernichteten Gesichtsausdruck an. Er glaubt, ich werde ihm sagen, dass ich ihn nicht will.

»Wenn ich nicht will, dass du das Boot verkaufst?« Er sagt

nichts, sieht mich nur an. Schließlich lächle ich. Wahrscheinlich habe ich noch nie in meinem Leben so glücklich gelächelt, als ich meine Arme um seinen Hals schlinge und seinen Kopf zu mir herunterziehe. »Und wenn ich mit dir davonsegeln will?«, flüstere ich ihm ins Ohr.

Er atmet erleichtert aus, bevor er mich so fest an sich drückt, dass ich keine Luft mehr bekomme.

»Verdammt, ich liebe dich, Frau«, flüstert er an meinem Hals. Wenn ich vor ein paar Sekunden noch gedacht habe, mehr Glück könne man einfach nicht empfinden, dann habe ich mich geirrt. Noch nie in meinem Leben haben ein paar kleine Worte in mir eine so drastische, nicht umkehrbare, grundlegende Veränderung erzeugt. In einem winzigen Augenblick ist aus Leere und Elend eine Überfülle an Liebe, Hoffnung und Frieden geworden. Seine nächsten Worte spiegeln genau das, was ich tief in meiner Seele empfinde. »Durch dich werde ich eins.«

»Das habe ich auch gerade gedacht«, sage ich leise.

»Wirklich?«, fragt er mit einem Lächeln in der Stimme.

»Das und noch etwas.«

»Und was noch?« Als ich nicht antworte, richtet er sich auf und blickt auf mich herab. »Was noch?«, wiederholt er.

Ich hebe meine Hand und streiche ihm mit den Fingerspitzen über die kratzige Wange. »Dass ich dich liebe. Dass ich diese Stoppeln liebe. Und diese Lippen.« Ich fahre ihm mit dem Zeigefinger über die Unterlippe. »Und dieses Gesicht. Und das Haar.« Ich schiebe ihm eine Strähne hinter das Ohr. »Und dass du recht hast. Du bist perfekt für mich. Jetzt schon. Du bist all das, wovon ich nie wusste, dass ich es brauchte, das ich mir aber immer gewünscht habe.«

Nash umfasst mein Handgelenk und legt sein Gesicht in

meine Handfläche. »Ich werde den Rest meines Lebens damit verbringen, dich glücklich zu machen und dir zu zeigen, dass du die richtige Wahl getroffen hast. Ich verspreche dir, dass du nicht bereuen wirst, es mit mir zu versuchen.«

»Ich brauche nichts zu versuchen. Ich kann ohne dich nicht atmen. Ich tue nur, was ich zum Überleben tun muss. So einfach ist das.«

»Dann will ich gerne deine Luft sein«, sagt er ernst. Und als seine Lippen sich erneut auf meine legen und er mich in seine Arme zieht, weiß ich, dass keiner von uns beiden sich je wieder einsam und leer fühlen muss.

Denn zusammen sind wir eins.

43
NASH

Vier Monate später

Die Sonne scheint durch das Kajütenfenster und verleiht Marissas sonnengebräunter Haut einen goldenen Schimmer. Sie liegt auf dem Bauch von mir abgewandt und atmet tief und gleichmäßig. Ich könnte sie ewig im Schlaf beobachten, aber erstens wäre das absolut gruselig und zweitens habe ich einen mordsmäßigen Ständer.

Ich schiebe das Laken von ihr. Sie hat nichts an; das Wetter hier auf den Fidschis ist herrlich warm, sodass wir nachts kaum etwas über uns brauchen, was mir sehr zupass kommt. Sie regt sich leicht, und ich drücke ihr einen Kuss auf die Lendenwirbelsäule und fahre mit der Zunge abwärts und über eine Pobacke. Dann beiße ich hinein und knabbere zart an ihr, und sie zuckt zusammen und schnappt leise nach Luft. Mit den Lippen reibe ich über die leicht gerötete Stelle und murmele: »Ich liebe diesen Hintern.«

Marissa bewegt sich unter mir und schiebt sich ein wenig zurecht, sodass sie die Beine weiter öffnen kann. Ich streiche mit einer Hand von der Kniekehle ihren Oberschenkel hinauf, dann an der Innenseite entlang bis hin zu der Stelle, die bereits Hitze abzustrahlen beginnt. Als ich einen Finger in sie schiebe, ist sie nass und bereit für mich.

»Nanu? Hast du mal wieder von mir geträumt?«

Sanft bewege ich den Finger in ihr und halte sie mit dem Gewicht meines Oberkörpers still.

»Hm«, ist die einzige Antwort.

»Ja, so fühlt es sich auch an«, fahre ich leise fort. »Willst du mir nicht alles detailliert erzählen? Ich würde mich bereiterklären, deinen Traum wirklich werden zu lassen.« Ich schiebe einen zweiten Finger tief in sich. »Ich geb dir mein Wort.«

»Wie wär's, wenn ich es dir stattdessen zeige?«, sagt sie und windet sich unter mir hervor.

Ich liebe es, wenn sie mir etwas demonstriert.

Die Sonne steht schon sehr viel höher, als wir es endlich an Land schaffen. Cash und Olivia relaxen am Hotelpool mit Gavin und Ginger.

»Ihr hängt ja nur ab. Was ist denn mit euch los?«, sage ich, als wir in Hörweite sind. »Ich dachte, wir hätten alle wichtige Luxusverabredungen, um uns dem Anlass entsprechend zu stylen.«

Olivia rutscht von ihrem Liegestuhl, bückt sich, um Cash zu küssen, dann greift sie nach Gingers Hand und zieht sie auf die Füße. »Okay, wir sind weg. Amüsiert euch gut, Jungs, wir Mädels machen uns schön.«

»Perfektion kann nicht verbessert werden«, sage ich und ziehe Marissa zu einem Kuss an mich, bevor Olivia sie auch davonschleifen kann. Sie grinst zu mir auf.

»Rede weiter so, und du kriegst noch was von der Medizin von heute Morgen.«

»Da, wo ich das hergeholt habe, ist noch ganz viel davon«, sage ich und meine eigentlich das Kompliment, das ich ihr gemacht habe.

Sie versteht es absichtlich falsch und grinst anzüglich. »Oh, das weiß ich, glaub mir.«

Ich versetze ihrem prächtigen Hintern einen Klaps, als sie sich umwendet und Olivia und Ginger folgt. Ich sehe ihr nach, bis sie verschwunden ist, dann setze ich mich auf das Fußende der Liege, die Olivia soeben freigegeben hat.

»Also – muss ich jetzt auf dich einreden, um dir die Panik zu nehmen oder so was?«

»Das wäre wahrscheinlich deine Aufgabe, wenn ich denn Panik hätte, aber ich glaube, ich freue mich fast noch mehr auf das hier als sie.«

»Ha! Das glaube ich kaum. Sie ist ja gerade förmlich davongeschwebt. Ich habe den Eindruck, als ob ihre Füße noch nicht einmal den Boden berührt haben, seit wir hergekommen sind.«

Cash hat Olivia vor zwei Monaten einen Antrag gemacht, nicht lange nachdem das Urteil für die *Bratva*-Mitglieder verkündet worden war. Zuerst war von einer Riesenhochzeit die Rede, aber nachdem Dad entlassen worden war, fiel es Ginger offenbar nicht schwer, Olivia dazu zu überreden, die Feier ganz woanders ausrichten zu lassen. Und es wurde noch leichter, als Ginger ihr sagte, dass sowohl mein Vater als auch ihrer damit einverstanden waren.

Olivias Mutter spielte bei den Überlegungen keine Rolle. Sie weigerte sich ohnehin, an der »Farce einer Hochzeit«, wie sie es nannte, teilzuhaben.

Was für eine unerträgliche Zicke.

Die Sache war abgemacht, als Ginger Olivia erzählte, dass

Marissa und ich alle herfahren würden. Danach mussten sie sich nur noch auf Zeit und Ort einigen und die nötigen Formalitäten erledigen.

Sie suchten sich die Fidschi-Inseln aus. Die Zeremonie wird eine Mischung aus christlicher und Insel-Tradition. Die Gästeliste ist kurz und besteht aus Marissa und Ginger als Brautjungfern, Gavin, Dad und mir als Trauzeugen und Olivias Vater, der Cash die Braut übergibt. Das Ereignis beginnt um zwanzig Uhr dreißig Ortszeit.

Cashs Lächeln scheint festgetackert. Aber wahrscheinlich sehe ich genauso aus. Nicht einmal in meinen kühnsten Träumen hätte ich mir ausmalen können, dass unser Leben sich auf diese Art wandelt. Das zeigt wohl, was die Liebe mit uns machen kann. Sie kittet kaputte Gestalten und heilt selbst alte, schwärende Wunden. Zumindest dann, wenn die Frau den Mann mit allen Macken und Narben liebt. Meine tut das. Und Cashs tut das auch. In dieser Hinsicht haben wir beide unglaubliches Glück gehabt.

»Na, dann. Wenn du also gerade nichts Besseres zu tun hast, müsste ich mal mit dir reden.«

Ich hole tief Luft. Das ist der erste Schritt.

Ich stehe am Strand Marissa gegenüber. Die untergehende Sonne bringt das Meer zum Leuchten, eine warme Brise weht durch unser Haar, und der Weg ist mit Fackeln gesäumt. Es ist ein toller Ort zum Heiraten, das muss ich zugeben. Ich sollte mich eigentlich auf Olivia konzentrieren, aber ich kann meinen Blick einfach nicht von Marissa wenden.

Die traditionelle Hochzeitstracht der Inselbewohner steht ihr ungemein gut. Der dünne weiße Rock ist bodenlang, aber bis zum Oberschenkel geschlitzt, sodass ihr Bein prächtig zur

Geltung kommt. Sie hat heute etwas zu viel Sonne abbekommen, deshalb trägt sie anscheinend keinen BH unter dem passenden weißen Top. Ab und zu, wenn der Wind aus einer bestimmten Richtung weht, kann ich einen Blick auf ihre Nippel erhaschen, und das treibt mich noch in den Wahnsinn.

Als spürte sie meinen Blick, schaut sie zu mir herüber und lächelt. Es raubt mir den Atem.

Ihre Wangen sind gerötet, und ihr Haar ist nach den vielen Wochen auf See platinblond gebleicht. Ihre Augen funkeln glücklich, und irgendwie habe ich den Verdacht, dass sie heute Nacht Lust auf wilden, aggressiven Sex haben wird. So mag ich sie am liebsten – im Bett zumindest.

Sie neigt den Kopf in Richtung Pfad, als die Trommeln einsetzen, und ich zwinge mich, endlich die Braut anzusehen. Ein paar Fidschianer in heimischer Tracht tragen Olivia auf einer Art... Bett? Sie halten nicht weit von ihrem Vater entfernt an und lassen sie herunter. Er nimmt ihre Hand und legt sie sich in die Armbeuge, und gemeinsam wenden sie sich zu Cash um.

Ich werfe ihm einen Blick zu. Er lächelt nicht mehr, aber er wirkt weder panisch noch genervt. Eigentlich wirkt er wie hypnotisiert. Ich würde wetten, dass er im Moment keinen Ton herausbringen würde, nicht einmal, wenn man ihn mit vorgehaltener Waffe zu zwingen versuchte. Mein Vater legt ihm eine Hand auf die Schulter. Auch für ihn muss es ein extrem emotionales Ereignis sein. Wahrscheinlich hat er schon lange nicht mehr daran geglaubt, dass er einen Tag wie heute noch erleben würde. Heute werden viele Träume wahr.

Und ich hoffe, der meine ebenfalls.

Ich wende mich wieder Marissa zu und beobachte sie, während der Mann, der die Zeremonie leitet, zu sprechen beginnt.

Ich beobachte sie immer noch, als Cash und Olivia bereits ihre Eidesworte sprechen. Nur Bruchstücke dringen zu mir durch.

»Ich wusste nicht, wie tot ich war, bevor du mir Leben eingehaucht hast«, beendet Cash feierlich seinen Schwur. Eine Pause entsteht, ehe Olivia mit ihrem beginnt.

»Du bist alles, was ich mir als Mann und als Partner wünsche. Du bist der Vater meiner ungeborenen Kinder und der Mensch, mit dem ich alt werden will«, sagt sie mit bebender Stimme.

Mit halbem Ohr höre ich zu, während ich zusehe, wie Marissa vorsichtig die Freudentränen, die ihr über die Wangen strömen, mit einem Taschentuch abtupft.

Nicht einmal die folgenden Worte des Priesters können meine Aufmerksamkeit von Marissa abziehen. »Sie dürfen die Braut jetzt küssen.«

Marissas Blick huscht zu mir, und sie begegnet meinem, statt Olivia und Cash zuzusehen. Zu gerne wüsste ich, was sie in diesem Moment denken mag, jetzt, da sie auf der anderen Seite des Sandwegs hier in diesem Paradies steht und zusieht, wie zwei Menschen, die wir lieben, den Bund der Ehe schließen. Hofft sie darauf, dass auch ich sie frage, ob sie mich heiraten will? Ist sie vielleicht enttäuscht, dass ich es noch nicht getan habe? Würde es sie niederschmettern, wenn ich es nie täte? Oder wäre sie erleichtert?

In ihren Augen lese ich keine Antwort, nur Liebe. Ihre Lippen formen Worte, die ich leicht verstehen kann, auch wenn sie keinen Laut von sich gibt.

»Ich liebe dich.«

Ich lächle und erwidere die Worte ebenso stumm. Dann ist der Augenblick vorbei, denn Cash und Olivia kehren als Mr.

und Mrs. Davenport, wie der Priester verkündet, den Pfad zurück.

Sie sehen so ungemein glücklich aus. Und ich freue mich so sehr für sie.

Und jetzt wird gefeiert. Cash und Olivia wollten statt in der kleinen Kapelle lieber hier draußen am Strand getraut werden, und statt die Gäste im Hotel zu empfangen, haben sie gebeten, die Tische, Essen und Getränke hinauszubringen. Nicht, dass wir besonders viel bräuchten. Wir sind uns heute, denke ich, alle genug.

Viel später werde ich kribbelig. Ich trage keine Armbanduhr, aber es muss nach Mitternacht sein, doch die anderen zeigen keine Anzeichen von Erschöpfung. Ich blicke zu der Baumreihe hinüber und entdecke das Pferd, das dort angebunden ist.

Ich erhebe mich und gehe zu Marissa, die sich mit Ginger unterhält. Ich nehme ihre Hand und ziehe sie auf die Füße, und sie blickt fragend zu mir auf, protestiert aber nicht. Stumm folgt sie mir durch den Sand zu den Bäumen und zu dem Pferd, das auf uns wartet.

Ich helfe ihr hinauf. Noch immer spricht keiner von uns. Dann schwinge ich mich hinter ihr auf den Pferderücken und führe das Tier auf den Weg, den ich mir heute Mittag eingeprägt habe.

Langsam bewegen wir uns durch den üppigen Wald hügelaufwärts, bis wir die Lichtung erreichen. Im Gras liegt eine weiße Decke. Die roten Rosenblätter, die verstreut darauf liegen, wären auch dann sichtbar, wenn der Mond nicht voll am sternklaren Himmel stünde, denn ein Dutzend Kerzen sind kreisförmig um die Decke herum angeordnet.

Sie flackern im Windhauch, als ich absteige und Marissa

vom Pferderücken helfe. Ich binde das Tier an einen Baum und führe Marissa an der Hand zur Decke. Wir sehen uns eine lange Weile nur an, dann drehe ich Marissa dem Meer zu, trete hinter sie, ziehe sie fest an mich und atme ihren Duft ein, während ich über ihre Schulter hinweg die Aussicht genieße.

Der Mond glitzert auf dem Wasser, und vom Strand unten dringt Lachen herauf. In der Ferne sehe ich unser Boot auf dem ruhigen Wasser dümpeln.

»Diese Nacht ist der krönende Abschluss der vergangenen Wochen.«

»Es war ein Traum.«

»Kein Bedauern? Keine Wehmut?«, frage ich und widerstehe dem Drang, den Atem anzuhalten, bis sie antwortet.

»Bist du verrückt? Ich bin nie glücklicher gewesen.«

»Und du vermisst weder Job noch Freunde?«

»Alles, was ich brauche, ist hier«, sagt sie leise. Sie neigt den Kopf zur Seite, um mich anzusehen. Ich küsse ihre Nasenspitze.

Schon jetzt empfinde ich eine ungeheure Erleichterung. Sie spricht nie über ihr vorheriges Leben. Und ich frage auch nie. Bis eben.

Zweiter Schritt abgehakt.

»Siehst du das Boot da draußen?« Von hier aus ist es das Einzige, was zu sehen ist.

»Du meinst deins?«

»Nein. Ich meine unseres.«

»Na ja, nur weil ich in letzter Zeit unanständig viel Zeit in der Kapitänskajüte verbringe, ist es noch lange nicht mein Boot«, neckt sie mich.

»Nein. Aber durch die Besitzurkunde schon.« Sie lehnt sich so weit zur Seite, dass sie sich umdrehen und mich ansehen kann.« Ich habe die Jacht vor ein paar Wochen auf unsere beiden Namen eintragen lassen. Sozusagen jedenfalls.«

»Was soll denn das heißen – sozusagen?«

»Na ja, in der Urkunde steht Mr. und Mrs. Davenport.«

Ich höre, wie Marissa nach Luft schnappt. »Und w-wieso tust du das?«, flüstert sie atemlos.

»Weil ich meiner Frau damit sagen will, dass sie ein Teil von mir, ein Teil meines Lebens, ein Teil von allem ist, was ich habe und was ich bin. Jetzt muss sie nur noch einwilligen, mich zu heiraten.«

Ich greife in meine Tasche und hole den Ring hervor, der mir seit fast zwei Monaten schon ein Loch in die Kleidung brennt, während ich nach dem idealen Ort für einen Antrag gesucht habe. Ich lasse mich auf ein Knie hinab und nehme Marissas zitternde linke Hand in meine.

Und als ich zu ihr aufsehe, in das Gesicht blicke, von dem ich noch immer jede Nacht träume, in die Augen, die mein Herz zum Schmelzen bringen, verschwindet meine Nervosität. Natürlich habe ich darüber nachgedacht, ob das Risiko besteht, dass sie Nein sagen könnte. Doch als ich sie nun betrachte und ihre Liebe so offen und ungefiltert auf mich herabscheint wie der Vollmond über uns, weiß ich, dass sie bereits mir gehört. Und ich gehöre ihr. Schon lange, schon seit dem ersten Kuss auf dem Balkon in New Orleans, und ich werde ihr so lange gehören, bis man mich irgendwann unter die Erde bringt.

»Bitte sag, dass du meine Frau sein willst. Ich möchte dich auf jede mögliche Art an mich binden. Ich kann nicht ohne dich leben, und ich will es auch nicht versuchen. Bitte teil das Boot mit mir. Teil das Leben mit mir. Wenn du es tust, dann, das schwöre ich, werde ich dich, solange ich lebe, lieben, beschützen und glücklich machen.«

Sie sagt nicht Ja, aber ich nehme an, dass sie es so meint, als sie ihren Finger in den Verlobungsring schiebt, den ich ihr hinhalte. Ungefähr zwei Sekunden später bricht sie in Tränen aus, sinkt ebenfalls in die Knie und wirft mir die Arme um den Hals.

»Heißt das ja?«

»Ja«, schluchzt sie.

Ein Feuerwerk setzt ein. Nicht am Himmel, wo man es mit bloßem Augen sehen könnte, aber es ist dennoch da. Um mich herum, in mir, in ihr. »Willkommen in unserer gemeinsamen Zukunft, Mrs. Davenport.«

»Ich liebe dich«, murmelte sie an meinem Hals.

»Ich liebe dich auch, Süße.«

Und das tue ich. Mehr als alles andere.

Sexy, romantisch und voller Leidenschaft

Sylvia Day –
Die internationale Nr.1-Bestsellerautorin

978-3-453-54571-7

978-3-453-54572-4

978-3-453-54573-1

978-3-453-54567-0

Leseproben unter **heyne.de**